Em certo nível, este livro sobre apóstolos de Augustus Nicodemus cobre um assunto que já tem sido trabalhado no passado e apresenta um ensino que, infelizmente, tem sido esquecido. Temos aqui uma pesquisa competente que nos lembra o que é, o que diz e o que faz o apóstolo do Novo Testamento; por que eram doze? Onde o apostolado de Paulo se encaixa nessa equação? Em um outro nível, este livro de modo inteligente oferece uma reveladora perspectiva de movimentos contemporâneos que promovem os "apóstolos modernos" não só no Brasil, mas também em movimentos análogos em outras partes do mundo. Espero que este livro seja amplamente lido!

D. A. Carson – Professor Pesquisador de Novo Testamento do *Trinity Evangelical Divinity School*; cofundador do Ministério *The Gospel Coalition*, Deerfield, Ilinóis, EUA.

Estou grato por Dr. Augustus Nicodemus ter trabalhado este assunto tão vital e relevante da forma como ele o fez. Ele trata de algo fundamental para estabelecer a autoridade final das Escrituras.

Iain Murray – Historiador; Fundador da editora britânica *The Banner of Truth*, Edimburgo, Escócia.

Depois de oferecer à igreja evangélica brasileira obras que se tornaram referências, como *O que você precisa saber sobre batalha espiritual* e *A Bíblia e seus intérpretes*, Augustus Nicodemus Lopes nos oferece mais um importante livro, no qual, firmado nas Escrituras Sagradas - a única revelação salvadora de Deus -, investiga com profundidade o significado do apostolado no Novo Testamento e na história da igreja, assim como no moderno movimento de restauração do apostolado no Brasil e no exterior. Uma obra essencial para entender e refutar biblicamente as supostas reivindicações da "nova reforma apostólica".

Franklin Ferreira - Diretor e professor de Teologia Sistemática e História da Igreja no Seminário Martin Bucer, São José dos Campos, SP.

Nunca faltou na Igreja de Jesus Cristo aqueles que propunham introduzir, no seio da Assembleia dos fiéis, novidades, erros e heresias. Algumas das novidades, é claro, apresentaram mais perigo enquanto outras não passaram de distrações, sem, contudo, deixarem de ser problemáticas. Felizmente, nunca faltaram líderes e mestres das Escrituras para chamar a Igreja de volta às bases bíblicas da nossa fé. Suas obras se tornaram "clássicos" da literatura cristã. Quanto maior a ameaça, mais monumental a polêmica em torno dela e, consequentemente, o seu marco na história da Igreja.

O Reverendo Augustus é um mestre das Escrituras por excelência. Neste livro, ele assume a pasta de um polemista para ajudar a nortear a Igreja dos nossos tempos em relação a este movimento que, no mínimo equivocado, tem o potencial de ser danoso à vida da Igreja. É uma obra que chega em boa hora.

Walter McAlister - Bispo Primaz da Aliança das Igrejas Cristãs Nova Vida, Rio de Janeiro, RJ.

Não é difícil encontrar aqueles que têm zelo por controvérsia, mas sem entendimento e aqueles com conhecimento mas sem o zelo para defendê-lo. Mais difícil de achar são aqueles como Dr. Nicodemus. Ele tem um conhecimento profundo das Escrituras, da teologia e do movimento da "Nova Reforma Apostólica". Ao mesmo tempo, ele não é apenas um teólogo de gabinete, mas um cuidadoso pastor que está debaixo da autoridade de Cristo. Como um reformador da igreja brasileira, o irmão Augustus tem sido um grande exemplo para mim ao longo dos anos. Alguns leitores podem até discordar de suas conclusões, mas ninguém que leva a sério as Escrituras poderá descartar seus alertas ou os argumentos que ele edifica a partir da Bíblia, para refutar esse sério erro do movimento apostólico moderno. Mal posso esperar para que este livro seja publicado também em inglês!

Michael Horton – Professor de Teologia Sistemática e Apologética da cadeira "J. Gresham Machen", do *Westminster Seminary*, California, EUA.

O Reverendo Augustus Nicodemus soube tratar do tema deste livro com equilíbrio, firmeza e fundamentação bíblica, além da extensa bibliografia consultada. É uma obra necessária para o momento atual por trazer luz à verdade sobre o colégio apostólico e o apostolado, que alguns insistem em "ressuscitar" nos dias de hoje, criando uma espécie moderna de sucessão apostólica, parecida com o papismo, a qual não encontra qualquer respaldo na Escritura. O autor, pelas suas qualidades no campo do saber teológico, foi a pessoa certa para tratar do assunto, e nós, leitores, somos brindados com uma obra relevante. É leitura recomendável e mais que urgente!

Geremias Couto – Assembleia de Deus: Pastor, jornalista e escritor, Teresópolis, RJ.

Uma das questões mais importantes que uma pessoa pode perguntar é: "Onde encontramos a autoridade final para direcionar nossas crenças, adoração e obediência a Deus?" Esta questão é inseparavelmente ligada aos apóstolos enviados pelo Senhor Jesus. Hoje ouvimos de pessoas que dizem falar com autoridade apostólica, como se vê no catolicismo romano e no movimento carismático. Será que deveríamos segui-los? Neste estudo claro e cuidadoso das Escrituras, o Dr. Augustus Nicodemus apresenta o significado, as marcas e a missão de um verdadeiro apóstolo – com implicações muito sérias para a igreja moderna.

Joel Beeke – Presidente e professor do *Puritan Reformed Theological Seminary*, Grand Rapids, Michigan, EUA.

O livro "Apóstolos – a verdade bíblica sobre o apostolado" é o melhor livro sobre o tema já publicado no Brasil. Com o brilhantismo de sempre o Reverendo Augustus Nicodemus brinda a igreja brasileira com um texto rico, profícuo e extremamente edificante. Esta obra veio no momento certo, e acredito que ajudará pastores, líderes e a Igreja desta nação a entender, à luz das Escrituras, o significado e o papel dos apóstolos. Recomendo a leitura!

Renato vargens - Escritor e pastor da Igreja Cristã da Aliança, Niterói, RJ.

O livro que o leitor tem em mãos estabelece um marco divisor na compreensão do apostolado segundo o ensino das Escrituras, trazendo implicações tanto para a estrutura de governo eclesiástico como para o papel, limites, desígnios e autoridade da liderança na igreja de Jesus Cristo. Um estudo bíblico, preciso, desafiador e profundamente relevante e atual, tendo em vista a crescente tendência, no Brasil e em outros países, do uso (impróprio, como denuncia o autor) do termo "apóstolo". Sou profundamente grato ao meu prezado amigo, Dr. Augustus Nicodemus, por haver preparado este livro. Estou certo que seu estudo fará muito bem aos leitores e oferecerá uma direção mais segura e bíblica para o entendimento correto do ensino bíblico sobre o apostolado.

Tiago J. Santos Filho – Editor-Chefe, Editora Fiel,
São José dos Campos, SP.

Augustus Nicodemus Lopes

Apóstolos
a verdade bíblica sobre o apostolado

FIEL Editora

L864a   Lopes, Augustus Nicodemus
          Apóstolos : a verdade bíblica sobre o apostolado / Augustus Nicodemus Lopes – São José dos Campos, SP : Fiel, 2014.

          360 p. ; 23cm.
          Inclui índice, bibliografia e referências bibliográficas.
          ISBN 978-85-8132-191-2

          1. Apostolado. 2. Teologia Sistemática. 3. Apologética cristã. I. Título.

          CDD: 262

Catalogação na publicação: Mariana C. de Melo – CRB07/6477

APÓSTOLOS – *A verdade bíblica sobre o apostolado.*
por Augustus Nicodemus Lopes
Copyright © 2014 Augustus Nicodemus Lopes

∎

Todos os direitos em língua portuguesa reservados por Editora Fiel da Missão Evangélica Literária
PROIBIDA A REPRODUÇÃO DESTE LIVRO POR QUAISQUER MEIOS, SEM A PERMISSÃO ESCRITA DOS EDITORES, SALVO EM BREVES CITAÇÕES, COM INDICAÇÃO DA FONTE.

Copyright © 2014 Editora Fiel
Primeira Edição: Setembro de 2014.

∎

Diretor: Tiago J. Santos Filho
Editor: Tiago J. Santos Filho
Revisão: Marilene L. Paschoal
Colaboração: Franklin Ferreira
Diagramação: Rubner Durais
Capa: Rubner Durais

ISBN: 978-85-8132-191-2

FIEL
Editora

Caixa Postal 1601
CEP: 12230-971
São José dos Campos, SP
PABX: (12) 3919-9999
www.editorafiel.com.br

Sumário

Introdução 9

Parte I – O Conceito de Apóstolo no Novo Testamento

Capítulo 1 – O Significado e a Origem do Termo "Apóstolo" 23

Capítulo 2 – Os Doze 39

Capítulo 3 – Paulo 61

Capítulo 4 – Outros Apóstolos 97

Capítulo 5 – "Apóstolo" era um Dom Espiritual? 123

Capítulo 6 – Falsos Apóstolos e Superapóstolos 143

Parte II – Os Continuadores da Obra Apostólica

Capítulo 7 – Judas Iscariotes, Tiago e os Presbíteros da Judeia 155

Capítulo 8 – Paulo e os Presbíteros das igrejas gentílicas 165

Capítulo 9 – Timóteo e Tito: Bispos? 173

Capítulo 10 – Os Escritos Apostólicos 189

Capítulo 11 – Movimentos Precursores de Restauração Apostólica 197

Parte III – Uma Análise do Movimento de Restauração Apostólica

Introdução 225
Capítulo 12 – Os Pioneiros do Movimento de Restauração Apostólica.......229
Capítulo 13 – C. Peter Wagner...237
Capítulo 14 – Os Conceitos Centrais da Nova Reforma Apostólica 255
Capítulo 15 – Rony Chaves e sua Influência no Brasil 269
Capítulo 16 – A "Nova Reforma Apostólica" no Brasil................................285
Capítulo 17 – Análise Crítica da Nova Reforma Apostólica........................321
Conclusão 333

Índice Completo 337
Bibliografia...343

Introdução

"A Igreja Primitiva foi a oferta das primícias, mas esta [a atual, ou a dos últimos dias] vai ser a colheita. Dizem que o apóstolo Paulo transtornou o mundo, mas sobre os apóstolos a serem ungidos, brevemente vão dizer que eles transtornaram o mundo para melhor."[1]

Quando morei nos Estados Unidos entre 1991 e 1993, como estudante de doutorado no *Westminster Theological Seminary*, conheci um crente firme e dedicado na igreja presbiteriana que frequentávamos com nossas famílias. Ele tinha uma pequena empresa de pintura de casas e prédios. Durante as férias de verão, trabalhei para ele, como parte de sua equipe. Além da renda adicional muito bem vinda, eu apreciava o tempo que passávamos juntos, raspando paredes, aplicando massa e depois tinta e conversando sobre a vida cristã e teologia. Meu amigo tinha uma tese que repetia todo dia: a igreja havia se perdido em teorias e doutrinas e esquecido a parte prática do cristianismo. Por ser crítico da igreja, ele nunca aceitou o cargo de presbítero que lhe era constantemente oferecido. Ele sempre me provocava perguntando qual o benefício que meus estudos iriam trazer a mim e à igreja em termos práticos. Ele preferia trabalhar como leigo, evangelizando e discipulando as pessoas e fazendo obra social. A sua dedicação maior era em Uganda, na

---

1 Rick Joyner, *The Harvest Morning Star*, set/1990, pp. 128/129.

África, para onde viajava pelo menos uma vez por ano para ficar umas semanas ajudando os cristãos africanos a construir casas e instalações para assistir aos pobres. Tornamo-nos bons amigos, apesar das discussões.

Voltei para o Brasil após o doutorado e nunca mais o vi, até regressar para Westminster como pesquisador visitante, vinte anos depois, no verão de 2013 . O tema da minha pesquisa foi o apostolado no Novo Testamento e seu desenvolvimento na história da igreja. O resultado é este livro que o leitor tem em mãos. Reencontrei o meu amigo e, para minha surpresa, ele me contou que havia sido consagrado como apóstolo na igreja de Uganda, por uma apóstola que tinha inclusive o dom de curar. Ali estava eu diante de um caso ao vivo e a cores do objeto da minha pesquisa. Durante a conversa tentei entender a compreensão que ele tinha do seu cargo de apóstolo. Para ele, ser apóstolo não significava ser igual aos doze e a Paulo, mas apenas um pioneiro, um missionário. Foi nesse sentido que ele recebeu o título oferecido pelos cristãos ugandenses, muito embora ele tenha admitido que a apóstola que o consagrou exerça plena autoridade sobre os pastores, obreiros e membros da igreja.

O fato de que ele havia sido criado em uma família evangélica tradicional e que sempre havia se recusado a aceitar títulos e honrarias tornou, para mim, sua consagração como apóstolo bastante reveladora de como o conceito de "apóstolos modernos" está se tornando comum. O ofício de apóstolo representa um apelo até mesmo para cristãos que tiveram uma base doutrinária mais consistente. Ao mesmo tempo, percebi como o conceito de apostolado tem sido mal entendido e empregado em nossos dias.

Estes acontecimentos me deixaram ainda mais convencido da atualidade, relevância e necessidade de uma pesquisa sobre a natureza do ofício apostólico nas Escrituras e sua continuação ou não para os nossos dias. Em anos recentes, vem surgindo em todo o mundo um crescente número de apóstolos, redes apostólicas e ministérios apostólicos como resultado do que tem sido chamado de reforma apostólica – que seria, como alegam os proponentes desse movimento, um complemento à Reforma do século XVI que teria deixado inacabado o restabelecimento dos dons espirituais na igreja.

No Brasil, o movimento neo-apostólico vem crescendo a olhos vistos. Redes apostólicas diferentes vêm sendo criadas, com centenas de apóstolos afiliados. Boa parte destas redes está associada à *Coalizão Internacional de Apóstolos*, liderada no mundo pelo "apóstolo" Peter Wagner, bem conhecido no Brasil pelos seus livros sobre batalha espiritual, e, mais recentemente sobre a restauração do ministério apostólico. Esta Coalizão é representada no Brasil pelo "apóstolo" Renê de Araújo Terra Nova. Em 2005, foi criado o *Conselho Apostólico Brasileiro*, que conta nas suas fileiras com "apóstolos" brasileiros como Neuza Itioka, Valnice Milhomens, César Augusto, Dr. J. Moura Rocha, Josimar Salum, Estevam Hernandes, Marco Antônio Peixoto, Márcio Valadão, Jesher Cardoso, Arles Marques, Francisco Nicolau, Sinomar Fernandes, Paulo Tércio, Alexandre Nunes, Paulo de Tarso, Ebenézer Nunes, Mike Shea, Dawidh Alves, Luiz Scultori Jr., Hudson Medeiros, entre outros. O propósito do *Conselho* é comandar e dirigir os ministérios apostólicos existentes no Brasil, oferecendo "cobertura apostólica" aos mesmos.

Debaixo deste *Conselho*, estão as Redes Apostólicas estaduais. De acordo com o "apóstolo" Walter Cristie Silva Aguiar, de São Gonçalo, RJ:

> As Redes Apostólicas são importantes organizações apostólicas. As Redes Apostólicas nasceram com a restauração desse importante ofício ministerial (o de apóstolo), intimamente ligado ao governo da Igreja, atuando como um organismo que propicia a necessária cobertura espiritual, a amizade, a confiança, o respeito a "alguém", cujo caminhar com Cristo pode servir de exemplo, pode ser inspirador, pode ser sentido como paternal. Elas interligam não apenas apóstolos, mas também profetas, pastores, bispos, ministros e igrejas em geral. Por isso cremos que a Nova Reforma da Igreja Evangélica no mundo caminhará liderada pelo ministério apostólico.[2]

---

2 E-mail enviado em 18 de setembro de 2013 por Walter Cristie Silva Aguiar, membro da direção da Rede Apostólica do Rio de Janeiro, a centenas de pastores, bispos e apóstolos, com o título "Adesão a Coalizão Apostólica Internacional", convidando os destinatários a um evento sobre o tema e a se cadastrarem como filiados da Coalizão.

É preciso, antes de iniciarmos nossa jornada, esclarecer alguns princípios fundamentais que irão nortear essa caminhada. O primeiro é nosso compromisso inabalável com a posição histórica tradicional quanto à autoria dos Evangelhos, do livro de Atos, das cartas de Paulo, das cartas gerais e do Apocalipse. Ou seja, os mesmos foram escritos pelos apóstolos de Cristo ou por pessoas a eles associadas, ainda no século I. Como veremos mais adiante, esse ponto é essencial para reconstruirmos o conceito de apostolado na igreja primitiva.[3] Rejeitamos, aqui, o conceito de uma produção tardia para Lucas-Atos e os Evangelhos e a teoria *deutero-paulina*, que limita a autoria paulina somente a Romanos, Gálatas, 1 e 2 Coríntios.

O segundo pressuposto, bastante próximo do anterior, é a concordância fundamental entre Lucas-Atos e Paulo no emprego do termo apóstolo, embora isso não seja feito de modo totalmente unificado. Muitos, geralmente no campo do liberalismo teológico, colocam Lucas-Atos contra os escritos de Paulo, como se ambos contivessem duas concepções completamente diferentes de apóstolo.[4] Argumentam que foi Paulo quem primeiro popularizou e cristalizou o conceito de apóstolo com base nos missionários cristãos primitivos e que a igreja judaico-cristã, mais tarde, diante do apelo que os gnósticos estavam fazendo aos escritos de Paulo, combateu esta tendência criando a ideia de que somente os doze discípulos de Jesus é que eram realmente apóstolos, deixando Paulo de fora. De acordo com esta teoria, Lucas-Atos foi escrito no século II para promover o apostolado dos doze e excluir Paulo. Todavia, mesmo se Lucas-Atos fôsse um produto tardio da igreja, não restaria dúvida de que Paulo é o herói de Lucas, que registra três vezes o seu chamado apostólico pelo Cristo ressurreto, além de chamá-lo de apóstolo duas vezes (At 14.4,14).

---

3 Francis H. Agnew traz numa nota um resumo desta tendência nos estudos acadêmicos, cf. "The Origin of the NT Apostle-Concept: A Review of the Research," em *JBL* 105/1 (1986), 78 n13.

4 Para as alegadas diferenças, veja Agnew, "The Origin of the NT Apostle-Concept", 77 n2; e John Andrew Kirk, "Apostleship since Rengstorf: towards a synthesis," em *New Testament Studies* 21/2 (1975), 252 (ele questiona os pressupostos dos que alegam estas discrepâncias). C. K. Barrett defende que as concepções de Paulo e dos apóstolos de Jerusalém são diferentes ("*Shaliah* and Apostle", em *Donum Gentilicum: New Testament Studies in Honor of David Daube*, ed. E. Bammel, *et alli*, [Oxford: Clarendon Press, 1978]), 100-101, mas a solução dele de que Paulo foi o inventor do conceito de apóstolo não traz nenhuma evidência convincente.

Em terceiro lugar, assumimos que os conceitos de *carisma* e *ofício* coexistiam desde cedo na igreja primitiva. Essa é uma consequência natural da aceitação dos dois primeiros pontos acima, especialmente do primeiro. Aqui rejeitamos a reorganização da história da igreja primitiva, partindo do conceito de que os carismas vieram primeiro e que os ofícios são uma construção posterior do catolicismo incipiente do século II em diante.

Finalmente, assumimos a harmonia fundamental que havia entre os doze e Paulo, ao contrário de F. C. Baüer e sua escola, que usando a dialética de Hegel postulou um conflito fundamental entre o cristianismo petrino e o paulino. Este tipo de abordagem hegeliana só é possível se rejeitarmos os pontos anteriores.

A grande maioria dos estudiosos, de todas as linhas e correntes de interpretação, aceita que havia basicamente três grupos no início da igreja cristã que eram reconhecidos como apóstolos: (1) os doze (incluindo aqui Tiago e Judas, talvez), (2) Paulo, uma categoria em si mesmo, e (3) enviados de igrejas locais, quer delegados ou missionários. A grande questão é a ordem histórica em que essas pessoas receberam o *status* de apóstolo e o significado do termo em cada uma destas categorias. É aqui que as convicções acerca da datação e autoria dos Evangelhos, do livro de Atos, e das cartas atribuídas a Paulo, farão toda a diferença quanto à resposta.

De um lado, temos os que mantêm a posição histórica quanto aos livros do Novo Testamento, ou seja, que foram escritos pelos apóstolos ou por alguém associado a eles, ainda no século I, no mais tardar pouco depois da destruição de Jerusalém (ano 70 d.C.). Para estes, a ordem histórica em que estas pessoas foram nomeadas apóstolos é a seguinte: (1) Jesus foi quem primeiro chamou seus doze discípulos de apóstolos, um título com conteúdo administrativo, missionário, autoritativo, eclesiástico e escatológico; (2) Paulo veio em seguida, como um nascido fora de tempo, mas igual aos doze em todas as coisas; (3) na mesma época de Paulo, outros foram chamados de apóstolos no sentido de missionários e delegados das igrejas, sem o mesmo *status* de Paulo e dos doze. Com o passar do tempo, com as necessidades advindas dos confrontos com heréticos, gnósticos e falsos apóstolos e profetas, os Pais da Igreja restringiram o termo aos doze e a Paulo e consideraram a época deles como a "era apostólica", já passada e terminada. De acordo com esta posição, não há qualquer diferença fundamental no conceito de apóstolo entre Paulo e Lucas.

Do outro lado, temos os que acreditam que os Evangelhos, Atos e a maioria das cartas de Paulo, bem como o restante do Novo Testamento, foram escritos no final do século I ou início do século II, não pelos apóstolos, mas por admiradores, imitadores ou comunidades que traziam tradições relacionadas a eles. Para estes, a ordem histórica em que o título "apóstolo" foi atribuído foi esta: primeiro, os missionários cristãos foram chamados de apóstolos, designação sem qualquer conotação administrativa, autoritativa, eclesiástica ou escatológica.[5] Depois, surge Paulo, que se apropria do título e lhe confere contornos autoritativos e escatológicos. Finalmente, numa reação a Paulo, a igreja do final do século I e início do século II passa a considerar os doze discípulos de Jesus que iniciaram a igreja cristã em Jerusalém, depois de mortos, como os únicos e legítimos apóstolos de Jesus Cristo. Esta reação também teria se dado pelo fato de que os gnósticos no século II reivindicavam ser os legítimos representantes e intérpretes do pensamento de Paulo. Para esta linha de pensamento, da qual discordamos, Lucas-Atos é uma fabricação deste período posterior com a intenção de legitimar esta visão crescente de canonização e exclusividade dos doze. De acordo com esta posição, não se percebe, nas cartas autênticas de Paulo, especialmente Gálatas, Romanos e 1 e 2 Coríntios, que foram escritas bem mais cedo, qualquer noção de que havia já um grupo exclusivo de doze apóstolos de Jesus Cristo. Ainda conforme esta linha de pensamento, as cartas de Paulo apresentam uma visão de apostolado no mínimo diferente, se não conflitante, com aquela apresentada em Lucas-Atos.

O esclarecimento acima é necessário porque uma das mais influentes abordagens ao conceito de apostolado hoje parte deste último campo,

---

5 Como exemplo, cito Schuyler Brown, "Apostleship in the New Testament as an historical and theological problem," em *New Testament Studies* 30/3 (1984), 474-480.

que utiliza o método histórico-crítico, com resultados desastrosos.[6] Um exemplo típico desta abordagem é a obra de Walter Schmithals, *The Office of Apostle in The Early Church*[7] (O ofício de apóstolo na igreja primitiva). Nela, Schmithals se propõe a responder às questões centrais relacionadas ao conceito de apóstolo e que foram levantadas pela crítica bíblica, a saber, quando os discípulos de Jesus passaram a ser reconhecidos como apóstolos? De onde vieram o conceito e o conteúdo do apostolado? Quão extenso era o círculo de apóstolos na época de Paulo? O que levou à limitação do círculo apostólico a Paulo e aos doze somente? Onde encontramos o início da sucessão apostólica?[8] Em linhas gerais, Schmithals conclui, após intensa investigação, que o conceito dos doze cresceu dentro dos círculos do cristianismo da Palestina, que conhecia apenas as tradições sinóticas e nada de Paulo. O conceito dos "doze discípulos" foi "muito cedo retroprojetado na vida de Jesus,"[9] e se elevou gradualmente à medida que se sentiu, na comunidade, a necessidade de autorizar as tradições remanescentes de Jesus. E depois, e somente depois que eles passaram a ser vistos como missionários aos gentios e ao mundo, é que receberam o título de "apóstolos."[10] Ou seja, de acordo com Schmithals, Jesus nunca, realmente, escolheu doze discípulos e os nomeou apóstolos, como lemos nos Evangelhos Sinóticos. As passagens nos Evangelhos que tratam disto são produções posteriores da igreja, na sua busca de validação para suas tradições, especialmente em reação ao gnosticismo, com seu apelo a Paulo e aos doze.[11]

Para Schmithals, Lucas-Atos foi escrito no início do século II, perto do tempo de Marcião. Portanto, tudo o que encontramos sobre os apóstolos nessas duas obras refletem já uma situação posterior, em que

---

6 Sobre o método histórico crítico, veja Augustus Nicodemus Lopes, *A Bíblia e Seus Intérpretes* (São Paulo: Editora Cultura Cristã, 2004), 183-194; "O Dilema do Método Histórico Crítico" em *Fides Reformata* 10/1 (2005), 115-138; Eta Linnemann, *A Crítica Bíblica em Julgamento* (São Paulo: Cultura Cristã, 2011);

7 Walter Schmithals, *The Office of Apostle in the Early Church* (New York: Abingdon Press, 1969).

8 Ibid., 19.

9 Ibid., 262.

10 Ibid.

11 Ibid., 71ss.

se procurava refutar os hereges como Marcião e os gnósticos, fechando o número dos apóstolos em doze. Segundo Schmithals, o autor de Lucas-Atos, no século II, é um dos responsáveis pela cristalização dos doze como os únicos apóstolos, e nem mesmo Paulo preenchia os requerimentos.[12] Ele também assume que grande parte das cartas paulinas são produtos do século II, junto com as de Pedro, Hebreus e outras. Sua análise pressupõe a bifurcação entre o cristianismo petrino, sediado em Jerusalém, e o paulino, sediado em Antioquia.[13] Por fim, para ele, o apostolado primitivo cristão teve como protótipo o apostolado plural dos gnósticos, que ele considera como um movimento que cresceu ao mesmo tempo em que cresceu o cristianismo e o influenciou muito mais do que o cristianismo a ele.[14]

As inferências dessa abordagem são muito amplas. Se aceitarmos a proposta de Schmithals teremos de concluir que foi Paulo quem primeiro definiu o conceito de apóstolo. E, para ele, não era um ofício limitado aos doze discípulos de Cristo, mas uma designação ampla e geral. Na época de Paulo, não havia ainda o conceito dos doze apóstolos de Jesus Cristo, que só viria mais tarde, quando os Sinóticos fossem escritos entre o final do século I e início do II. Para Schmithals, os doze discípulos só foram chamados de apóstolos no início do século II, nos escritos daquela época, como Lucas-Atos e 1Clemente, epístola de Barnabé, Apocalipse e o Didaquê, entre outros. O resultado prático dessa ideia é que a limitação dos apóstolos de Cristo somente aos doze discípulos e a Paulo se torna uma invenção posterior da igreja do século II, que nunca fez parte dos ensinos de Jesus e dos próprios discípulos originais. O número de apóstolos no início da igreja cristã era ilimitado. Sua restrição aos doze e a Paulo acabou por tolher este importante ministério para a igreja. Não é sem razão que alguns defensores da nova reforma apostólica adotam esta abordagem liberal em seu afã de justificar a continuidade dos apóstolos hoje.

---

12 Ibid., 258.
13 Ibid., 258-260.
14 Isso se deve à sua opinião de que a maioria dos livros do Novo Testamento foram escritos no final do século I ou início do século II, quando o gnosticismo já florescia como religião organizada.

As ideias de Schmithals sobre a origem do conceito de "apóstolo" no Novo Testamento não tem encontrado muitos seguidores.[15] Na verdade, ela não tem tanta relevância assim para os fins a que nos propomos. Afinal, a maioria dos defensores da "nova reforma apostólica" se apresenta como recebendo a Bíblia como a Palavra de Deus e poucos deles estão familiarizados com a discussão crítica e acadêmica sobre o assunto de apostolado. Todavia, encontramos na obra de Schmithals e de outros autores liberais alguns conceitos que servirão de base às ideias relacionadas com a restauração do ofício de apóstolo em nossos dias. Um deles, por exemplo, é a sugestão de que o termo "apóstolo" era usado por muitas pessoas além dos doze e de Paulo, e com o mesmo sentido, indicando que havia muitos outros apóstolos como eles no primeiro século da igreja cristã. A conclusão deste raciocínio é que podemos e devemos, igualmente, ter apóstolos como eles em nossa própria época.

O objetivo deste livro é considerar os argumentos que servem de base para esta reivindicação. Na Parte I, pesquisaremos o conceito de apóstolo no Novo Testamento, sua origem e significado, a escolha dos primeiros apóstolos de Jesus Cristo e a limitação deles ao número de doze, bem como o apostolado de Paulo e sua relação com eles. Veremos ainda o caso das demais pessoas que são chamadas de apóstolos nos escritos neotestamentários e examinaremos a importante questão, se ser apóstolo era um dom espiritual.

A Parte II busca entender quem os apóstolos deixaram como continuadores de sua obra inicial e como eles pretendiam que esta obra fosse levada adiante. Veremos o aparecimento dos presbíteros ao lado dos apóstolos na liderança das igrejas e o significado de Timóteo e Tito para a questão do surgimento do conceito de bispo. A noção de que os escritos dos apóstolos funcionavam como substitutos para a presença pessoal deles também receberá a nossa atenção, bem como os primeiros movimentos dentro da igreja cristã que reivindicaram autoridade apostólica e que foram, em um sentido bem real, os precursores dos modernos apóstolos neopentecostais.

---

15 Veja uma análise crítica dela em Agnew, "The Origin of the NT Apostle-Concept," 88-92; Barrett, "*Shaliah* and Apostle", 93.

A Parte III consiste numa análise do movimento de restauração apostólica em nossa época, o qual promove a implantação do ofício de apóstolo e do governo apostólico nas igrejas evangélicas em todo o mundo. As ideias de C. Peter Wagner, considerado o patrono do movimento, serão analisadas, juntamente com os principais conceitos da "Nova Reforma Apostólica", movimento por ele encabeçado. Os ensinamentos de Rony Chaves, que consagrou os primeiros "apóstolos" brasileiros também merecerão nossa atenção bem como as ideias e práticas destes "apóstolos" em nossa pátria. O livro termina com uma análise crítica dos conceitos centrais envolvidos com a busca da restauração do ofício de apóstolo para os nossos dias.

Nosso alvo com tudo isto é contribuir para o surgimento de uma liderança sadia e bíblica na igreja evangélica brasileira, que seja de acordo com os moldes da Palavra de Deus, composta de homens desejosos de honrar a Deus e pregar o verdadeiro Evangelho de Cristo para a salvação de pecadores e edificação do seu povo, sem fazer dos ofícios de liderança meio de promoção pessoal e lucro.

Muitas pessoas contribuíram para a elaboração, preparação e publicação desta obra. Entre elas gostaria de mencionar o Rev. Francisco Leonardo Schalkwijk, que leu e comentou boa parte dos manuscritos. Renato Vargens, Eric Cunha, Miriane Brossard e Franklin Ferreira forneceram informações valiosas e importantes sobre os "apóstolos" brasileiros. Tiago J. Santos Filho, editor-chefe da Editora Fiel, acompanhou o processo final com sugestões preciosas e encorajamento.

A todos eles, e a vários outros não mencionados, estendo a minha gratidão.

Parte 1

O Conceito de Apóstolo no Novo Testamento

Capítulo 1

O Significado e a Origem do Termo "Apóstolo"

O termo ἀπόστολος, "apóstolo," ocorre 81 vezes no texto grego do Novo Testamento.[1] O número maior de ocorrências é na obra de Lucas: 36 vezes, sendo 29 em Atos e 7 no Evangelho que traz o seu nome. Em seguida vem Paulo: 34 ocorrências em suas cartas. "Apóstolo" aparece ainda 3 vezes em Apocalipse, 2 em 2Pedro e uma vez em Mateus, Marcos, João, Hebreus, 1Pedro e Judas.[2]

Destas ocorrências, 37 se referem claramente aos doze discípulos de Jesus, cujos nomes aparecem em várias listas, e que foram pessoalmente chamados por ele.[3] O termo também é usado cerca de 17 vezes para se referir a Paulo, quer por Lucas no livro de Atos, quer pelo próprio Paulo

---

1 Destas, 2 são incertas porque ocorrem em versículos sobre os quais há disputa quanto a leitura original (Lc 9.1; At 5.34). Adotamos em nossa pesquisa o texto grego Nestle-Aland 27ª. edição. A adoção do texto crítico não significa um endosso incondicional ao mesmo. Onde mais correto, optaremos pela leitura do texto Majoritário.

2 Em sua única ocorrência em João, ἀπόστολος é traduzido como "enviado" no sentido geral do termo, sem referência aos Doze, cf. Jo 13.16. O conceito de apostolado em João, todavia, não está ausente, e é expressado no uso do verbo "enviar" e seus derivados, como veremos mais adiante.

3 As listas aparecem em Mt 10.2-4; Lc 6.13-16; Mc 3.13-19; At 1.13.

em suas cartas.⁴ Outras pessoas são referidas como apóstolos cerca de 14 vezes.⁵ Em 11 referências não é claro a quem o termo é aplicado.⁶ E há em torno de 3 referências ao dom ou ministério do apóstolo. A palavra "apostolado" ocorre 4 vezes, sendo 1 em Atos e 3 nas cartas de Paulo com o sentido do ofício ou cargo de apóstolo.⁷

O termo "apóstolo" no mundo grego

"Apóstolo" é a tradução da palavra grega ἀπόστολος, que significa "enviado". Esse é seu sentido básico. A palavra já era conhecida antes de ser usada pelos autores do Novo Testamento, embora seu uso fosse raro.⁸ No mundo antigo, a palavra "apóstolo" tinha a ver com expedições marítimas, especialmente as de natureza militar, conforme registradas nos escritos de vários autores gregos da antiguidade.⁹ Significava simplesmente os navios que eram enviados em missões militares; uma expedição naval. Depois, veio a ser aplicado ao grupo de expedicionários que povoavam uma localidade e, posteriormente, ao comandante daquele grupo.¹⁰ Embora a ideia de enviar ou enviado esteja presente, nenhum destes usos corresponde à maneira como a palavra é usada no Novo Testamento, pois lhes falta o componente de enviados com autoridade e com poderes de representação. O sentido geral era simplesmente o de alguém que era um emissário. Em papiros datados da mesma época do Novo Testamento, a palavra aparece com outro sentido, o de uma fatura de uma remessa via marítima ou de um passaporte.¹¹ Ou seja, não será na literatura grega de

---

4 Cf. At 14.4; 14.14; Rm 1.1; 1.5; 11.13; 1Co 1.1; 9.1; 2Co 1.1; Gl 1.1; Ef 1.1; Cl 1.1; 1Ts 2.7; 1Tm 1.1; 2.7; 2Tm 1.1; 1.11; Tt 1.1

5 Cf. Jo 13.16; At 14.4; 14.14; 2Co 8.23; 11.5; 11.13; 12.11; Fp 2.25; 1Ts 2.7; Hb 3.1; 1Pe 1.1; 2Pe 1.1; Ap 2.2; 18.20.

6 Cf. Lc 11.45; Rm 16.7; 1Co 4.9; 9.5; 12.28; 15.7; 15.9; Gl 1.19; Ef 2.20; 3.5; 2Pe 3.2.

7 Cf. At 1.25; Rm 1.5; 1Co 9.2; Gl 2.8. Nestas ocorrências "apostolado" é usado com respeito aos Doze e a Paulo somente.

8 Veja Agnew, "The Origin of the NT Apostle-Concept," 75.

9 Cf. K. H. Rengstorf, ἀπόστολος, em TDNT - *Theological Dictionary of the New Testament* (Grand Rapids, MI: Eerdmans, 1964) vol. 1, p. 407ss.

10 Cf. Schmithals, *The Office of Apostle*, 96-97.

11 Rengstorf, ἀπόστολος, 408ss.

antes e durante o período apostólico que encontraremos paralelos que nos ajudem a entender o surgimento do emprego do termo "apóstolos" por Jesus e seus seguidores.[12]

Tem sido apontado que entre os filósofos estoicos e cínicos, havia a consciência de que eram enviados dos deuses, especialmente de Zeus, a divindade suprema, para investigar os erros e fraquezas humanas e consertá-las mediante o discurso e o arrazoado. Assim, o cínico se considerava um κατάσκοπος, um espião de Zeus entre a humanidade.[13] Todavia, além de faltar neste conceito outros elementos peculiares ao termo "apóstolo", como usado no Novo Testamento, não temos como provar a presença e a influência do estoicismo na Palestina, onde provavelmente se originou este uso, como veremos em seguida.

Jesus como originador do termo

É mais provável que encontraremos o *contexto* do conceito de "apóstolo" no mundo judaico.[14] Conforme o Evangelho de Lucas, foi Jesus quem primeiro usou a palavra no período do Novo Testamento, para com ela designar os doze discípulos que havia escolhido: "E, quando amanheceu, [Jesus] chamou a si os seus discípulos e escolheu doze dentre eles, aos quais deu também o nome de apóstolos" (Lc 6.13).[15] Desde que Jesus e todos os judeus de sua época na Palestina falavam o aramaico, é provável que ele usou o termo aramaico *shaliah*, do verbo שָׁלַח, "enviar", que foi traduzido por Lucas e demais autores como ἀπόστολος.[16]

---

12 De acordo com Rengstorf (p.408), também encontramos na LXX, Josefo e Filo o emprego desta palavra no mesmo sentido em que ela é usada no Novo Testamento.

13 Ibid., 409.

14 Barrett ("*Shaliah* and Apostle," 100ss) rejeita uma origem inteiramente grega ou gnóstica, mas sua conclusão de que a origem está em Paulo e no ambiente helenista-judaico não traz nenhuma evidência.

15 No relato paralelo de Marcos (3.14) alguns poucos manuscritos inserem [οὓς καὶ ἀποστόλους ὠνόμασεν] "aos quais também chamou de apóstolos" após a frase "Então, designou doze...". A NVI e a NTLH seguiram esta variante: "Escolheu doze, designando-os apóstolos..." (Mc 3.14). Esta variante é omitida na grande maioria dos manuscritos e versões antigas e talvez seja a tentativa de um escriba de harmonizar a introdução da lista de Marcos com a de Mateus e Lucas, onde os doze são chamados de apóstolos. Marcos também os designa como apóstolos ao narrar o retorno deles com o relatório da missão, Mc 6.30, a única vez em que ele usa o termo (cf. Lc 9.10).

16 Cf. Rengstorf, ἀπόστολος, p. 428-429.

Estudiosos críticos argumentam que o registro de Lucas de que foi Jesus quem chamou seus doze discípulos de "apóstolos" (Lc 6.13b) não reflete o acontecimento histórico. A expressão "a quem deu o nome de apóstolos" teria sido um acréscimo do redator do Evangelho de Lucas, no afã de dar legitimidade ao conceito de apóstolo como um ofício da igreja cristã já institucionalizada. O suposto redator, neste propósito, atribui a Jesus a origem do nome de apóstolo para os seus doze discípulos, quando na verdade o ofício de apóstolo tinha sido um desenvolvimento posterior da igreja cristã primitiva, algum tempo depois de Jesus.[17] Os defensores desta hipótese argumentam que provavelmente foi Paulo quem deu os contornos da função e que devemos buscar nele a origem do conceito.[18]

Se algumas das cartas de Paulo foram escritas antes dos Evangelhos, como geralmente se acredita, ele foi o primeiro a empregar o termo por escrito na literatura canônica. Mas, fica claro que Paulo não criou o termo, pois ele reconhece a existência de pessoas que eram chamadas de apóstolos antes dele: "Nem subi a Jerusalém para os que já eram apóstolos antes de mim" (Gl 1.17; cf. 1Co 15.7). A não ser que duvidemos da historicidade do Evangelho de Lucas e atribuamos esta designação dos doze como "apóstolos" a uma inserção dele nas fontes recebidas, Lucas 6.13 deixa claro que foi Jesus quem primeiro designou os seus doze discípulos como "apóstolos". A partir deste momento, Lucas se refere aos doze diversas vezes como "os apóstolos" mesmo em situações em que os mesmos demonstravam suas fraquezas (cf. Lc 17.5; 22.14; 24.10).

---

17 Cf. Agnew, "The NT Apostle-Concept," 78 n13. Contudo, veja uma excelente defesa da historicidade da passagem em Kirk, "Apostleship Since Rengstorf," 258-257. Ele argumenta, entre outras coisas, que se a origem do conceito de apóstolo é em Paulo, por que ele tanto defende seu apostolado em 1 e 2 Coríntios e Gálatas, quando a ideia de um apostolado oficial ainda não existia? (p. 260). Kevin Giles, de maneira incongruente, diz acreditar nos relatos dos Evangelhos, mas conclui que os doze só foram chamados de apóstolos depois da ressurreição, cf. Kevin Giles, "Apostles before and after Paul," em *Churchman* 99/3 (1985), p. 241-256. Para outras defesas da historicidade da passagem, veja I. H. Marshall, *Luke: Historian and Theologian* (London: Exeter, 1970), 505; Andrew C. Clark, "Apostleship: Evidence from the New Testament and Early Christian Literature" em *Evangelical Review of Theology*, 13/4 (1989), 368-370.

18 Como, por exemplo, Theodore Kortwege, "Origin and Early History of the Apostolic Office", em A. Hilhorst, ed., *The Apostolic Age in Patristic Thought* (Boston: Brill, 2004), 1-10.

O conceito de representação autorizada no Antigo Testamento

A questão é de onde Jesus tirou o termo "apóstolo" e em que sentido ele o usou para nomear os doze que escolheu. O mais provável é que encontremos a resposta nas Escrituras do Antigo Testamento e no mundo do judaísmo antigo.[19]

Há alguns episódios no Antigo Testamento que nos mostram que a *representação autorizada* era uma instituição conhecida no Antigo Oriente e entre os judeus. Os reis de Israel costumavam enviar súditos como seus representantes legais para o cumprimento de uma missão. Lemos que o rei Josafá, durante o grande avivamento espiritual em Israel em seus dias, "enviou" vários de seus príncipes para ensinarem a lei do Senhor nas cidades de Judá (2Cr 17.7-9). O verbo "enviou", que ocorre no v. 7, é שָׁלַח, ("enviar"), que a LXX traduziu como ἀπέστειλεν, do verbo ἀποστέλλω ("enviar") de onde vem o nome ἀπόστολος ("enviado"). Esses príncipes enviados representavam Josafá e tinham autoridade para ensinar a lei de Deus, conforme designação do rei de Judá. Eles saíram de Jerusalém e foram até as cidades, em cumprimento de sua missão. A iniciativa foi totalmente do rei Josafá e era isto que dava autoridade aos enviados (cf. também 2Cr 30.1).

Outro episódio é o envio de emissários pelo rei Davi para buscar Abigail para ser a sua esposa. Abigail recebeu os enviados do rei como se fosse o próprio rei (1Sm 25.40-41). De acordo com o relato, os servos de Davi foram "mandados" (v. 40) por ele, isto é, enviados (שְׁלָחָנוּ, LXX ἀπέστειλεν, "enviar") como seus representantes para cumprir uma missão. E Abigail reconheceu neles os representantes oficiais do rei e os honrou como se fossem o próprio Davi.

"Enviados" de um rei eram considerados como o rei em pessoa, a ponto de que as ofensas feitas a eles eram consideradas como ofensas feitas ao próprio rei, como fica claro no episódio entre Davi e o rei Hanum, que desonrou os enviados de Davi para consolá-lo acerca da morte de seu pai.

---

19   Para uma posição similar, veja Agnew, "The NT Apostle-Concept," 82, 95.

Hanum rapou metade da barba deles e cortou suas túnicas à altura das nádegas e os mandou de volta a Davi (2Sm 10.1-6). A ofensa feita aos enviados de Davi foi tomada como ofensa contra ele. Não foi ignorada e deu origem a uma guerra violenta e implacável de Davi contra os amonitas.

Obviamente, a representação autorizada era uma instituição também conhecida em outras culturas do Antigo Oriente. O episódio da invasão de Judá pelo rei assírio Senaqueribe, que enviou como seu representante ao rei Ezequias o general Rabsaqué, com cartas e ameaças em nome do rei (Is 36.1-10), é um exemplo.

A familiaridade de Jesus com este conceito se reflete em algumas das instruções que ele passou aos doze. Ele lhes disse que aqueles que os recebessem estariam recebendo a ele próprio (Mt 10.40; Mc 9.37; Lc 9.48); quem os escutasse estariam escutando ao próprio Jesus e quem os rejeitasse rejeitariam a ele mesmo (Lc 10.16). Jesus lhes deu poderes para fazerem as mesmas coisas que ele fazia, como expelir demônios, curar doentes e pregar a chegada do Reino de Deus (Mc 3.14; 6.7; Lc 9.2). Desta forma, seria natural que o termo "apóstolo," que traduz o aramaico *shaliah*, fosse usado pelo Senhor para designar os doze que ele havia escolhido para que levassem adiante a obra que ele havia começado, como seus representantes autorizados.

O conceito rabínico de *Shaliah*

Muitos têm apontado para o conceito rabínico do *shaliah*, encontrado na literatura rabínica datada a partir do século III, como o paralelo mais próximo ao conceito neotestamentário de apóstolo. De acordo com as fontes rabínicas, o *shaliah* era um enviado com poderes para realizar transações comerciais, celebrar casamentos, e era considerado como a própria autoridade que o enviou. Um conhecido defensor desta tese é K. H. Rengstorf, num artigo sobre apóstolo no *Theological Dictionary of the New Testament* (TDNT), que tornou-se a principal referência sobre este assunto.[20]

---

20 Rengstorf, ἀπόστολος, p. 414ss.

A hipótese *shaliah*/apóstolo, apesar de toda a sua argumentação plausível e de oferecer uma boa solução para o problema, é enfraquecida pelo fato de que as fontes rabínicas usadas para documentar o conceito de *shaliah* são posteriores ao tempo do Novo Testamento.[21] Além disto, como mostrou Schmithals, existem algumas diferenças fundamentais entre os dois conceitos.[22] Como o próprio Rengstorf admite, o conceito de apóstolo "se opõe e transcende" o conceito rabínico do *shaliah*.[23] E um dos elementos que compõe o conceito de apostolado e que está ausente no *shaliah* é o escatológico. Os apóstolos são os enviados a proclamar a chegada do Reino, são os emissários que vão fundar as comunidades do novo povo de Deus. Este conceito não é encontrado na concepção do *shaliah* rabínico.[24]

Os profetas como enviados de Deus

Há outra instituição no Antigo Testamento que pode ter influenciado o surgimento do conceito de apóstolo no Novo Testamento, a saber, os profetas de Israel, especialmente os profetas escritores. Os profetas de Israel eram considerados como enviados de Deus, autorizados para falar em nome dele. Receber a mensagem do profeta era receber a própria palavra de Deus. Podemos ver estes elementos na chamada dos profetas, como por exemplo, Isaías. No relato da visão divina, em que ele foi chamado (Is 6.1-10), Isaías é comissionado por Deus a falar ao povo de Israel, como seu enviado. Após contemplar a santidade de Deus e perceber seu próprio pecado, Isaías é purificado e então ouve o comissionamento divino, sob a forma de uma pergunta: "A quem

---

21 O próprio Rengstorf admite isto e fala em uma similaridade por analogia apenas. Cf. Agnew, "The NT Apostle-Concept," 81-82 e 94. Todavia, Giles parece ignorar os problemas relacionados com a datação das fontes e usa o conceito como se fosse comprovadamente contemporâneo de Jesus ("Apostles before and after Paul," 242).

22 Cf. Schmithals, *The Office of Apostle*, 106, para uma relação dos pontos diferentes.

23 Rengstorf, ἀπόστολος, p. 419.

24 Apesar das diferenças entre os conceitos de *shaliah* e apóstolo é inegável o paralelo entre ambos, que pode ser explicado por terem surgido do conceito de representação autorizada do AT, como argumenta Agnew, "The NT Apostle-Concept," 91. Mas, veja Barrett, "*Shaliah* and Apostle," 94, para uma posição contrária.

enviarei, e quem há de ir por nós?" (Is 6.8). "Enviarei" traduz o hebraico אֶשְׁלַח, (LXX, ἀποστείλω) e é respondido nos mesmos termos pelo profeta, "envia-me". Como enviado de Deus, Isaías é encarregado de ser a boca de Deus diante do povo e a transmitir-lhe a mensagem de que foi encarregado, a ponto de poder dizer, "assim diz o Senhor". Rejeitar a mensagem de Isaías – que era o que haveria de acontecer – implicaria em rejeitar o próprio Deus, que o havia enviado. Isaías não foi enviado por si mesmo, mas por Deus.

A chamada de Jeremias aconteceu em termos similares (Jr 1.4-10). Deus lhe apareceu e declarou que o havia constituído profeta às nações antes mesmo de seu nascimento, e que agora o enviava para profetizar a elas. "A quem eu te *enviar...*" traduz אֶשְׁלָחֲךָ, que a LXX traduziu como ἐξαποστείλω. Como enviado autorizado de Deus, Jeremias seria poderoso para derrubar, destruir, edificar e plantar reinos e nações pela palavra de Deus que ele haveria de pronunciar, pois Deus haveria de colocar em sua boca as suas próprias palavras (Jr 1.9-10).

Da mesma forma, Ezequiel (Ez 2.1—3.10) foi comissionado diretamente por Deus e por ele "enviado" (Ez 2.3,4) às nações como seu representante, para dizer as próprias palavras de Deus, a ponto de poder introduzir suas mensagens com "assim diz o Senhor" (Ez 3.11). Ele foi avisado, como Isaías e Jeremias, que sua mensagem não seria aceita pelo próprio povo de Deus, mas que, a despeito disto, deveria falar ousadamente tudo o que Deus lhe havia mandado falar. A atitude de Israel para com o profeta seria considerada como a atitude deles para com o próprio Deus (Ez 3.7).

Não é sem razão que o apóstolo Paulo vê seu chamado ao apostolado como um chamado de Deus para continuar o ministério dos profetas do Antigo Testamento (cf. Rm 1.1-7).[25]

E isto nos leva a investigar mais de perto esta relação entre os profetas de Israel e os apóstolos do Novo Testamento.

---

25 Richard Longenecker destaca que Paulo concebia seu apostolado não como o conceito judaico de *shaliah*, mas de conformidade com o profetismo de Israel (*Galatians*, em *Word Biblical Commentary*, vol. 41, eds. D. Hubbard, et al. [Dallas, TX: Word Books, 1990], 30).

Os apóstolos como sucessores dos profetas do Antigo Testamento

Em sua polêmica contra os escribas e fariseus, Jesus de certa feita se referiu a seus apóstolos como aqueles que, à semelhança dos profetas, sábios e escribas enviados por Deus ao antigo Israel, seriam igualmente enviados, rejeitados, perseguidos e mortos (Lc 11.49 com Mt 23.34). Desta forma, ele estabelece o paralelo entre os apóstolos e os profetas como enviados de Deus ao seu povo.

Tem sido observado que os sucessores dos profetas do Antigo Testamento, como Isaías, Jeremias, Ezequiel, Daniel e Amós, por exemplo, não foram os profetas do Novo Testamento, que tinham ministério nas igrejas locais, mas os apóstolos de Jesus Cristo, mais especificamente os doze e Paulo.[26]

Conforme já vimos acima, os profetas foram diretamente vocacionados e chamados por Deus (cf. Is 6.1-9; Jr 1.4-10; Ez 2.1-7; Am 7.14-15). A palavra mais usada para "profeta" no Antigo Testamento é נָבִיא (nabi), que transmite o conceito de alguém que fala por outro, como "sua boca" (Êx 4.16; 7.1; cf. ainda Dt 18.14-22). O profeta era, então, primariamente, alguém que falava da parte de Deus, inspirado e orientado por ele. Os profetas falaram ousadamente da parte dele sua mensagem ao povo de Israel (Lc 1.70; Hb 1.1-2). Parte destas profecias veio a ser escrita e registrada no Antigo Testamento, que é chamado por Paulo de "escrituras proféticas" (Rm 16.26, cf. ainda 2Pe 1.21; 2Tm 3.16).[27] Notemos que a mensagem dos profetas não consistia apenas da predição de eventos futuros relacionados com a ação de Deus na

---

26 Cf. Heber Carlos de Campos, "Profecia Ontem e Hoje" em *Misticismo e Fé Cristã* (São Paulo: Editora Cultura Cristã, 2013), pp. 63-126; Christiaan J. Beker, *Paul the Apostle - The Triumph of God in Life and Thought* (Philadelphia: Fortress Press, 1980), p. 113.

27 Alguns estudiosos, como E. E. Ellis, sugerem que "escrituras proféticas" é uma alusão de Paulo a escrituras que haviam sido produzidas por profetas neotestamentários, escritos estes que haviam circulado pelas igrejas, mas nunca foram preservados (E. Earle Ellis, *The Old Testament in Early Christianity* em WUNT, 54 [Tübingen: Mohr/Siebeck, 1991], 4-5; E. Earle Ellis, *Pauline Theology: Ministry and Society* [Grand Rapids: Eerdmans; Exeter: Paternoster Press, 1989], 138 n. 79). Todavia, Cranfield corretamente considera esta interpretação de Ellis como "desesperada" (C. E. B. Cranfield, *A Critical and Exegetical Commentary on the Epistle to the Romans*, 2 vols, em *International Critical Commentary* [Edinburgh: T. & T. Clark, 1979], 2:811, n.8).

história, os quais se cumpriram infalivelmente (Dt 18.20-22; cf. 1Rs 13.3,5; 2Rs 23.15-16). A mensagem deles consistia, em grande parte, na exposição desses eventos e sua aplicação aos seus dias. Os profetas introduziam suas palavras com as fórmulas "assim diz o Senhor" e "veio a mim a Palavra do Senhor dizendo," o que identificava sua mensagem como inspirada e infalível. Como tal, deveria ser recebida pelo povo de Deus como a própria palavra do Senhor.

A literatura intertestamentária produzida pelos judeus nos séculos depois de Malaquias considerava que o ministério desses profetas encerrou-se com Malaquias.[28] Da mesma forma, os escritores do Novo Testamento se referem aos profetas antigos como um grupo fechado e definido (cf. Mt 23.29-31; Mc 8.28; etc.). A pergunta é: através de quem Deus continuou a se revelar? Quem foram os sucessores dos profetas do Antigo Testamento como receptores e transmissores da Palavra de Deus? Resta pouca dúvida de que foram os doze apóstolos e o apóstolo Paulo, e não os profetas cristãos das igrejas locais, como aqueles que haviam em Jerusalém, Antioquia e Corinto, por exemplo (At 11.27; 13.1; 1Co 14.29). Ao contrário do que ocorria no Antigo Testamento, profetizar, na igreja cristã nascente, era um dom que todos os cristãos poderiam exercer no culto, desde que seguindo uma determinada ordem (1Co 12.10; 14.29-32). E, diferentemente dos grandes profetas de Israel, as palavras dos profetas cristãos tinham de ser julgadas pelos demais (1Co 14.29) e eles estavam debaixo da autoridade apostólica (1Co 14.37).

Em contraste com os profetas cristãos, os apóstolos do Novo Testamento, isto é, os doze e Paulo, receberam uma chamada específica de Jesus Cristo, receberam revelações diretas da parte de Deus, como os antigos profetas (At 5.19-20; 10.9-16; 23.11; 27.23; 2Co 12.1), e assim predisseram futuros eventos relacionados com a história da salvação, entre os quais a segunda vinda do Senhor, a ressurreição dos mortos e o juízo final – isso não quer dizer que sua chamada se deu porque tinham

---

28 "Desde que os últimos profetas Ageu, Zacarias e Malaquias morreram, o Espírito Santo cessou em Israel" (T. Sota, 13, 2). Cf. πνεῦμα no TDNT.

o "dom" de apóstolo. (1Co 15.51-52; 2Ts 2.1-12; 2Pe 3.10-13).[29] Lembremos que o livro de Apocalipse é uma profecia (ver Ap 1.3; 22.18-19) escrita por um apóstolo.[30] Ao contrário dos profetas cristãos das igrejas locais, que não deixaram nada escrito, os apóstolos foram inspirados para escrever o Novo Testamento (1Ts 2.13; 2Pe 3.16) e a palavra deles deveria ser recebida, à semelhança dos profetas antigos, como Palavra de Deus, sem questionamentos, ao contrário dos profetas das igrejas locais (Gl 1.8-9; 1Co 14.37). Os autores neotestamentários que não foram apóstolos, como Marcos, Lucas, Tiago e Judas eram, todavia, parte do círculo apostólico e associados aos apóstolos, escrevendo a partir do testemunho deles.[31]

Como sucessores dos profetas de Israel e canais da revelação, os apóstolos aparecem juntos com eles na base da igreja. Nas palavras de Jesus: "Enviar-lhes-ei profetas e apóstolos, e a alguns deles matarão e a outros perseguirão" (Lc 11.49). Paulo junta os dois grupos duas vezes na carta aos Efésios como aqueles designados por Deus para lançar as bases da igreja; "edificados sobre o fundamento dos apóstolos e profetas" (Ef 2.20); "o qual, em outras gerações, não foi dado a conhecer aos filhos dos homens, como, agora, foi revelado aos seus santos apóstolos e profetas, no Espírito" (Ef 3.5). Muitos estudiosos entendem que os "profetas" mencionados nestas duas passagens de Efésios são profetas das igrejas neotestamentárias, que vieram depois dos apóstolos. Todavia, mesmo estando numa sequência temporal invertida, "profetas" se entende melhor

---

29 O livro de Atos registra duas ocasiões em que Ágabo, um profeta de Jerusalém, anunciou acontecimentos futuros, relacionados com uma fome que veio a acontecer nos dias do imperador Cláudio (At 11.27-30) e com a prisão de Paulo em Jerusalém (At 21.10-11). O fato de que somente estes dois casos de profecias preditivas (e feitas por um único profeta) estão registrados pode indicar que a previsão do futuro não era comum fora do círculo apostólico, especialmente ainda se considerarmos que ambas as profecias de Ágabo estavam relacionadas com o ministério de Paulo. White tenta colocar estas profecias de Ágabo no mesmo nível daquelas revelações fundacionais que foram dadas aos apóstolos (Ef 3.5; cf. R. Fowler White, "Gaffin and Grudem on Eph 2:20: In Defense of Gaffin's Cessationist Exegesis," em *Westminster Theological Seminary*, 54 [1992], 309-310), mas é evidente que elas estavam relacionadas com a vida pessoal do apóstolo Paulo, tanto sua em ida a Jerusalém levando ajuda para os crentes da Judeia, como em sua posterior prisão naquela cidade.

30 Assumimos aqui que foi o apóstolo João quem escreveu o livro de Apocalipse.

31 Marcos escreveu a partir do testemunho de Pedro. Lucas foi companheiro de Paulo. Tiago era o irmão de Jesus, líder da igreja de Jerusalém e próximo do círculo (Gl 1.19). Judas era outro irmão de Jesus e também relacionado com o círculo apostólico. Lembremos por fim que Hebreus entrou no cânon porque sua autoria era atribuída ao apóstolo Paulo, como até hoje é defendido por vários estudiosos.

como os grandes profetas de Israel, que vieram antes dos apóstolos. A sequência "apóstolos e profetas" não precisa ser entendida como uma sequência temporal. Os apóstolos são mencionados primeiro por estarem no foco do contexto.[32]

Em sua segunda carta, Pedro admoesta seus leitores a se recordarem tanto das palavras que foram ditas pelos "santos profetas" como do mandamento ensinado por "vossos apóstolos" (2Pe 3.2). Alguns entendem que "vossos apóstolos" aqui é uma referência aos missionários pioneiros que haviam fundado as igrejas às quais Pedro escreve. Contudo, a carta de Pedro não foi destinada a igrejas locais específicas e sim aos cristãos em geral (cf. 2Pe 1.1). O único grupo de "apóstolos" que se encaixaria como "vossos apóstolos" seriam os doze, que eram apóstolos para todas as igrejas.[33] A carta de Judas, cuja similaridade com a segunda carta de Pedro tem levado estudiosos a acreditarem numa dependência literária entre elas,[34] ao se referir aos apóstolos neste mesmo contexto, designa-os como "os apóstolos de nosso Senhor Jesus Cristo," numa clara referência ao grupo dos doze (Jd 17).[35] Estas passagens refletem a consciência de que os apóstolos de Jesus Cristo foram os

---

32 Que Ef 3.5 se refere aos profetas do Antigo Testamento é também defendido por F. Mussner, *Christus, das All und die Kirche: Studien zur Theologie des Epheserbriefes* (Trierer: Paulinus, 1955), 108. Deve-se admitir, contudo, que grande parte dos comentaristas pensa que Paulo está se referindo aos profetas neotestamentários, como Andrew T. Lincoln, por exemplo. (*Ephesians* em Word Biblical Commentary, vol. 42, eds. D. Hubbard, et al. [Dallas, TX: Word Books, 1990], 153. Tanto Gaffin (Richard B. Gaffin, Jr. *Perspectives on Pentecost: New Testament Teaching on the Gifts of the Holy Spirit* [Grand Rapids: Baker, 1979], 93) quanto Grudem (Wayne Grudem, *The Gift of Prophecy in 1 Corinthians* [Washington: University Press of America, 1982], 47) entendem que "profetas" em Efésios 2.20 se refere aos do Novo Testamento, mas eles fazem esta defesa no contexto do debate cessacionismo-continuísmo. Um dos principais argumentos contra o entendimento de que Paulo aqui se refere aos profetas do Antigo Testamento é a ordem "apóstolos e profetas," o que tornaria isto cronologicamente impossível. Entretanto, a menção que Paulo faz dos profetas do Antigo Testamento, depois de Jesus em 1Ts 2.15, "os quais não somente mataram o Senhor Jesus e os profetas, como também nos perseguiram" certamente inverte a sequência histórica dos eventos e mostra que Paulo nem sempre está preocupado com a cronologia, como estudiosos modernos estão. Cf. F. F Bruce, *1 & 2 Thessalonians*, WBC, vol. 45, eds. D. Hubbard, et al. (Dallas, TX: Word Books, 1982), 47; Robert Jamieson, A. R. Fausset, e David Brown, *Commentary Critical and Explanatory on the Whole Bible* (Oak Harbor, WA: Logos Research Systems, Inc., 1997).

33 Cf. A. T. Robertson, *Word Pictures in the New Testament* (Nashville, TN: Broadman Press, 1933) *in loco*; D. A. Carson, R. T. France, J. A. Motyer, e G. J. Wenham, orgs. *New Bible commentary: 21st century edition*. 4th ed. (Leicester, England; Downers Grove, IL: Inter-Varsity Press, 1994) *in loco*.

34 Veja Augustus Lopes, *II e III de João e Judas* (São Paulo, SP: Editora Cultura Cristã, 2009).

35 Cf. Jamieson, *Commentary, in loco*.

continuadores dos profetas do Antigo Testamento como canais pelos quais Deus revelou sua vontade.[36]

Uma vez que a revelação de Deus quanto ao plano da salvação foi totalmente escrita e registrada de maneira final, completa e infalível pelos apóstolos, no Novo Testamento, completando assim a revelação dada através dos profetas de Israel no Antigo Testamento, encerrou-se o ministério de ambos os grupos.

Já que os apóstolos foram os sucessores dos profetas do Antigo Testamento, não há, pois, hoje, possibilidade de haver apóstolos como os doze e Paulo, pois eles foram recipientes e transmissores da revelação final de Deus para seu povo, que se encontra registrada no Novo Testamento.

A autoconsciência "Apostólica" de Jesus

Um ponto ainda a considerar em nossa busca pela origem do conceito de apóstolo no Novo Testamento é a autoconsciência messiânica de Jesus como enviado (apóstolo) do Pai. Esta autoconsciência transparece com toda clareza no episódio em que Jesus, numa sinagoga, aplica a si mesmo a profecia de Isaías acerca do Servo do Senhor, uma figura messiânica aguardada pela nação de Israel:

> Indo para Nazaré, onde fora criado, entrou, num sábado, na sinagoga, segundo o seu costume, e levantou-se para ler. Então, lhe deram o livro do profeta Isaías, e, abrindo o livro, achou o lugar onde estava escrito: O Espírito do Senhor está sobre mim, pelo que me *ungiu* para evangelizar os pobres; *enviou-me* para proclamar libertação aos cativos... então, passou Jesus a dizer-lhes: Hoje, se cumpriu a Escritura que acabais de ouvir (Lc 4.16-21; Is 61.1-3).

---

36 É preciso observar que a declaração de Jesus de que "todos os Profetas e a Lei profetizaram até João" (Mt 11.13) significa o encerramento do ministério dos profetas do Antigo Testamento, mas não o término da revelação que começou a ser dada através deles. Os apóstolos do Novo Testamento – e não os profetas do Novo Testamento – foram os canais pelos quais esta revelação continuou a ser dada. É neste sentido que os consideramos como sucessores dos profetas de Israel.

De acordo com a profecia de Isaías, o Servo do Senhor seria por ele ungido (separado) e enviado (שְׁלָחַנִי, LXX ἀπέσταλκέν) ao seu povo com a mensagem das boas novas. O Espírito do Senhor estaria sobre ele, o que implicaria que as suas palavras seriam as palavras de Deus e que ele teria o poder do Espírito para realizar as obras que somente Deus poderia realizar. Aqui o enviado é antes ungido, ou seja, separado e designado oficialmente, por assim dizer, de maneira pública.

Jesus aplicou esta passagem a si mesmo, revelando ter consciência de que era o enviado de Deus ao mundo, o Messias prometido (cf. At 10.38). E é provavelmente aqui, nesta consciência, que encontraremos a raiz do conceito de apostolado, como estas palavras dele aos seus doze discípulos revelam: "Assim como o Pai me enviou, eu também vos envio" (Jo 20.21; cf. "Assim como meu Pai me confiou um reino, eu vo-lo confio", Lc 22.29).

No Evangelho de João, encontramos com mais clareza essa autoconsciência de Jesus de que era o enviado de Deus, o seu Messias. A palavra ἀπόστολος só ocorre uma vez neste Evangelho, "o servo não é maior do que seu senhor, nem o *enviado*, maior do que aquele que o enviou" (Jo 13.16). Seu uso nesta declaração de Jesus mostra que o sentido de "apóstolo" aqui é o mesmo dos demais Evangelhos, alguém que é enviado por outro como seu representante autorizado e com um propósito. Era assim que Jesus se via em relação ao Pai. Ele se refere ao Pai como aquele que "envia" e a ele mesmo como "enviado" do Pai.[37] Ele atribuiu sua vinda ao mundo à exclusiva vontade de Deus (Jo 7.28-29; 8.42) e declarou que seu propósito aqui no mundo era realizar a vontade daquele que

---

[37] Cf. Jo 4.34; 5.24, 30, 36-38; 6.29, 38, 39, 44, 57; 7.16, 28, 33; 8.16, 18, 26, 29, 42; 12.44, 45, 49; 16.5; 20.21 e ainda 3.34; 6.29; 7.29. O verbo "enviar" e seus derivados, como "enviado", "enviou", "envio", etc., é a tradução de dois verbos gregos que estão no mesmo campo semântico, πέμπω e ἀποστέλλω, e que significam "fazer com que alguém parta com um propósito definido" (Johannes P. Louw, Eugene A. Nida, eds., *Greek-English lexicon of the New Testament: based on semantic domains* [New York: United Bible Societies, 1988], 15.66). De acordo com Carlos Del Pino, há tecnicamente uma pequena diferença de significado entre ambos, que no Evangelho de João se torna imperceptível, pois o autor usa ambos os verbos como equivalente: "O envio de Cristo pelo Pai é descrito tanto por *apostello* (3.17, 34; 7.29; 11.42) como por *pempo* (4.34; 7.16; 14.24); o envio dos discípulos por Cristo também é descrito tanto por *apostello* (4.38; 17.18) como por *pempo* (13.16, 20)" (Carlos Del Pino, "O Apostolado de Cristo e a Missão da Igreja", tese de mestrado apresentada ao Centro Evangélico de Missões (CEM); Viçosa, MG: 1992).

o havia enviado (Jo 4:34). Como enviado do Pai, Jesus falava as palavras dele (Jo 3.34; 7.16; 8.26; 12.49) e demandava fé nestas palavras e na sua pessoa (Jo 6.29). Deus dava testemunho de que Jesus era seu enviado mediante as obras, os sinais e prodígios que Jesus realizava diante dos judeus (Jo 5.30-36; 8.16-18, 29). Acreditar em suas palavras e acreditar no Deus que o havia enviado era a mesma coisa, e resultaria em vida eterna aos que cressem (Jo 5.24). Como enviado de Deus, ver a Jesus e crer nele era a mesma coisa que ver a Deus e crer nele também (Jo 12.44-45). Não sem razão o autor da carta aos Hebreus se refere a Jesus como "o Apóstolo e Sumo Sacerdote da nossa confissão" (Hb 3.1).[38]

De acordo com o Evangelho de João, Jesus enviou seus apóstolos ao mundo da mesma forma como foi enviado pelo Pai ao mundo (Jo 20.21). Para tal, concedeu-lhes o mesmo Espírito que recebeu por ocasião de seu batismo (Jo 20.22) e lhes deu autoridade para perdoar pecados e retê-los (Jo 20.23).[39] Quem os recebesse, receberia a ele, Jesus, e ao próprio Deus (Jo 13.20).[40]

É aparente, portanto, que a autoconsciência de Jesus de ser o apóstolo do Pai, como o Servo do Senhor, ungido e enviado ao mundo nos termos da profecia de Isaías, contribuiu decisivamente para a maneira como ele nomeou doze de seus discípulos como apóstolos e seus enviados ao mundo.

Conclusão

O conceito de apóstolo no Novo Testamento tem origem em Jesus, que o usou para designar doze de seus discípulos, aos quais deu determinações, antes e depois de sua morte e ressurreição. Os contornos desta função foram determinados por fatores que podem ser encontrados no judaísmo do século I e nas Escrituras de Israel.

---

38 Para um resumo do conceito de "apóstolo" e "enviar" em João veja ainda Giles, "Apostles before and after Paul," 241-242, que sugere que João está influenciado pelo conceito de *shaliah*. Veja ainda Clark, "Apostleship," 374-375, que inclui uma análise breve do uso nas cartas de João.
39 Isto é, pela pregação da palavra e pelo exercício da disciplina, cf. Mt 18.15-20; Mc 16.15-16; etc.
40 Encontramos nos Sinóticos, ainda que em proporção muito menor, Jesus se referindo a si mesmo como o enviado de Deus ao mundo (cf. Mt 10.40; 15.24; Mc 9.37; Lc 4.43). "Enviar" também aparece nos Sinóticos descrevendo o ato de Jesus comissionando os discípulos a ir pregar o Evangelho (Mt 10.5,16; Mc 3.14; Lc 9.2; 10.1).

Primeiro, Jesus certamente estava familiarizado com a ideia de representantes autorizados, algo conhecido no mundo de sua época, bem como do conceito que aparece no Antigo Testamento de pessoas formalmente enviadas por uma autoridade para realizar uma missão em um local diferente, com poderes de representação e ação, como se fosse a própria autoridade que o havia enviado.

Segundo, ao designar os seus apóstolos, Jesus parece tê-lo feito nos moldes do chamado e da missão dos antigos profetas de Israel, que eram tidos como enviados de Deus para falar as suas palavras com autoridade. Escutá-los era escutar a Deus. Da mesma forma, recusá-los era recusar a Deus. É aqui que encontraremos o fundamento para o argumento de que os apóstolos foram os sucessores dos profetas como canais da revelação de Deus.

Terceiro, Jesus demonstrou ter consciência clara de ser enviado do Pai, nos termos do Messias, do Servo do Senhor, anunciado pelos profetas. E, em termos similares, ele também envia seus discípulos ao mundo, seus apóstolos.

A maneira como Jesus designou os seus doze discípulos como "apóstolos" e o significado do termo já nos sugerem que apenas um grupo restrito dentre os seus seguidores poderia ser considerado como tais. Este grupo, por causa do que ser apóstolo representa, teria uma missão definida e fundamental no início da igreja de Cristo, missão esta que não iria mais se repetir ao longo da história da Igreja cristã.

Examinaremos, em seguida, as características deste restrito grupo de doze discípulos, a quem Jesus deu o nome de "apóstolos".

Capítulo 2

Os Doze

Nesta parte de nosso estudo enfocaremos o estabelecimento dos doze apóstolos de Cristo e os aspectos de sua missão, com objetivo de verificar a possibilidade de existir depois deles apóstolos do mesmo tipo.

O estabelecimento dos doze e de sua missão não aconteceu em um único evento, mas em duas etapas, separadas entre si pela ressurreição de Jesus Cristo. A determinação do número doze, a escolha dos nomes e os contornos de sua missão inicial foram dados pelo próprio Jesus já antes da sua ressurreição. Todavia, foi o Cristo ressurreto quem estabeleceu, de forma definitiva, a missão dos doze, que seria a de dar testemunho da ressurreição e anunciar esta boa notícia a toda criatura. Desta feita, a pregação apostólica deveria ser estendida ao mundo todo, e não somente aos judeus, como antes da ressurreição, e assim lançar os fundamentos da igreja de Cristo entre todas as nações.

A escolha dos doze

Não é narrado nos Evangelhos como Jesus escolheu cada um dos doze de entre os seus discípulos. Na primeira ocorrência do termo "doze" em Mateus, eles já aparecem como um grupo definido: "Tendo chamado seus doze discípulos, etc." (Mt 10.1). Lemos que antes disto ele havia chamado Pedro, André, Tiago, filho de Zebedeu e João seu irmão (Mt 4.18-22; cf. Jo 1.35-42) e Mateus, o publicano (Mt 9.9). João nos fala da chamada de Filipe e Natanael, (Jo 1.43-51). Nada nos é dito acerca do chamado dos demais que compunham o colégio apostólico. Ao que parece, Jesus foi aos poucos chamando alguns de seus discípulos para mais perto de si até que finalmente os estabelece como "os doze", designação que passa a indicar aqueles que seriam seus apóstolos.[1] De acordo com o relato de Lucas, a escolha, chamada e designação deles como apóstolos, aconteceu numa mesma ocasião, após Jesus ter passado a noite em oração (Lc 6.13). É provável que os doze já existissem como grupo informal, mais próximo de Jesus, faltando apenas a nomeação oficial e pública como apóstolos.

O que parece ter provocado a designação destes doze discípulos como apóstolos foi a constatação que Jesus fez, percorrendo as cidades e povoados e ensinando nas sinagogas, de que as multidões estavam aflitas e exaustas como ovelhas que não têm pastor. De acordo com o relato de Mateus (Mt 9.35-36), Jesus observou em suas andanças pelas vilas e povoados que a nação de Israel estava sem líderes espirituais que cuidassem da alma do rebanho como pastores, uma crítica implícita aos escribas e fariseus, sacerdotes e membros do Sinédrio. "A seara na verdade, é grande, mas os trabalhadores são poucos," disse ele aos seus discípulos (Mt 9.37-38). Em seguida, ele chama os doze, nomeia-os "apóstolos" e envia-os a pregar, curar e expelir demônios nas vilas e cidades dos judeus, dando-lhes a autoridade espiritual necessária para tal (Mt 10.1).

---

1   Cf. "os doze" em Mt 20.17; 26.20; Mc 4.10; 6.7; 9.35; Lc 8.1; 9.12; Jo 6.67; At 6.2; 1Co 15.5.

Fazer parte dos doze significava ter sido chamado pessoalmente por Jesus para estar com ele diariamente em seu ministério itinerante pela Galileia e Judeia, ter recebido autoridade e poder para realizar sinais e prodígios, expulsar demônios em seu nome, pregar a proximidade do Reino dos céus e representar Jesus como enviado dele para o anúncio desta mensagem. Ao final, o critério maior para a escolha parece ter sido a decisão pessoal de Jesus, conforme Marcos nos diz, "[Jesus] subiu ao monte e chamou *os que ele mesmo quis*" (Mc 3.13; cf. At 1.2, "os apóstolos *que escolhera*"). Jesus conhecia a quem havia escolhido, inclusive Judas, que o haveria de trair (Jo 13.18).

Por que doze?

Ao nomear doze apóstolos e enviá-los em missão aos judeus, Jesus estava instituindo uma nova liderança espiritual em Israel. A aflição e o cansaço que ele observou entre o povo se devia aos requerimentos legalistas e impostos acrescentados hipocritamente pelos escribas e fariseus à revelação de Deus a Israel. Além disso, estes líderes haviam falhado em pastorear a nação nos caminhos de Deus.[2] Lucas não registra o episódio em que Jesus, antes de chamar os doze discípulos e nomeá-los como apóstolos, se refere a Israel como ovelhas sem pastor, mas relata como o legalismo dos fariseus, escribas e mestres da lei os colocou cada vez mais contra Jesus, imediatamente antes de Jesus chamar os doze (Lc 5.17—6.11).

---

2 Existe muita discussão hoje, provocada pelo movimento chamado de "a nova perspectiva sobre Paulo", se o judaísmo na época de Jesus era realmente uma religião legalista ou não. Krister Stendahl lançou a famosa tese de que a interpretação tradicional de que os fariseus eram legalistas usa os óculos de Lutero para interpretar Paulo; ver Krister Stendhal, *Paul among Jews and Gentiles*. (Augsburg: Fortress Press, 1976), p. 78-96. Outros como Werner Kümmel, E.P. Sanders, James Dunn e N. T. Wright têm desenvolvido esta ideia mais recentemente. Para uma crítica penetrante das ideias da "nova perspectiva" ver John M. Spy, "'Paul's Robust Conscience' Re-examined". *New Testament Studies* 31:161-188; Karl T. Cooper, "Paul and Rabbinic Soteriology" em *Westminster Theological Journal* 44 (1982), 123-139; Thomas R. Schreiner, "Paul and Perfect Obedience of the Law: An Evaluation of the View of E. P. Sanders". *Westminster Theological Journal*, 47:245-78; Moisés Silva. "The Law and Christianity: Dunn's New Synthesis". *Westminster Theological Journal* 53:339-53; R. H. Gundry, "Grace, Works and Staying Saved in Paul". *Biblica* 66:1-38. D. A. Carson, Douglas Moo e Leon Morris, *Introdução ao Novo Testamento* (São Paulo: Vida Nova, 1997), 329-334.

E é aqui que vamos encontrar a razão de serem doze. Eles representam o novo Israel, sendo a contraparte dos doze patriarcas da nação. Nas palavras do próprio Jesus, dirigidas aos doze: "Em verdade vos digo que vós, os que me seguistes, quando, na regeneração, o Filho do Homem se assentar no trono da sua glória, também vos assentareis em doze tronos para julgar as doze tribos de Israel" (Mt 19.28; Lc 22.30). Jesus antecipava a "regeneração", a restauração espiritual e final da nação de Israel como povo de Deus. Os seus doze discípulos seriam os líderes desta nação espiritual, agora composta de judeus e gentios de todas as partes do mundo, unidos pela fé no Messias. Jesus estava falando da sua igreja, o Israel espiritual. Esta é a razão para o número doze. E este parece ter sido o entendimento de João, um dos doze, autor do livro de Apocalipse, quando ao falar da cidade santa, a nova Jerusalém, uma representação da igreja triunfante e gloriosa, ele a descreve desta forma:

> Tinha grande e alta muralha, doze portas, e, junto às portas, doze anjos, e, sobre elas, nomes inscritos, que são os nomes das doze tribos dos filhos de Israel. Três portas se achavam a leste, três, ao norte, três, ao sul, e três, a oeste. A muralha da cidade tinha doze fundamentos, *e estavam sobre estes os doze nomes dos doze apóstolos do Cordeiro* (Ap 21.12-14).

É evidente que para João os doze apóstolos correspondem às doze tribos de Israel, sendo os "patriarcas" do novo Israel em contrapartida aos doze filhos de Jacó, cabeças das doze tribos de Israel.[3] De acordo com Gregory Beale, "a nomeação dos doze apóstolos por Jesus representou não somente a reconstituição do novo Israel em torno de si mesmo, o qual haveria de crescer exponencialmente, mas também a criação de um novo povo para viver em uma nova criação."[4]

---

3   É neste sentido que Tiago, o irmão de Jesus, se dirige às igrejas cristãs às quais escreve como "as doze tribos que se encontram na dispersão" (Tg 1.1).

4   Gregory K. Beale, *A New Testament Biblical Theology: the unfolding of the Old Testament in the New* (Grand Rapids: Baker, 2011), p. 425, 693.

No relato que Lucas nos dá da última Ceia, Jesus se pôs à mesa com "os apóstolos" (Lc 22.14).[5] Parece que a razão pela qual somente eles foram se evidencia pelo que se seguiu. O Senhor diante deles estabelece a nova aliança, em contraste com a antiga feita com Israel (Lc 22.20), estabelece o sacramento da Ceia em substituição à Páscoa (Lc 22.19-20), confia a eles o Reino de Deus (Lc 22.29) e lhes promete o assentar-se em tronos para julgar as doze tribos de Israel no seu reino vindouro (Lc 22.30). O papel dos doze apóstolos fica claro aqui. A eles o Senhor Jesus encarregou a tarefa de transição da antiga aliança para a nova, do antigo Israel para a igreja de Cristo, o Israel espiritual, onde eles haveriam de figurar como os doze patriarcas em relação ao Israel terreno.[6]

Esta é a razão pela qual os apóstolos se sentiram na obrigação de completar o número de doze, após a traição e morte de Judas Iscariotes. O argumento de Pedro, enquanto reunido com os demais no cenáculo em Jerusalém, foi que "era necessário" escolher alguém para o lugar de Judas (At 1.21), de entre aqueles que acompanharam Jesus durante o seu ministério terreno, desde o batismo de João até a sua ascensão, e que tinha sido uma testemunha da sua ressurreição de entre os mortos (At 1.21-22). Havia mais de um que preenchia aquelas condições: José Barsabás, o Justo, e Matias. Talvez houvesse outros. Todavia, apenas um era necessário para completar o número doze, e procedeu-se à escolha de Matias. Isto mostra que o número doze era simbólico e representativo. Embora houvesse outros homens que preenchessem as condições para o apostolado, conforme as orientações de Pedro, nem todos eles poderiam fazer parte dos doze. A escolha de Matias através de sortes preenchia o requisito de ter sido chamado diretamente pelo Senhor. A oração de Pedro, antes de lançar sortes, foi, "revela-nos qual destes dois tens escolhido" (At 1.24). O chamado do Senhor ressurreto se daria através daquele processo e uma vez realizado, foi considerado como legítimo e final.[7]

---

5 Mateus diz "com os doze discípulos" (Mt 26.20) e Marcos "com os doze" (Mc 14.17).

6 Clark corretamente adverte para não pensarmos que Lucas está dizendo que os doze são os fundadores da nova nação de Israel. A ideia não é de *fundação*, mas de *restauração*, cf. Clark, "Apostleship," 371-372.

7 Alguns contestam a escolha de Matias por meio de sortes, argumentando que foi precipitação de Pedro e demais apóstolos, pois o escolhido de Jesus era Paulo. Todavia, não há nada no livro de Atos e nas cartas

Convinha que os doze estivessem completos por causa do significado de seu número face à missão que receberam, e por causa da iminência da descida do Espírito Santo em Pentecostes.[8]

Os nomes dos doze Apóstolos

Encontramos quatro relações com os nomes dos doze e nem sempre elas concordam quanto aos nomes e a sequência deles. Cada uma delas traz observações dos autores que prefaciam sua lista de maneira distinta. Mateus descreve a lista como sendo "os nomes dos doze apóstolos" e começa dizendo que Simão Pedro é o primeiro (Mt 10.2). Marcos descreve sua lista como sendo a relação dos "doze que Jesus designou" (Mc 3.16) e faz a interessante observação de que os irmãos Tiago e João, filhos de Zebedeu, receberam de Jesus o nome de Boanerges, que significa "filhos do trovão" – nenhuma informação adicional nos é dada nos Evangelhos sobre a razão disto (Mc 3.17).[9] Já Lucas prefacia sua lista nos Evangelhos dizendo que é a relação dos doze discípulos que Jesus escolheu e "a quem também deu o nome de apóstolos" (Lc 6.13). Na lista em Atos, Lucas apenas enumera os nomes dos que estavam no cenáculo à espera do cumprimento da promessa da vinda do Espírito (At 1.13). O contexto deixa claro, todavia, que Lucas está se referindo aos apóstolos (At 1.2-5), que no momento eram onze, mas que teriam o número completo em seguida, com a eleição de Matias para o lugar de Judas (At 1.15-26). Todas as três listas dos Evangelhos terminam com Judas e a observação que ele foi quem traiu Jesus. A lista de

---

de Paulo que ao menos sugira que ele deveria ter sido contado entre os doze. Ao contrário, Paulo sempre reconhece a diferença entre ele e os doze, cf. 1Co 15.1-9. Sobre o processo de escolha com base em lançar sortes, poucas informações temos a respeito de como funcionava. Lucas parece considerar que a escolha de Matias foi legítima, pois após dizer que ele foi votado para tomar lugar com os onze apóstolos, em seguida se refere aos apóstolos como os doze, isto é, Pedro e os onze, cf. At 2.14. Para a opinião de que Paulo, e não Matias, é o décimo segundo apóstolo, veja Abraham Kuyper, *The Work of the Holy Spirit* (New York: Funk & Wagnalls, 1900), 162-163. Esta obra está publicada em português, *A Obra do Espírito Santo* (São Paulo: Cultura Cristã, 2010).

8   Giles corretamente destaca este ponto, cf. "Apostles before and after Paul," 244.

9   É possível que este apelido tenha a ver com o temperamento impulsivo e irascível dos dois irmãos, conforme se percebe do episódio em que queriam mandar fogo descer do céu para consumir os samaritanos que não os queriam receber, cf. Lc 9.54, inspirados no episódio em que Elias faz descer fogo do céu para consumir os enviados do rei, cf. 2Rs 1.9-16.

Atos omite Judas, pois se refere ao período entre sua morte e sua substituição, quando os doze eram, na verdade, onze.

Os nomes dos Doze e a sequência em que são apresentados trazem ligeiras divergências entre si, como se pode notar pela tabela abaixo.

Mateus 10.2-4	Marcos 3.16-19	Lucas 6.13-16	Atos 1.13,26
Simão Pedro	Simão Pedro	Simão Pedro	Pedro
André, seu irmão	Tiago de Zebedeu	André, seu irmão	João
Tiago de Zebedeu	João de Zebedeu	Tiago	Tiago
João de Zebedeu	André	João	André
Filipe	Filipe	Filipe	Filipe
Bartolomeu	Bartolomeu	Bartolomeu	Tomé
Tomé	Mateus	Mateus	Bartolomeu
Mateus	Tomé	Tomé	Mateus
Tiago de Alfeu	Tiago de Alfeu	Tiago de Alfeu	Tiago de Alfeu
Tadeu	Tadeu	Simão o Zelote	Simão o Zelote
Simão o Zelote	Simão o Zelote	Judas de Tiago	Judas de Tiago
Judas Iscariotes	Judas Iscariotes	Judas Iscariotes	[Matias]

Simão Pedro aparece em todas elas como o primeiro nome, refletindo sua liderança entre os doze, claramente atestada nos Evangelhos e em Atos. Embora em sequência diferente, João, Tiago e André aparecem em seguida, o que também reflete o que encontramos nos Evangelhos, que eles eram, entre os doze, os mais chegados a Jesus (cf. Mc 1.29; 5.37; 9.2; 13.3; 14.33; Mt 17.1; etc.). A sequência dos demais segue relativamente inalterada. O que chama a atenção é a menção de Tadeu por Mateus e Marcos, que não aparece nas duas listas de Lucas, que por sua vez insere Judas, filho de Tiago (não o Iscariotes) em seu lugar. No Evangelho de João encontramos referência a este Judas, que estava entre os apóstolos, "disse-lhe Judas, não o Iscariotes" (Jo 14.22). É provável que Tadeu seja o mesmo Judas, o filho de Tiago. Talvez Mateus e Marcos tenham preferido chamá-lo assim para evitar a confusão com o outro Judas, o Iscariotes.

Portanto, apesar das diferenças em ordem e nomes, as listas nos dão os nomes dos doze apóstolos de Jesus Cristo, que são Simão Pedro, André, Tiago, João, Filipe, Bartolomeu, Tomé, Mateus, Tiago de Alfeu, Tadeu (Judas de Tiago), Simão o Zelote e Judas Iscariotes, substituído por Matias.

A missão dos doze antes da ressurreição

Os doze eram um grupo definido de discípulos e, por ocasião da escrita dos Evangelhos e de Atos, seu número e seus nomes já estavam bem estabelecidos como um grupo distinto, diferente e separado dos demais discípulos de Jesus (cf. "os doze nomes dos doze apóstolos do Cordeiro", Ap 21.14). De acordo com Kuyper, "o significado único do apostolado [dos doze] está tão profundamente arraigado no coração do Reino, que quando recebemos, no Apocalipse de João, uma visão da Nova Jerusalém, vemos que a cidade tem doze *fundamentos*, e que *neles*, estão escritos os *nomes* dos doze apóstolos do Cordeiro."[10]

É aqui que os doze se destacam dos demais discípulos. Os doze recebem diretamente de Jesus a autoridade e o poder espirituais que ele próprio havia recebido por ocasião de seu batismo, da parte de Deus Pai (Mt 3.13-17; cf. Lc 4.1,14). Da mesma forma que ele havia sido ungido e enviado pelo Pai, conforme a profecia de Isaías (Lc 4.16-21), agora ele unge (concede autoridade) e envia os doze após uma noite em oração. Como vimos no capítulo 1, Jesus concebia o envio dos apóstolos em termos do seu próprio envio da parte do Pai.

Jesus os escolheu em doze e os designou para estarem com ele, para pregar e para exercer autoridade sobre os demônios e curar os doentes (Mt 10.1; Mc 3.13-15; Lc 6.12-13). Estas eram as responsabilidades gerais dos doze nesta primeira fase do seu apostolado. Estar com Jesus (Mc 3.14) era a primeira e mais importante delas, pois seria no convívio diário com o Senhor que eles seriam discipulados e preparados para a

---
10 Kuyper, *The Work of the Holy Spirit*, 144.

grande comissão que o Senhor mais tarde haveria de lhes dar. Estar com Jesus significava abandonar as demais ocupações, como pescar, cobrar impostos e outras, e dedicar-se inteiramente ao discipulado, ao contrário do restante dos discípulos. Eles deveriam ir aos povoados e vilas pregar, como enviados de Jesus, como seus representantes (Mc 3.14). A realização dos mesmos sinais e prodígios que Jesus vinha realizando no meio do povo, e que havia atraído as multidões, serviria para mostrar a identificação deles com Jesus, que eles haviam sido enviados por ele e que eram seus apóstolos (Mt 10.1,8; Mc 3.15).

Os detalhes da primeira missão dos doze e as instruções que Jesus lhes deu se encontram registrados nos três Sinóticos (Mt 10.5-42; Mc 6.7-11; Lc 9.1-6). De acordo com Mateus, esta missão foi dada logo em seguida à designação dos doze como apóstolos. Todavia, Marcos e Lucas colocam-na como algo posterior.

Em linhas gerais, a missão consistia em jornadas de pregação nas vilas e povoados de judeus na Galileia. Esta missão em muito se assemelha ao papel dos antigos profetas de Israel, que eram enviados por Deus para falar ao povo das cidades dos reinos do Norte e do Sul. Uma diferença é que Jesus os enviou de dois em dois, talvez para suporte mútuo e para caracterizar a veracidade do testemunho deles, conforme era exigido pela lei (Dt 17.6; Jo 8.17; Mt 18.16). Eles deveriam evitar as regiões habitadas por gentios e samaritanos (Mt 10.5-6; Mc 6.7; Lc 9.2). A mensagem a ser pregada era a proximidade do reino dos céus, e a chamada para que todos se arrependessem de seus pecados (Mt 10.7; Mc 6.12). Ao mesmo tempo, os apóstolos receberam autoridade para ressuscitar mortos, purificar leprosos, expelir demônios e curar os doentes, ungindo-os com óleo (Mt 10.8; Mc 6.12; Lc 9.2). Era preciso cuidado para não dar a aparência de que estavam fazendo aquelas coisas por dinheiro ou salário, o que poderia comprometer a missão. Assim, não deveriam cobrar nada das pessoas que fossem beneficiadas pela mensagem e pelos poderes extraordinários. Eles deveriam depender totalmente da boa vontade e da caridade dos que desejassem abrigá-los (Mt 10.8-10; Mc 6.8-10; Lc 9.3-4). Os que rejeitassem a mensagem deles iriam incorrer em juízo mais severo do que as cidades de Sodoma e Gomorra, no dia do juízo, aspecto que identifica os doze como enviados autorizados de Jesus Cristo, o Filho de Deus (Mt 10.14-15; Mc 6.11; Lc 9.5). Eles são advertidos das perseguições que certamente haveriam de sobrevir-lhes por causa daquele que eles representam e são aconselhados a fugir de uma cidade para a outra. Quando presos, deveriam confiar que o Espírito Santo lhes haveria de prover palavras de testemunho diante dos governantes e reis (Mt 10.16-23). Jesus os estimula e encoraja a enfrentar as adversidades enfatizando a sua relação com eles. Como enviados de Jesus, eles vão experimentar a rejeição dos homens da mesma forma que Jesus experimentou (Mt 10.24-31). Os que ficarem firmes e confessarem o nome de Jesus diante dos homens, receberão como recompensa a aceitação de Deus Pai na glória, diante dos anjos (Mt 10.32-33). Quem os receber, recebe a Jesus e, por extensão, a Deus, que enviou a Jesus (Mt 10.40-42).

Marcos e Lucas nos dizem que os "apóstolos" voltaram à presença de Jesus e deram um relato da missão após o seu término (Mc 6.30; Lc 9.10). A missão dos doze na Galileia estabeleceu, desta forma, os contornos da futura função de apóstolo na igreja nascente.

Os setenta

Aqui precisamos entender o envio dos setenta discípulos. Apenas Lucas registra o ocorrido (Lc 10.1-20). De acordo com o relato de Lucas, algum tempo após haver enviado os doze, Jesus designou "outros setenta" discípulos a quem enviou diante de si às cidades onde ele haveria de passar a caminho de Jerusalém (Lc 9.51).[11] À semelhança da escolha do número doze, setenta parece aludir à escolha e designação dos setenta anciãos no deserto, por Moisés, a mando do Senhor Deus de Israel (Êx 24.1,9; Nm 11.16-17) e está em sintonia com a determinação de Jesus de estabelecer o

---

11 A tradução "outros setenta" (ARA, NVI) pode causar confusão, pois dá a impressão que seria a segunda vez que Jesus enviava setenta de seus discípulos em missão. Uma tradução correta e mais clara seria "setenta outros" (veja NTLH). E, neste caso, Lucas provavelmente tem em mente os mensageiros que Jesus havia enviado antes para preparar seu caminho a Jerusalém, cf. Lc 9:52.

novo Israel.¹² Os termos da missão dos setenta, os cuidados e advertências, são similares às instruções dada por Jesus aos doze, muito embora a missão dos doze tenha sido na Galileia e a dos setenta na Judeia. Jesus também os considera como seus representantes, pois rejeitar a mensagem deles ou recebê-los equivalia a rejeitar ou aceitar o próprio Jesus (Lc 10.16). Ao que parece, a missão dos setenta foi causada por dois fatores, que podem ser percebidos do relato. Primeiro, a necessidade de Jesus preparar sua passagem em vilas e povoados na Judeia a caminho de Jerusalém (Lc 9.51). Eles foram designados "para que o precedessem em cada cidade e lugar" onde Jesus estava para ir (Lc 10.1b). Segundo, a constatação que Jesus fez, mais uma vez, de que a seara era grande e os obreiros, poucos (Lc 10.2).

Nada mais sabemos destes setenta discípulos que receberam esta missão. Ao que tudo indica, eles haviam sido designados provisoriamente, para atender a necessidade do momento crítico que Jesus estava para enfrentar, em seu caminho para a cruz em Jerusalém (Lc 9.51). Uma vez encerrada a missão, o grupo se dissolveu e nada mais é dito sobre ele.¹³ O episódio nos mostra que, embora os doze fossem um grupo definido, ainda assim Jesus designava e enviava outros discípulos para a seara, que ele entendia que era grande e carente. Todavia, é preciso observar que ele não os designava de apóstolos (Lc 10.2).

A missão dos doze após a ressurreição

Após a sua ressurreição, Jesus ampliou o escopo da missão dos doze. Eles agora deveriam ir ao mundo todo, começando de Jerusalém até os confins da terra, como testemunhas de sua ressurreição, para fazer discípulos, pregando o arrependimento de pecados a todas as nações, batizando os que cressem e ensinando-os a guardar tudo o que Jesus lhes havia dito. Como havia feito antes, o Senhor lhes confere autoridade e poder espirituais para

---

12 ARA e ARC trazem "setenta" e NVI e NTLH trazem "setenta e dois" discípulos. O testemunho manuscritológico está dividido. Ainda que fosse "setenta e dois" permanece o simbolismo do número. Os anciãos de Israel também eram contados, às vezes, como setenta ou setenta e dois, cf. Robertson, *Word Pictures*, Lc 10.1.
13 Cf. Jamieson, *Commentary*, Lc 10.1; Robertson, *Word Pictures*, Lc 10.1.

a realização da tarefa e declara que receber ou recusar a mensagem deles determinaria o destino final dos ouvintes, e que aqueles que fossem perdoados de seus pecados por eles, seriam perdoados, e isto também servia para os que fossem condenados (cf. Mt 28.18-20; Mc 16.14-18; Lc 24.44-49). O livro de Atos registra que estas instruções foram dadas pelo Cristo ressurreto como mandamentos aos apóstolos por intermédio do Espírito Santo, antes de sua ascensão (At 1.2-3).[14]

Ainda antes de sua ressurreição, Jesus havia anunciado aos doze estes aspectos da futura missão. Ele havia dito que sua igreja seria edificada sobre a verdade confessada por Pedro, que ele, Jesus, era o Cristo, o Filho do Deus vivo (Mt 16.13-18). As chaves do Reino dos céus seriam entregues a Pedro (Mt 16.19-20) e por extensão aos demais apóstolos e à igreja (Mt 18.15-20). O poder de perdoar pecados e retê-los também seria dado a eles (Jo 20.19-23). O Espírito Santo haveria de vir e guiá-los a toda verdade (Jo 14.16-17; 14.26; 15.26-27). Eles haveriam de dar testemunho da ressurreição de Jesus (Jo 15.26-27). De fato, de acordo com Atos, em Jerusalém, após Pentecostes, "com grande poder, os apóstolos davam testemunho da ressurreição do Senhor Jesus" (At. 4.33). Examinemos, então, estes componentes da missão apostólica pós-páscoa.

Testemunhas da ressurreição

Outro importante aspecto do ministério apostólico era o de dar testemunho da ressurreição de Cristo. Ter visto Jesus depois de ele ter ressuscitado, tornou-se uma das mais distintas marcas dos doze e posteriormente de Paulo.

Quando Pedro e os demais se viram na necessidade de encontrar um substituto para Judas, enquanto aguardavam no cenáculo a chegada do Espírito, determinaram dois critérios para a escolha, a saber, que fosse um homem de entre os que acompanharam os doze desde o batismo de João até a ascensão, e que tivesse visto o Cristo ressurreto, para poder ser teste-

---

14 Esta é a única passagem em que se diz que o Cristo ressurreto comunicou-se com os discípulos mediante o Espírito Santo, antes da ascensão, "para indicar a nova relação que ele passaria a ter com a igreja" (Jamieson, *Commentary*, in loco).

munha da ressurreição como os demais (At 1.21-22). Este requerimento, de ter visto Jesus após a ressurreição, estava implícito na determinação de Jesus aos doze, "recebereis poder, ao descer sobre vós o Espírito Santo, e sereis minhas testemunhas..." (At 1.8) e tornou-se uma das marcas principais do apostolado dos doze. Lucas se refere a eles como "os que desde o princípio foram testemunhas oculares e ministros da Palavra", os quais haviam transmitido os fatos acerca da ressurreição de Jesus (Lc 1.1-2). O apóstolo João, mais tarde, ao escrever sua primeira carta, principia enfatizando que ele estava entre os que viram, ouviram e tocaram aquele que era desde o princípio, o que lhe conferia autoridade para testemunhar que a vida havia sido manifesta na pessoa de Jesus (1Jo 1.1-4). Pedro, em seu sermão no dia de Pentecostes, se refere a si mesmo e aos onze como sendo "testemunhas" da ressurreição de Jesus (At 2.32; cf. 4.33).

Isto não quer dizer que todos os que viram o Cristo ressurreto naquela época se tornaram apóstolos, pois Paulo menciona uma lista de várias testemunhas da ressurreição que não estão incluídos entre os doze e nem são chamados de apóstolos, como os quinhentos irmãos a quem Jesus apareceu (1Co 15.6). Mas, para ser parte dos doze, esta era uma das condições. O ponto a considerar é que, segundo o apóstolo Paulo, ele foi o último a quem o Cristo ressurreto apareceu: "E, afinal, *depois de todos*, foi visto também por mim" (1Co 15.8). Não encontramos nos registros canônicos que depois de Paulo mais alguém tenha reivindicado ter visto Jesus depois da ressurreição, nem mesmo pessoas como Timóteo, Tito, Lucas, Marcos ou outros dos colaboradores dos apóstolos, que inclusive escreveram alguns dos livros do Novo Testamento.

Assim, com o término das aparições pessoais do Cristo ressurreto, fica faltando a mais conspícua das marcas de um apóstolo do calibre dos doze e de Paulo aos demais apóstolos mencionados no Novo Testamento e, certamente, a todos os demais que têm reivindicado este título ao longo dos séculos, até nossos dias. O que queremos dizer é que não existe mais hoje testemunhas oculares da ressurreição de Cristo. A última foi Saulo de Tarso. Logo, não existem mais apóstolos hoje como ele e os doze. O ofício de apóstolo cessou com a morte do último deles.

Os fundamentos da Igreja

Vejamos mais um componente da missão dos doze após a ressurreição. Jesus havia designado os doze apóstolos como seus representantes autorizados para, após a sua ressurreição e a vinda do Espírito, dar testemunho desta ressurreição ao mundo e lançar as bases da igreja de Cristo, o novo Israel, sobre o fundamento que é o próprio Jesus. O ensino deles depois de Pentecostes é denominado de "doutrina dos apóstolos", na qual a igreja perseverava (At 2.42). Pedro se refere a este ensino como "o mandamento do Senhor e Salvador, ensinado pelos vossos apóstolos" (2Pe 3.2). É com este significado que Paulo fala dos apóstolos como os primeiros estabelecidos por Deus na igreja (1Co 12.28; cf. Ef 4.11), os quais, junto com os profetas do Antigo Testamento, lançaram o fundamento da Igreja, que é a pessoa e a obra de Cristo, particularmente a verdade de que ele é o Filho de Deus (Ef 2.20; 3.5). Nesta mesma linha vai João, ao descrever os fundamentos da cidade santa, figura da Igreja de Cristo: "A muralha da cidade tinha doze fundamentos, e estavam sobre estes os doze nomes dos doze apóstolos do Cordeiro" (Ap 21.14).

O fundamento citado em Efésios 2.20 se refere ao estabelecimento comprovado, pela autoridade apostólica, das verdades centrais da Igreja cristã, sendo as mais cruciais delas a morte de Jesus Cristo pelos nossos pecados e a sua ressurreição ao terceiro dia, conforme as Escrituras do Antigo Testamento (1Co 15.1-3). Estas verdades sobre a pessoa e a obra de Jesus Cristo representam o alicerce sobre o qual se ergue o edifício da igreja cristã. Coube aos apóstolos lançar estes fundamentos pela pregação, estabelecimento de igrejas e ordenação de presbíteros para edificarem sobre o fundamento por eles estabelecido. É assim que Paulo descreve seu ministério na primeira carta aos Coríntios: "... lancei o fundamento ... e outro edifica sobre ele. Porém cada um veja como edifica. Porque ninguém pode lançar outro fundamento, além do que *foi posto*, o qual é Jesus Cristo" (1Co 3.10-11). Neste sentido, resta evidente que o trabalho dos doze e de Paulo já cessou, uma vez que os fundamentos da igreja já foram "postos" desde o século I. Não precisamos mais de apóstolos para lançar os fundamentos da igreja cristã, mas de pastores e mestres que edifiquem sobre eles.

Os escritos apostólicos

Outro componente da missão dos doze relacionado com o lançamento do fundamento da Igreja, foi o registro por escrito do testemunho deles acerca de Jesus e a interpretação do significado de sua morte e ressurreição. Os Evangelhos foram escritos pelos apóstolos ou por alguém associado a eles, a partir do testemunho deles, como é o caso de Marcos – considerado o Evangelho de Pedro – e o de Lucas, baseado no testemunho apostólico, entre outros. No prólogo de seu Evangelho, Lucas menciona a transmissão dos fatos ocorridos entre eles por parte daqueles que "desde o princípio foram deles testemunhas oculares e ministros da palavra" (Lc 1.1-2), uma referência clara aos doze, que seriam os únicos a se encaixar na descrição dos que testemunharam tudo "desde o princípio".

Os apóstolos Pedro e João, além disso, nos deram cinco cartas e o livro de Apocalipse. A inspiração e infalibilidade de seus escritos foram garantidas pelo próprio Jesus, quando lhes prometeu enviar o Espírito da verdade que os guiaria a toda verdade (Jo 14.16-17; 14.26; 15.26-27).[15] Com o encerramento do cânon do Novo Testamento, encerrou-se também a missão dos doze apóstolos de Cristo e, com isto, o ofício de apóstolo.

Sinais e prodígios

A realização de sinais e prodígios era também um componente da missão dos doze. Embora o dom de curar e realizar milagres apareça na lista dos dons mencionados por Paulo em 1Corintios 12.9, e embora outros além dos apóstolos realizarem coisas prodigiosas (cf. Ananias, At 9.17; Filipe, At 8.6; Estêvão, At 6.8),[16] parece que sinais e prodígios estavam mais associados ao ministério dos apóstolos. Embora a promessa dos sinais e prodígios possa ter uma aplicação mais ampla, ela foi dada por Jesus primariamente aos apóstolos (Mc 16.14-18). Marcos diz no

---

15 Veja o desenvolvimento desta ideia na obra de Herman N. Ridderbos, *Redemptive History and the New Testament Scriptures* (Philadelphia: Presbyterian and Reformed, 1963).

16 É importante notar que Ananias curou um apóstolo e que Estêvão e Filipe tinham recebido a imposição de mãos dos doze (At 6.5-6).

final de seu Evangelho que "tendo partido, [os apóstolos] pregaram em toda parte, cooperando com eles o Senhor e confirmando a palavra por meio de sinais, que se seguiam" (Mc 16.20), o que mostra o entendimento de Marcos de que a promessa dos sinais foi feita primordialmente aos apóstolos.[17] O autor de Hebreus parece ter tido o mesmo entendimento ao fazer referência aos sinais e prodígios que acompanharam a pregação dos apóstolos.

> A qual [mensagem], tendo sido anunciada inicialmente pelo Senhor, foi-nos depois confirmada pelos que a ouviram; dando Deus testemunho juntamente com eles, por sinais, prodígios e vários milagres e por distribuições do Espírito Santo, segundo a sua vontade (Hb 2.1-3).

De acordo com Atos, os sinais eram operados pelos apóstolos: "Muitos prodígios e sinais eram feitos por intermédio dos apóstolos" (At 2.43); "muitos sinais e prodígios eram feitos entre o povo pelas mãos dos apóstolos" (At 5.12). Estes sinais eram a comprovação de Deus quanto à veracidade do testemunho apostólico da ressurreição. Na defesa de seu próprio apostolado, Paulo cita pelo menos duas vezes os sinais e prodígios que foram feitos por seu intermédio entre os gentios, referindo-se a eles como "as credenciais do apostolado" (2Co 12.12; cf. Rm 15.19).

Não estamos com isto querendo dizer que Deus não faça milagres, sinais e prodígios nos dias de hoje. Cremos que ele os faz, quando e como deseja em resposta às orações de seu povo. O que estamos dizendo é que não temos mais homens como os apóstolos com dons de curar e de fazer milagres, sinais e prodígios, os quais, aliás, nunca foram superados pelos que hoje reivindicam o mesmo título e ofício.[18]

---

17 Este ponto continua válido, mesmo que o final maior de Marcos não seja autêntico. Quem quer que o tenha composto, entendeu que a promessa foi feita aos apóstolos em primeiro lugar. Para uma síntese das questões relacionadas com o final de Marcos veja Carson, *Introdução*, 116-118.

18 Trato deste assunto com mais extensão nos meus livros *O Culto Espiritual* (São Paulo: Cultura Cristã, 1999) e *O que você precisa saber sobre batalha espiritual* (São Paulo: Cultura Cristã, 4ª ed. 2006).

Concessão do Espírito Santo

Outro componente fundacional do ministério dos doze após a ressurreição de Cristo foi incluir samaritanos, gentios e seguidores de João Batista na igreja cristã, a qual, em seu início, era totalmente judaica. Esta inclusão era representada externamente pela concessão a estes grupos da mesma experiência que os apóstolos tiveram em Jerusalém no dia de Pentecostes, quando receberam o Espírito Santo enviado pelo Cristo ressurreto. A concessão do Espírito, acompanhada de sinais como falar em línguas e profetizar, era dada pela imposição de suas mãos.[19]

Filipe, um dos sete, mesmo tendo evangelizado Samaria e realizado sinais e prodígios, não tomou para si a prerrogativa de impor as mãos sobre os samaritanos que haviam crido. Ele solicitou a presença dos apóstolos para tal (At 8.14-16), pois este ato representava a entrada oficial dos samaritanos na igreja. Simão, o Mago, percebeu este poder dos apóstolos e desejou comprá-lo, o que deu origem à expressão simonia, na história da igreja cristã (At 8.18-21).[20]

A descida do Espírito sobre os gentios da casa de Cornélio, durante a pregação do apóstolo Pedro, de forma similar ao acontecido em Samaria, representou a aceitação oficial dos gentios na igreja de Cristo (At 10.44-47; 11.15-18). Não houve ali imposição de mãos, desnecessária pelo fato de que o evento ocorreu em meio a um sermão pregado pelo apóstolo Pedro.

Semelhantemente, o Espírito Santo desceu sobre os discípulos de João Batista quando o apóstolo Paulo lhes impôs as mãos, desta forma completando a entrada na igreja de todos os grupos que havia naquela época (At 19.1-7). Estes três episódios da descida do Espírito, similares

---

19 A única exceção ao papel exclusivo dos apóstolos de conceder o Espírito pela imposição de mãos parece ter sido o episódio em que Ananias impôs as mãos sobre Saulo de Tarso, para que ele ficasse cheio do Espírito Santo (At 9.17). Notemos, todavia, o caráter excepcional do evento, o fato de que se tratava de um único indivíduo, Paulo, e que Ananias havia sido designado diretamente por Jesus Cristo, numa visão, para a realização deste feito. Isto nos deveria fazer hesitar antes de tomar o episódio como paradigmático.

20 "Simonia" é o nome que se dá à compra de cargos eclesiásticos com dinheiro ou em troca de favores políticos, fato comum na igreja católica medieval. O nome vem exatamente deste episódio em que Simão tentou comprar o poder de Deus com dinheiro. Cf. "Simony" em F. L. Cross e Elizabeth A. Livingstone, *The Oxford dictionary of the Christian Church* (Oxford; New York: Oxford University Press, 2005).

ao ocorrido em Pentecostes – Cornélio, samaritanos e discípulos de João Batista – parecem representar o cumprimento das etapas geográficas que o Senhor havia estabelecido na comissão aos doze, "recebereis poder, ao descer sobre vós o Espírito Santo, e sereis minhas testemunhas tanto em Jerusalém como em toda a Judeia e Samaria e até aos confins da terra" (At 1.8). Coube a Paulo, como apóstolo nascido fora de tempo, completar a missão dos doze, concedendo o Espírito Santo aos discípulos de João Batista em Éfeso (At 19.1-7). Uma vez consumada a entrada de todas as nações na igreja, processo este supervisionado pelos apóstolos de Jesus Cristo, encerrou-se mais esta função deles, tornando desnecessário o aparecimento de novos apóstolos à semelhança dos doze e de Paulo.

A liderança da igreja de Jerusalém

Fazia parte da missão dos doze, após a ressurreição de Jesus, liderar a igreja em Jerusalém em sua fase inicial. Ela se tornou o centro geográfico do movimento incipiente da igreja cristã. Os doze tinham sede lá e de lá saíam para o trabalho missionário, como Pedro (cf. At 9.32, "passando Pedro por toda parte"). Eles, a princípio, haviam se dedicado também ao cuidado dos pobres e necessitados (At 4.35-37). A crise com as viúvas dos judeus gregos, devido ao aumento fenomenal do número de crentes, os obrigou a delegar este aspecto do ministério ao grupo dos sete (Atos 6.1-6), que é considerado por muitos estudiosos como sendo o primeiro grupo de diáconos. Os apóstolos fizeram isto para que pudessem se dedicar à oração e à pregação da Palavra (At 6.4). Eles eram vistos pelas autoridades judaicas como os líderes da nova "seita" que estava surgindo e causando comoção na cidade e foram presos e castigados por isto (At 5.17-42). Contudo, eles ficaram em Jerusalém quando a primeira grande perseguição dispersou grande parte da igreja pela região da Judeia e Samaria (At 8.1). Jerusalém parece ter sido a sede deles durante bom tempo. De lá enviaram Pedro e João para conhecer o trabalho em Samaria (At 8.14-15). Foi para lá que Barnabé levou Saulo de Tarso, três anos após sua conversão, para apresentá-lo ao doze (At 9.27-28), episódio que Paulo mais tarde citaria em sua carta aos Gálatas (Gl 1.18-19).

Os doze, todavia, não exerciam a liderança sozinhos. Eles elegeram e constituíram presbíteros como líderes da igreja de Jerusalém. Mais tarde, estes presbíteros deram continuidade ao trabalho iniciado pelos apóstolos, sem que, com isto, assumissem *status* apostólico. É interessante que quem parece ter assumido a liderança da igreja de Jerusalém, com a morte do apóstolo Tiago, irmão de João (At 12.1-2), foi outro Tiago, o que era irmão de Jesus (At 12.17; 15.13; 21.18). Paulo o trata como parte do círculo apostólico (Gl 1.18). É interessante notar que o próprio Tiago não se apresenta como apóstolo na carta que escreveu às igrejas (cf. Tg 1.1).[21]

Com os presbíteros, os doze discutiram e decidiram a entrada dos gentios na Igreja e mandaram para todas as igrejas, especialmente as gentílicas, as decisões sobre este assunto, que deveriam ser recebidas e acatadas (At 11.1; 15.1-6; 15.22-23). O próprio Paulo recebeu e acatou estas decisões (At 15.22,30). Numa determinada ocasião, apenas os presbíteros são mencionados na liderança de Jerusalém (At 11.30). A não ser que esta expressão inclua os apóstolos (cf. 1Pe 5.1), pode significar que eles estavam fora da cidade com muita frequência, pregando em toda parte, como Pedro. Quando Paulo retornou a Jerusalém, muitos anos depois do seu primeiro encontro, avistou-se apenas com Tiago, o irmão de Jesus, e os presbíteros de Jerusalém. Nenhuma menção é feita dos doze, a Pedro ou qualquer outro apóstolo (At 21.17-18), o que pode refletir que, a esta altura, os doze (menos Tiago que havia sido martirizado por Herodes e nunca substituído, At 12.1-2) estavam espalhados pelo mundo, pregando.[22]

---

21 Veja no capítulo "Outros Apóstolos" a discussão acerca de Tiago como apóstolo.

22 Paulo se refere ao fato que Cefas costumava levar uma "mulher irmã" – certamente a esposa – em suas viagens, o que pode apontar para o empenho missionário e itinerante de Pedro, cf. 1Co 9.5. A literatura apócrifa e patrística nos dá informações nem sempre confiáveis sobre as atividades missionárias e o destino de alguns apóstolos. Pedro provavelmente morreu na Itália, em Roma, onde pregou durante seus últimos anos, antes de ser morto por Nero, de acordo com a tradição. Tomé teria ido pregar na Índia onde foi martirizado. Filipe teria ido pregar nas regiões da Ásia, onde morreu de causas naturais, ou martirizado. Bartolomeu foi companheiro de Tomé e Filipe em viagens evangelísticas e morreu martirizado na Armênia. João teria morrido em Éfeso, de causas naturais. André foi missionário na Cítia, região que corresponde mais ou menos ao Cazaquistão. Dos outros, pouco ou nada se sabe. Veja a história da vida e morte de cada um dos apóstolos, de acordo com a tradição em E. Hennecke, *New Testament Apocrypha*, vol. 2, ed. W. Schneemelcher (Philadelphia: Westminster, 1965), 23–578, esp. 45–66.

Todas estas prerrogativas – liderar a igreja, lançar seu fundamento doutrinário, receber os gentios, samaritanos e crentes da antiga aliança mediante a concessão do Espírito, testemunhar da ressurreição de Jesus Cristo, realizar sinais e prodígios como prova e escrever Escritura, tornam os doze e Paulo, como veremos, um grupo único e impossível de ser repetido em nossos dias. Eles foram aqueles levantados por Deus para liderar a igreja na transição da antiga aliança para a nova, e lançar os fundamentos da igreja de Cristo para sempre. Uma vez que esta tarefa foi realizada, não temos mais a necessidade e nem a possibilidade de que se levantem em nossos dias apóstolos como os doze e Paulo, como veremos em seguida, ao analisarmos o caso de Pedro em particular.

Pedro

O papel de Simão Pedro entre os doze também merece nossa atenção, especialmente diante da reivindicação da igreja católica romana de que os papas romanos representam a sua legítima sucessão.

É verdade que Cefas, também chamado de Simão Pedro, foi destacado pelo Senhor Jesus em várias ocasiões de entre os demais discípulos. Ele esteve entre os primeiros a serem chamados (Mt 4.18) e seu nome sempre aparece primeiro em todas as listas dos doze (Mt 10.2; Mc 3.16). Jesus o inclui entre os seus discípulos mais chegados (Mt 17.1), embora o "discípulo amado" fosse João (Jo 19.26). Pedro sempre está à frente dos colegas em várias ocasiões: é o primeiro a tentar andar sobre as águas, indo ao encontro de Jesus (Mt 14.28), é o primeiro a responder à pergunta de Jesus "quem vocês acham que eu sou" (Mt 16.16), mas também foi o primeiro a repreender Jesus afoitamente, após o anúncio da cruz (Mt 16.22) e o primeiro a negá-lo (Mt 26.69-75). Foi a Pedro que Jesus disse, "apascenta minhas ovelhas" (Jo 21.17). Foi também para ele que o Senhor disse, "quando te converteres, fortalece teus irmãos" (Lc 22.32). E foi para Pedro que Jesus dirigiu as famosas palavras, "Tu és Pedro, e sobre esta pedra edificarei a minha igreja, e as portas do inferno não prevalecerão contra ela. Dar-te-ei as chaves do reino dos céus; o que ligares na terra terá sido ligado nos céus; e o que desligares na terra terá sido desligado nos céus" (Mt 16.18-19). Os doze são várias vezes designados como "Pedro e os demais" (At 2.14; 2.37; 5.29). Foi Pedro quem propôs que se substituísse Judas (At 1.15-17), que pregou às multidões no dia de Pentecostes (2.14ss) e quem defendeu o Evangelho diante do Sinédrio (At 4.8-12; 4.19-20; 5.29-32).

Apesar de tudo isso, não se percebe da parte do próprio Pedro, dos seus colegas apóstolos e das igrejas da época de Pedro, que ele havia sido designado por Jesus como o cabeça da Igreja aqui neste mundo, para exercer a primazia sobre seus colegas e sobre os cristãos, e para ser o canal pelo qual Deus falaria, de maneira infalível, ao seu povo. Ao contrário, ele foi visto e acolhido como um líder da Igreja cristã juntamente com os demais apóstolos, mas jamais como o supremo cabeça da Igreja, sobressaindo-se dos demais.

Nem mesmo Pedro se via como um *primus inter pares*, alguém acima dos demais apóstolos. Quando entrou na casa de Cornélio para pregar o Evangelho, o centurião romano se ajoelhou diante dele em devoção. Pedro o ergue com estas palavras, "Ergue-te, que eu também sou homem" (At 10.26). Pedro reconhece humildemente que os escritos de Paulo são Escritura inspirada por Deus, esvaziando assim qualquer pretensão de que ele seria o único canal inspirado e infalível pelo qual Deus falava ao seu povo (2Pe 3.15-16). E claramente explica que a pedra sobre a qual Jesus Cristo haveria de edificar a sua igreja era o próprio Cristo (1Pe 2.4-8), dando assim a interpretação final e definitiva da famosa expressão "tu és Pedro e sobre esta pedra edificarei a minha igreja". Em resumo, é aparente que ninguém no século I, nem mesmo o próprio Pedro, entendeu que Jesus tinha dito a ele que ele era a pedra sobre a qual a Igreja cristã seria edificada. E nunca esta Igreja tomou medidas para achar um substituto para Pedro após a sua morte.

O que veremos mais adiante é que os apóstolos designaram presbíteros para que dessem continuidade ao trabalho por eles iniciado, não como seus substitutos, mas como aqueles que deveriam interpretar e aplicar o legado apostólico preservado em seus escritos às gerações subsequentes.

pelos mortais senão desta forma, tal a glória com que foi revestido: uma luz mais intensa do que a fonte de luz mais conhecida dos humanos, mesmo quando brilha em sua maior intensidade. Talvez o que mais se assemelhe a esta aparição no caminho de Damasco seja a visão que o apóstolo João teve mais tarde do Cristo glorificado, na ilha de Patmos: "O seu rosto brilhava como o sol na sua força" (Ap 1.16).[2] Os doze viram Jesus depois da ressurreição e antes de sua ascensão (At 1.1-5). Paulo aparentemente foi o único que o viu depois da ascensão, embora ele coloque este avistamento no mesmo nível dos demais antes dele (cf. 1Co 15.1-8).

Aqui é importante fazer uma importante distinção entre uma aparição do Cristo ressurreto e uma visão em que Jesus aparece. O que aconteceu no caminho de Damasco, com Paulo, foi uma aparição do Cristo ressurreto em todo o esplendor do seu corpo glorificado. Depois disso, Paulo teve diversas visões em que Jesus lhe apareceu, como por exemplo, uma logo em seguida ao episódio do caminho de Damasco, em que ele "viu" um homem que o haveria de curar da cegueira (At 9.12). Ou ainda quando ele estava em Corinto e o Senhor lhe apareceu para confortá-lo e animá-lo (At 18.9) e, mais tarde, em Jerusalém, durante um êxtase (At 22.17-18). Ele se refere ainda às "visões e revelações do Senhor" (2Co 12.1). O próprio Ananias, lá mesmo em Damasco, teve uma visão em que Jesus lhe apareceu (At 9.10), mas isso não é a mesma coisa que a aparição do Jesus ressurreto a Saulo de Tarso. A diferença principal, nos parece, é que, enquanto uma visão é subjetiva e ocorre inteiramente na mente do indivíduo, a aparição é objetiva, ela está lá diante do indivíduo e poderia ser vista inclusive por outras pessoas, ao contrário da visão. O que aconteceu em Damasco foi uma aparição do Cristo ressurreto. Logo após o acontecimento, Ananias disse a Saulo que ele havia sido escolhido para "*ver* o Justo e ouvir uma voz de sua própria boca" (At 22.14) e se refere a Jesus como aquele que "te *apareceu* no caminho por onde vinhas" (At 9.17). No relato de Paulo, ele declara que Jesus lhe disse no

---

2 Tratou-se de uma visão e não de uma aparição de Cristo, pois João nos informa que ele "se achou em espírito" (Ap 1.10), designação comum nos profetas para indicar o estado de êxtase em que o profeta entrava para ter as visões, cf. Ez 2.2; 3.12; etc.

caminho: "Para isto te *apareci*" (At 26.16). Pouca dúvida podemos ter de que, segundo os relatos, tratou-se de uma aparição pessoal de Jesus com seu corpo ressurreto e glorificado. Se fosse apenas uma visão, como um sonho, isso não qualificaria Paulo como apóstolo.[3] A maioria dos "apóstolos" modernos reivindica uma chamada feita por Cristo mediante uma visão. Mas, como Samuel Waldron nos explica:

> Visões e sonhos – mesmo se reais e genuínos – não qualificam alguém a ser um Apóstolo de Cristo. A Bíblia enfatiza claramente a distinção entre o olho interno e o olho externo e conecta revelação ao olho externo, como uma marca de distinção superior. As reivindicações modernas de terem visto Jesus em sonhos e visões não qualificam ninguém a reivindicar esta característica indispensável de um Apóstolo de Cristo.[4]

Nos relatos da aparição no caminho de Damasco, encontramos uma aparente contradição. Lucas nos diz que os companheiros de Paulo ouviram a voz, mas não viram ninguém (At 9.7), enquanto que Paulo, ao apresentar o seu próprio relato, diz que seus companheiros viram a luz e que todos caíram por terra embora não entendessem o sentido da voz (At 22.9; 26.14). Uma harmonização das histórias sugere que todos viram a luz, que todos caíram por terra, que todos ouviram a voz embora não vissem quem falava (provavelmente estavam olhando ao redor procurando distinguir alguma pessoa) e que somente Paulo entendeu o que a voz dizia. Pode ser significativo que Paulo, num de seus relatos, acrescenta o detalhe que a voz falou em hebraico (At 26.14).[5] Se seus acompanhantes fossem judeus comuns, servos do sumo sacerdote, isso poderia explicar porque somente Paulo en-

---

[3] Paulo se refere uma vez à aparição como "a visão celestial" (At 26.19), mas aqui o sentido não é de uma experiência subjetiva, como um êxtase. Paulo quer dizer apenas que ele viu a manifestação de Jesus vindo dos céus.

[4] Samuel Waldron, *To Be Continued?* (Amityville, NY: Calvary, 2007), 27. Cf. ainda posição idêntica de Wayne Grudem, "já que ninguém hoje pode preencher esta qualificação de ter visto o Cristo ressurreto com seus próprios olhos, não há mais apóstolos hoje" (*Systematic Theology* [Grand Rapids: Zondervan, 1994], 911).

[5] "Discrepâncias aparentes como estas, nas diferentes narrativas da mesma cena no mesmo livro de Atos, nos dão forte confirmação tanto dos fatos em si como do livro que os registra" (Jamieson, *Commentary*, At 9.7).

tendeu. Hebraico era a língua dos rabinos, do templo, das sinagogas, das Escrituras. Os judeus comuns de Jerusalém provavelmente falavam apenas o aramaico e tinham um conhecimento mínimo do hebraico.[6]

De qualquer forma, os detalhes dos relatos revelam que o ocorrido perto de Damasco foi uma manifestação pública de Jesus Cristo após a sua ressurreição, em toda a sua glória, manifestação esta testemunhada por Saulo de Tarso. Paulo considera o ter visto esta aparição como equivalente ao requisito apostólico de ser testemunha da ressurreição de Cristo: "Não sou apóstolo? Não *vi* Jesus, nosso Senhor?" pergunta ele aos coríntios, uma pergunta retórica (1Co 9.1). Nesta mesma carta, mais adiante, ao confrontar o grupo em Corinto que não cria na ressurreição dos mortos, ele relata uma série de aparições de Jesus a várias pessoas depois da ressurreição:

> Ele apareceu a Cefas e, depois, aos doze. Depois, *foi visto* por mais de quinhentos irmãos de uma só vez, dos quais a maioria sobrevive até agora; porém alguns já dormem. Depois, *foi visto* por Tiago, mais tarde, por todos os apóstolos e, afinal, depois de todos, *foi visto* também por mim, como por um nascido fora de tempo (1Co 15.5-8).

É importante notar que ele coloca a aparição de Jesus a ele em pé de igualdade com as aparições a Pedro, aos doze, aos quinhentos irmãos, Tiago e "todos os apóstolos" e que isto o faz apóstolo tanto como os doze.[7]

Comissionado diretamente pelo Senhor

A segunda marca do apostolado de Paulo é o comissionamento direto que ele recebeu do Cristo ressurreto. Este comissionamento parece ter sido

---

6 A situação linguística da Palestina no século I tem sido motivo de debate entre os estudiosos, especialmente sobre a prevalência do aramaico ou hebraico como língua comum dos judeus naquela época. Entendemos que as evidências favorecem o aramaico. Cf. "Aramaic" em Allen C. Myers, *The Eerdmans Bible Dictionary* (Grand Rapids, MI: Eerdmans, 1987). Veja mais detalhes do debate em Robert H. Gundry, "The language milieu of first century palestine" em *Journal of Biblical Literature*, 83/4 (1964), 404ss.

7 Tem sido argumentado que os quinhentos irmãos que viram Jesus depois na ressurreição teriam sido considerados apóstolos. Jamieson, por exemplo, sugere que Andrônico e Júnias (Rm 16.7) estavam entre estes 500 irmãos e por isto eram apóstolos (*Commentary*, in loco). Todavia, ter testemunhado uma aparição do Cristo ressurreto não os constituía, por si só, apóstolos. Faltava-lhes outros requisitos que aparecem nos Evangelhos e nos relatos de Atos, além do comissionamento direto do Senhor aos doze e Paulo.

dado através de Ananias, um judeu cristão, de bom testemunho de toda a comunidade judaica. Ele havia sido mandado por Jesus, numa visão, ao encontro de Saulo, que estava cego, em oração e jejum, já por três dias, na casa de Judas, na rua Direita em Damasco. Ao encontrar-se com ele, impôs-lhe as mãos e declarou-lhe o que Jesus lhe havia mandado. Saulo foi cheio do Espírito Santo e recobrou a vista (At 9.8-19; 22.12-16). Paulo, todavia, omite o encontro com Ananias no relato que faz do evento em sua defesa diante de Agripa. Ele diz que seu chamado para o ministério entre os gentios foi feito pelo próprio Jesus quando lhe apareceu ainda no caminho, antes dele ter entrado em Damasco (At 26.14-18).

Há duas explicações plausíveis para a aparente contradição entre os relatos. A primeira, que a chamada de Saulo se deu em duas etapas, a primeira por Jesus no caminho e a segunda através de Ananias, na casa de Judas em Damasco. Os dois primeiros relatos de Atos omitem a chamada direta de Cristo e o último omite o comissionamento através de Ananias. A segunda possibilidade é que o comissionamento foi feito realmente através de Ananias, na casa de Judas em Damasco. Como, para Paulo, se tratou de uma chamada do próprio Cristo, mesmo que mediante Ananias, ele não teve dificuldades em atribuir sua chamada diretamente ao Cristo ressurreto, ao apresentar um relato condensado dos fatos em sua defesa, perante Agripa. Cremos que esta última explicação é a mais plausível. "Aqui o apóstolo parece condensar numa única declaração, diversas outras declarações de seu Senhor em outras visões em tempos diferentes, com o objetivo de apresentar em um quadro único a grandeza da sua comissão com a qual o seu Mestre o havia revestido."[8]

Em dois dos relatos em Atos é dito que Paulo havia sido escolhido pelo Cristo exaltado para ser sua testemunha. Ao aparecer a Ananias, que ainda estava relutando em se aproximar do perseguidor Saulo, Jesus lhe diz: "Vai, porque este é para mim um instrumento *escolhido* para levar o meu nome..." (At 9.15). Ananias, por sua vez, ao encontrar-se com Saulo

---

8 Jamieson, *Commentary*, in loco. Paulo menciona ainda uma outra vez em que Jesus lhe aparece para comissioná-lo a pregar entre os gentios, numa visão em Jerusalém, algum tempo depois do episódio de Damasco, cf. At 22.17-21.

lhe diz: "O Deus de nossos pais, de antemão, te *escolheu* para conheceres a sua vontade, veres o Justo e ouvires uma voz da sua própria boca..." (At 22.14). Este fato é refletido pelo próprio Paulo em diversas passagens de suas cartas, quando ele diz que foi feito apóstolo "pela vontade de Deus" (1Co 1.1; 2Co 1.1; Ef 1.1; Cl 1.1; 2Tm 1.1).

Na carta aos Gálatas, ele declara que seu apostolado não tem origem humana, mas divina: "Apóstolo, não da parte de homens, nem por intermédio de homem algum, mas por Jesus Cristo e por Deus Pai, que o ressuscitou dentre os mortos" (Gl 1.1; cf. 1.11-12). De acordo com Clark, quando Paulo diz que é apóstolo "não da parte de homens" ele se desassocia dos falsos apóstolos, e quando diz que não é apóstolo "por intermédio de homem algum" ele se coloca em igualdade com os doze e se desassocia dos apóstolos que eram enviados, delegados e missionários das igrejas locais.[9]

Ao referir-se implicitamente ao episódio em Damasco na carta aos Gálatas, Paulo diz: "Quando, porém, ao que me separou antes de eu nascer e me chamou pela sua graça, aprouve revelar seu Filho em mim, para que eu o pregasse entre os gentios, sem detença, não consultei carne e sangue" (Gl 1.15-16). A linguagem de Paulo aqui se assemelha ao chamado de Jeremias: "A mim me veio, pois, a palavra do Senhor, dizendo: Antes que eu te formasse no ventre materno, eu te conheci, e, antes que saísses da madre, te consagrei, e te constituí profeta às nações" (Jr 1.4-5). Como os profetas, Paulo se vê como soberanamente escolhido e separado por Deus, antes de nascer, para ser seu mensageiro, seu representante autorizado diante de todas as nações. Ter sido escolhido soberanamente e de antemão pelo Senhor exaltado, coloca Paulo em pé de igualdade com os doze que foram escolhidos soberanamente pelo Jesus terreno, que chamou "aqueles que ele mesmo quis" (Mc 3.13).[10]

Em síntese, Saulo de Tarso havia sido escolhido por Deus, antes de seu nascimento, para ser testemunha da ressurreição de Jesus Cristo aos

---

9 Cf. Clark, "Apostleship," 356.

10 Veja no Evangelho de João as passagens em que Jesus declara aos doze que os havia escolhido: Jo 6.70; 13.8; 15.16 e 19.

gentios, entre todas as nações, embora isso não excluísse seu testemunho aos próprios judeus. Seu objetivo seria anunciar aos gentios o que ele viu e ouviu da parte do Cristo exaltado, a fim de que eles fossem recebidos, perdoados e integrados no povo de Deus, do qual os judeus foram os primeiros a fazer parte. E nesta missão, ele haveria de sofrer, embora o Senhor tenha prometido livrá-lo.

À semelhança dos doze, Paulo viu a Cristo depois da ressurreição e foi comissionado diretamente por ele para ser testemunha deste fato. O evento de Damasco foi, ao mesmo tempo, a conversão e a chamada apostólica de Paulo. Ele é apóstolo tanto quanto os doze o foram e tem as mesmas credenciais que eles. Seu chamado tardio e posterior aos doze se deveu às demandas crescentes da missão gentílica, como veremos mais adiante.

Sofrimentos pelo Evangelho

A terceira marca do apostolado que está presente no relato da conversão e chamada de Paulo no livro de Atos, bem como nas suas cartas, é a necessidade dele sofrer pelo nome de Jesus. A importância desse assunto para nosso estudo é autoevidente: existe um contraste marcante entre a vida de sofrimentos pessoais de Paulo, que ele considera como sinal indisputável da genuinidade de seu apostolado, e a teologia da prosperidade pregada por grande parte dos que hoje se chamam de "apóstolos".

No relato que Lucas faz da conversão de Saulo há o registro do que o Senhor disse a Ananias com respeito a ele, "pois eu lhe mostrarei quanto *lhe importa sofrer* pelo meu nome" (At 9.16). "Importa" (δεῖ) aponta para uma necessidade imperiosa. Associado ao chamado apostólico vinha o sofrimento. Os apóstolos eram representantes autorizados do Cristo crucificado, eram seus mensageiros autorizados para anunciar a sua morte na cruz a todas as nações. A cruz era o centro da vida e da mensagem de Paulo: "Estou crucificado com Cristo", disse ele aos gálatas (Gl 2.19; 1Co 2.2). Paulo considerava os seus sofrimentos como uma extensão daqueles de Cristo, em favor de sua igreja: "Agora, me regozijo nos meus sofrimentos por vós; e preencho o que resta das aflições de Cristo, na minha carne, a favor do seu corpo, que é a igreja" (Cl 1.24; cf. ainda 2Co 1.5; Fp 3.10).

O livro de Atos registra os sofrimentos de Paulo no desempenho de seu apostolado, mas é nas cartas que ele escreveu à igreja de Corinto, consideradas as de maior cunho pessoal, que encontraremos o que ele mesmo nos diz sobre estes sofrimentos.

Primeiro, notemos como Paulo se impôs uma vida de humilhação e modéstia, para não roubar, de alguma forma, a glória do Crucificado. Ele evitava batizar muita gente, para que não se formassem seguidores em torno do seu nome (1Co 1.14-17). Evitava a ostentação de linguagem na pregação pelo mesmo motivo e pregava somente a Cristo e este crucificado (1Co 2.1-5), para evitar que pessoas se agregassem à igreja impressionadas por seus talentos e carismas, e não pela fé em Jesus Cristo (1Co 2.5). Constantemente lembrava seu rebanho de que ele era um mero servo, junto dos outros, e que seu sucesso em levar pessoas a Cristo se devia tão somente à graça de Deus e não a méritos próprios (1Co 3.5-9). Paulo insistia que Deus requeria dos apóstolos somente que fossem fiéis, e não que fossem bem sucedidos, diante da tentação de muitos de compararem os ministérios dele, de Apolo e de Pedro (1Co 4.1-3). O auto-esvaziamento de Paulo era parte da vida de sofrimento que ele abraçou naquele dia em que foi chamado por Jesus no caminho de Damasco.

Segundo, havia o sofrimento causado pelos inimigos do Evangelho e pelos próprios cristãos. Paulo era constantemente considerado – inclusive por pessoas que faziam parte das próprias igrejas que havia fundado – como condenado à morte, espetáculo ao mundo e aos anjos, louco, fraco e desprezível (1Co 4.9-10). Em diversas ocasiões passou fome, sede e nudez; foi esbofeteado e não tinha moradia certa ou casa própria (1Co 4.11). Trabalhava até à exaustão com as próprias mãos para garantir o seu sustento (1Co 4.12). Era perseguido, injuriado, caluniado e considerado a escória do mundo, mas não respondia nem revidava a nenhuma destas provocações (1Co 4.13). Muitos achavam que ele não tinha o direito de receber sustento das igrejas e nem de se fazer acompanhar de uma esposa nos trabalhos missionários intensos e cansativos. Por isso, ele trabalhava para se sustentar e se recusava a receber salário, ofertas e contribuições das igrejas, quando tal coisa pudesse lançar dúvida sobre suas intenções (1Co 9.1-12).

Ele pregava e evangelizava nas igrejas sem nada pedir e nada receber, para não colocar empecilho ao Evangelho de Cristo (1Co 9.15.18), pois seu alvo era ganhar o maior número possível de pessoas. Preocupava-se em ser irrepreensível, em controlar-se e manter suas paixões e desejos debaixo de controle, para ter autoridade para pregar (1Co 9.25-27). Enfrentou a morte várias vezes no trabalho missionário, e em algumas delas considerou que sua hora de partir tinha finalmente chegado (2Co 1.8-9). Ele passava por constantes sofrimentos e angústias de coração por causa das igrejas e dos crentes a quem amava e por quem se preocupava individualmente (2Co 2.4). Paulo perdoava e pedia o perdão dos outros para aqueles que o haviam ofendido e prejudicado o seu trabalho (2Co 2.7-8).

Ele tomava todo cuidado para não adulterar a mensagem do Evangelho, não andava com astúcia e nem procurava enganar seus ouvintes para tirar proveito financeiro deles (2Co 4.1-2). Vivia como um condenado à morte, levando em seu corpo o morrer de Jesus na forma de privações, perseguições, sofrimentos, calúnias e injúrias, como meio da vida de Cristo se manifestar através dele (2Co 4.7-15). Sua esperança e expectativa não estavam aqui, nas riquezas, propriedades e bens, mas o tempo todo ele faz menção da glória celestial, das coisas invisíveis e eternas que ele aguardava como recompensa de seus sofrimentos e ministério (2Co 4.16-18). Quando precisava se recomendar aos ouvintes como ministro de Cristo, incluía em seu currículo as muitas aflições, angústias, privações, açoites, prisões, tumultos, vigílias e jejuns no trabalho do Senhor (2Co 6.4-10). Neste currículo constavam trinta e nove açoites recebidos dos judeus pelo menos cinco vezes, ser fustigado com varas três vezes, três naufrágios, apedrejamentos, perigos de salteadores e assassinos, além do peso constante da responsabilidade das igrejas que pesava sobre seus ombros (2Co 11.28). Apresentava como motivo de glória o fato de que uma vez teve de fugir de uma cidade escondido em um cesto e descido pelos irmãos pela muralha, para escapar com vida (2Co 11.30-33). Ele lutava diariamente com um doloroso espinho na carne, que o abatia e fazia sofrer e clamar a Deus, mas sem resposta, a não ser a provisão da graça para poder suportá-lo (2Co 12.7-10).

A relação inseparável entre apostolado e sofrimento reforça o que já temos dito. Os apóstolos de Jesus Cristo foram levantados por ele para lançar os fundamentos da igreja cristã em meio a uma vida de sofrimentos que eram compatíveis com os sofrimentos daquele que é o fundamento desta igreja. Segundo a tradição da igreja, não somente Paulo, como também os doze, foram martirizados, em locais e tempos diferentes, por causa do Evangelho. No livro de Apocalipse, o último do Novo Testamento a ser escrito, quando provavelmente a maioria dos apóstolos já havia padecido, os santos, apóstolos e profetas são convocados a se regozijar com a perspectiva do juízo de Deus sobre Babilônia, representante dos reinos deste mundo (Ap 18.20). O motivo "Deus contra ela julgou a vossa causa", é uma indicação clara de que os apóstolos já eram associados aos profetas do Antigo Testamento como mártires em prol do Reino de Deus.[11]

Muitos, hoje, que se consideram apóstolos como aqueles do Novo Testamento, não parecem apreciar o sofrimento como parte de seu apostolado. Apóstolos modernos pregam a teologia da prosperidade e não a teologia da cruz e do sofrimento por Cristo.

Paulo e os doze

Vimos acima as marcas do apostolado de Paulo, que o colocam no mesmo nível dos doze, fechando assim o grupo dos apóstolos de Jesus Cristo. Veremos em seguida a relação de Paulo para com os doze, destacando aquela característica do seu apostolado que o fazia distinto, que era seu ministério focado nos gentios.

Apóstolo aos gentios

Paulo foi constituído apóstolo aos gentios alguns anos após os doze terem iniciado seu ministério e de Pedro já ter introduzido os gentios na igreja cristã nascente, na casa de Cornélio (At 10.1-48; 11.1-18). Essa vo-

---

11 A ARC traduziu καὶ οἱ ἅγιοι καὶ οἱ ἀπόστολοι καὶ οἱ προφῆται (Ap 18.20) como "santos apóstolos e profetas" mas a repetição do καὶ οἱ estabelece uma distinção entre santos e apóstolos, "santos" sendo uma referência aos mártires cristãos.

cação gentílica nos chama a atenção nos relatos da conversão de Paulo. O Senhor exaltado disse ao relutante Ananias que Saulo haveria de levar seu nome "... perante os *gentios* e reis, bem como perante os filhos de Israel" (At 9.15-16). E Ananias disse a Saulo que Deus o havia chamado para "... ser sua testemunha diante de *todos os homens*" (At 22.14-15). E o Senhor disse a Saulo que o enviava como testemunha "... ao povo [Israel] e aos *gentios*" (At 26.16-18). Muito embora o testemunho aos judeus apareça nos relatos, era primariamente aos gentios que Paulo haveria de testemunhar.

É preciso que lembremos aqui o abismo étnico que existia na época de Paulo entre judeus e gentios. A lei de Moisés continha algumas normas que coibiam o relacionamento dos judeus com os gentios. Entre as mais importantes estão as chamadas leis dietárias, referentes à alimentação. Os judeus eram proibidos de comer determinados animais, aves, peixes e insetos. Sangue era terminantemente proibido. Até mesmo os animais permitidos tinham de ser mortos de uma forma a esvair-lhes totalmente o sangue (Lv 7.22-27; 11.1-47; Dt 12.15-31; 14.3-21; etc.). Embora as leis de Israel não proibissem todo e qualquer contato com gentios, aquelas referentes à alimentação tornavam praticamente impossível um judeu sentar-se à mesa na casa de um gentio ou ter com ele uma refeição num lugar público, onde essas normas certamente não seriam respeitadas (At 10.28; 11.3).

As leis de Moisés contra a idolatria igualmente afastavam os judeus do convívio dos gentios (Êx 20.3-4, 23; Dt 4.15-19), que adoravam inúmeros deuses e veneravam imagens incontáveis de divindades (1Re 11.5,7,33; 2Re 5.18; 17.29-31; 19.37; At 14.12; 19.35; etc.), além da prática da magia e feitiçaria, consideradas abominações (Êx 22.18; Dt 18.10; Mq 5.12; At 8.9-11; 13.6; 19.19). O próprio Paulo ficou impressionado com a quantidade de ídolos que encontrou na cidade de Atenas, capital intelectual da cultura grega (At 17.16). As religiões gregas com frequência incluíam a prostituição cúltica que envolvia relações sexuais entre sacerdotisas, sacerdotes (homossexuais) e devotos (Dt 23.17; 1Re 14.24; 2Re 23.7; Os 4.14). De entre os próprios gentios que se haviam tornado cristãos havia aqueles que tinham escrúpulos em comer carne ou ir à casa de seus amigos pagãos para uma refeição, com receio da contaminação da idolatria, visto que a carne poderia ter vindo de um templo pagão (cf. 1Co 8—10). Similarmente, eram proibidos os casamentos de judeus com gentios, por causa da idolatria destes (Êx 34.15-16; Dt 7.1-5), pecado este que havia, no passado, trazido o juízo de Deus sobre a nação, com o desterro babilônico (Ed 9.1—10.3).

As leis sobre sexualidade proibiam o adultério, o homossexualismo, o bestialismo, a prostituição e toda forma de promiscuidade, coisas estas que eram praticadas nas culturas pagãs ao redor de Israel (Lv 18.1-30; 20.10-21; Dt 27.20-23). Paulo, por exemplo, nos dá em suas cartas diversas descrições da vida imoral da sociedade pagã de sua época (Rm 1.24-32; 1Co 6.9-11; Ef 4.17-19; 1Tm 1.8-11).

Nas guerras da conquista, Deus havia ordenado a Moisés e posteriormente a Josué que não fizessem aliança com os gentios, pois isto acabaria trazendo a idolatria para dentro de Israel. Os povos pagãos de Canaã, por causa da sua idolatria e imoralidade, haviam contaminado a terra e completado a sua iniquidade diante de Deus (Gn 15.16; Êx 23.23-24; 34.11-16). Era para serem exterminados, não somente como castigo divino merecido, mas também para que, se porventura deixados vivos, não viessem a contaminar os judeus com sua religião e modo de vida, o que eventualmente veio a acontecer (Êx 23.23-33; 34.10-17; Js 23.1-16).

No período entre Malaquias e João Batista, geralmente chamado de período do Segundo Templo, Alexandre o Grande e seus sucessores haviam tentado, vez após vez, helenizar os judeus.[12] Isto é, torná-los participantes da cultura grega, forçando-os a abrir mão dos seus costumes e religião e aderir ao sincretismo religioso e cultural promovido pelos gregos.[13] A reação dos judeus foi extrema, especialmente diante das tentativas de Antíoco Epifânio IV, rei selêucida, que tentou levar avante um

---

12 Helenismo é o nome que se dá à civilização grega, incluindo cultura, pensamento e instituições, difundidas pelo mundo Mediterrâneo e no Antigo Oriente Próximo, pelas conquistas de Alexandre o Grande (336-323 a.C.).

13 Cf. S. Safrai e M. Stern, eds. *The Jewish People in the First Century: Historical Geography, Political History, Social and Religious Life and Institutions*, CRINT, vol. 1 (Assen: Van Gorcum; Philadelphia: Fortress, 1974-76), pp. 37 em diante. Há um excelente resumo da história, geografia e política dos judeus no período do Segundo Templo a partir da p. 78.

programa rigoroso de helenização dos seus domínios (inclusive a Judeia), que incluía o culto ao Imperador, a difusão da língua grega, e a abolição dos costumes judaicos quando possível.[14] Liderados pelos Macabeus, os judeus levantaram-se repetidas vezes em revolta armada e lutaram até a morte para não se sujeitarem ao processo de helenização. Foi nesta época que surgiram os *hasidim*, os separados, líderes da inconformidade, dos quais mais tarde vieram os fariseus, que se tornaram os líderes religiosos de Israel quando a batalha foi ganha e os judeus adquiriram relativa liberdade para seguir seus costumes debaixo do Império Romano. Os fariseus se tornaram, nas palavras de Paulo, a seita mais severa do judaísmo, da qual ele mesmo havia feito parte (At 26.5).[15]

O resultado de tudo o que mencionamos acima foi a atitude consciente de separação dos judeus em relação aos demais povos. Era natural que os judeus se afastassem das outras nacionalidades e evitassem qualquer contato com os gentios, para preservar os caminhos da pureza recomendados na Lei (cf. Jo 18.28; Mc 7.2-3).[16] E os judeus que se converteram a Jesus Cristo mantiveram, a princípio, esta mesma atitude para com os gentios, especialmente em Jerusalém.

Lemos no livro de Atos que muitos dos fariseus e dos sacerdotes se converteram mediante as pregações dos apóstolos em Jerusalém. A presença e influência na igreja cristã nascente destes fariseus convertidos, associada com o ranço natural que todos os judeus tinham contra os gentios, pode muito bem explicar a relutância de Pedro em pregar o Evangelho na casa de Cornélio, um gentio (At 10.9-22), bem como

---

14 Seleuco foi um dos generais de Alexandre o Grande, que depois de sua morte fundou um império (312 a.C.) que dominou quase todo o mundo conhecido. Sua filosofia continuava a de Alexandre, que era de mesclar a civilização grega às culturas dos países dominados (helenização).

15 Cf. "Pharisees," em Paul Achtemeier, *Harper's Bible Dictionary* (San Francisco: Harper & Row, 1985). Veja também D. R. De Lacey, "Pharisees". Organizado por D. R. W. Wood, I. H. Marshall, A. R. Millard, J. I. Packer, e D. J. Wiseman. *New Bible Dictionary* (Leicester, England; Downers Grove, IL: InterVarsity Press, 1996). Para uma visão menos negativa sobre os fariseus, que acaba diminuindo a importância dos relatos dos Evangelhos, veja "Pharisees" em Walter A. Elwell e Philip Wesley Comfort, *Tyndale Bible Dictionary*. Tyndale reference library (Wheaton, IL: Tyndale House Publishers, 2001).

16 Este desejo de separação levava os judeus zelosos, na época de Jesus, a se separar inclusive de outros judeus que não guardavam a lei de forma estrita, chamados de "pecadores" e geralmente associados aos publicanos, que eram judeus cobradores de impostos, cf. Lc 5.29-32; 15.1-2; Mt 9.10-11; 11.19; etc.

a relutância da igreja em Jerusalém de aceitar este fato (At 11.1-18). O assunto foi longe e chegou a ser motivo de discussão no primeiro concílio cristão de que temos notícia (At 15.1-21). Esta aversão dos judeus aos gentios incluía os samaritanos (Jo 4.9), uma raça surgida depois do cativeiro, como resultado da miscigenação de assírios com os judeus de Samaria (2Re 17.24-41). Essa miscigenação criou um culto sincretista em que se adorava ao Deus de Israel e se seguia os costumes das religiões pagãs (cf. 2Re 17.29-33).

Não deixa de chamar a nossa atenção a ausência, em Atos, de informações referentes ao trabalho dos doze entre os gentios, conforme Jesus havia determinado antes de sua ascensão aos céus. Ao que parece, os apóstolos fixaram, a princípio, sede em Jerusalem, saindo apenas para missões esporádicas, como Pedro que "ia por toda a parte" (At 9.32). Curiosamente, foi um dos sete, Felipe, quem primeiro levou a mensagem aos samaritanos, a raça mista que constava no roteiro missionário dado por Jesus aos doze (At 1.8; 8.5).

Outro fator que nos chama a atenção, é que os judeus cristãos de Jerusalém, inclusive os doze, continuaram a praticar determinados preceitos do judaísmo, mesmo após Pentecostes, como ir ao templo orar três vezes ao dia (At 3.1; cf. Sl 55.17), celebrar as festas de Israel,[17] guardar as leis referentes aos alimentos (At 10.14-15; 11.3; Gl 2.11-14), circuncidar seus filhos e mesmo oferecer votos e aparentemente sacrifícios no templo (At 21.17-21). Nas palavras ditas a Paulo pelo próprio Tiago, o irmão de Jesus que assumira a liderança da igreja, em Jerusalém havia "dezenas de milhares entre os judeus que creram, e todos eram zelosos da lei" (At 21.20). O próprio Paulo continuou algumas práticas judaicas após a sua conversão, mas somente em contextos missionários entre os judeus,[18] como ele mesmo explica: "Procedi, para com os judeus, como

---

17 É interessante como Lucas usa as festas de Israel como referencial para as datas do livro de Atos, cf. Pentecostes (2.1; 20.16), Páscoa (12.4), dias dos "pães asmos" (12.3; 20.6) e o jejum do Dia da Expiação (27.9).

18 Cf. seu costume de visitar as sinagogas (At 9.20; 13.14; 14.1; 17.1; 17.10; 17.17; 18.4-7; 18.19; 19.8), ir ao templo em Jerusalém (At 22.17; Gal 1:18-19; At 9:26-29; At 24.11-12), ir a Jerusalém para as festas (At 20.16), circuncidou Timóteo (At 16.3), tomou voto e rapou o cabelo (At 18.18) e foi ao templo em Jerusalém para purificar-se ritualmente com outros judeus (At 21.26). A melhor explicação para o comportamento de

judeu, a fim de ganhar os judeus; para os que vivem sob o regime da lei, como se eu mesmo assim vivesse, para ganhar os que vivem debaixo da lei, embora não esteja eu debaixo da lei" (1Co 9.20). O problema com a igreja de Jerusalém é que esta continuou com uma atitude separatista semelhante à dos judeus. Ao insistir na guarda dos emblemas do judaísmo (circuncisão, dieta e calendário), ainda que por motivo de identidade cultural – como acredito que tenha sido – os judeus cristãos agravavam cada vez mais a separação deles em relação aos demais povos, e desta forma a evangelização das nações não acontecia como determinado. O resultado do concílio de Jerusalém, que foi convocado para decidir em que bases os crentes gentios poderiam ser aceitos à comunhão dos crentes judeus, que haviam sido os primeiros, manteve corretamente a abstenção da idolatria e das relações sexuais ilícitas, mas incluiu a abstinência do sangue (Atos 15). A decisão foi correta naquelas circunstâncias, em que muitos judeus convertidos ainda tinham escrúpulos quanto à alimentação, mas tinha o efeito de manter a parede de separação ainda de pé.

A relutância dos doze e da igreja em Jerusalém de abandonar de vez os costumes judaicos referentes à lei cerimonial, a antipatia para com os gentios em geral, o foco apenas na missão aos judeus e a demora em sair ao mundo foram quase que certamente as razões pelas quais Deus, em sua soberana providência, levantou mais um apóstolo, similar aos doze, para que fosse seu principal instrumento na evangelização dos gentios. Era talvez por isso que Paulo se considerava um "nascido fora de tempo" (1Co 15.8), pois sua chamada ao apostolado se deu quando a missão aos gentios já havia sido aberta por Pedro (Atos 10 e 11).

Deus, em sua soberania, poderia ter despertado os doze para o cumprimento da missão gentílica, caso assim o desejasse. Contudo, aprouve a ele, em vez disto, levantar mais um apóstolo. E Paulo era certamente a

---

Paulo é que ele não considerava as obras da lei como contrárias à justificação pela fé, desde que o judeu cristão as praticasse, não como obras meritórias, mas como expressões raciais de sua fé. Justificado pela fé somente, Paulo se sentia livre para ser um judeu praticante e tomar parte nos cerimoniais judaicos como emblemas e marcadores da identidade da sua raça. E da mesma forma se sentia livre para abrir mão deles, quando se tornavam um obstáculo ao seu ministério entre os gentios. Sobre Paulo e as obras da lei veja Lopes, "A Nova Perspectiva sobre Paulo," 83-94 e toda a bibliografia sobre o assunto citada ali.

pessoa para essa missão. Ele havia nascido fora de Jerusalém, na Dispersão (At 21.39), onde, aparentemente, havia maior flexibilidade dos judeus para com os gentios, visto que estavam nas terras deles. Havia sido criado na cultura grega e hebraica, além de ter pais com nacionalidade romana (At 22.25-28). Falava fluentemente hebraico, aramaico e grego e era familiarizado com a cultura grega, seus hábitos e costumes, seus poetas e escritores e filósofos (At 17.28; Tt 1.12). Seu treinamento como fariseu, sua dedicação intensa ao judaísmo e seu zelo pela glória de Deus (At 22.3; Fp 3.5-6) o tornaram aquele que seria o grande apóstolo aos gentios.

Paulo estava perfeitamente consciente de seu apostolado aos gentios e esta consciência transparece com frequência em suas cartas.[19] Ele declara na carta aos Romanos que seu apostolado foi para "a obediência por fé, entre todos os gentios" (Rm 1.5) e por isso se sente devedor de gregos e bárbaros, sábios e ignorantes, para lhes pregar o Evangelho (Rm 1.14), o que o motivava a ir para Roma e de lá para Espanha, a fim de anunciar Cristo aos pagãos (Rm 1.15; 15.24-28). Ele se denomina "apóstolo dos gentios" (Rm 11.13), "ministro de Cristo Jesus entre os gentios" (Rm 15.16), através de quem Cristo estava conduzindo os gentios à obediência da Palavra (Rm 15.18).

Escrevendo aos gálatas, Paulo declara que o propósito pelo qual Deus revelou seu Filho a ele no caminho de Damasco foi para que ele "o pregasse entre os gentios", algo que ele passou imediatamente a fazer (Gl 1.16-17). Declara ainda que, mais tarde, ao encontrar-se com Pedro, Tiago e João em Jerusalém, estes reconheceram que Deus lhe havia confiado "o evangelho da incircuncisão" da mesma forma que à Pedro havia sido confiado "o da circuncisão" (Gl 2.7).[20] Em seguida acrescenta: "Aquele que operou

---

19 Cf. Clark, "Apostleship," 349-350.

20 É importante salientar que não havia diferença de conteúdo entre o "evangelho da incircuncisão" e aquele da "circuncisão". Eles são assim designados por se dirigirem a audiências distintas, isto é, gentios e judeus. O Evangelho pregado por Pedro e os demais apóstolos era o mesmo pregado por Paulo, como uma leitura das cartas de Paulo, Pedro, João, Tiago, irá revelar. Ferdinand Bauer, representante do liberalismo alemão, postulou uma diferença radical entre o cristianismo petrino e paulino no século I. Para tanto, teve de considerar o livro de Atos como não-histórico e negar a autoria de várias das cartas de Paulo. Para uma análise crítica de suas ideias, que ainda influenciam alguns centros de estudos teológicos, veja Alexander B. Bruce, *Ferdinand Christian Baur and his theory of the origin of Christianity and of the New Testament writings* (Michigan: University of Michigan Library, 1885).

eficazmente em Pedro para o apostolado da circuncisão também operou eficazmente em mim para com os gentios" (Gl 2.8). A reunião terminou com Tiago, Cefas e João, os "colunas" da igreja de Jerusalém, estendendo a destra da comunhão a Paulo e a Barnabé, que estava com ele, e repartindo o campo missionário estrategicamente, "a fim de que nós fôssemos para os gentios, e eles, para a circuncisão" (Gl 2.9). Desta passagem reveladora aprendemos que Paulo via seu apostolado no mesmo nível daquele dos doze. Ele não era um continuador dos doze apóstolos de Cristo, uma espécie de segunda onda ou segunda leva de apóstolos, como alguns defensores do apostolado moderno têm sugerido, mas um como os doze, que fazia parte do mesmo grupo, ainda que não contado entre eles como o décimo terceiro. Ele havia sido levantado por Deus para a missão entre os incircuncisos, entre os gentios, o mesmo Deus que havia levantado Pedro e os demais apóstolos para a missão entre os circuncidados.

Na sua carta aos efésios, Paulo acrescenta um elemento relacionado à sua comissão para ser apóstolo aos gentios, a saber, uma revelação na qual Deus lhe deu a conhecer um mistério que havia permanecido oculto no Antigo Testamento. Este mistério era que "os gentios são coerdeiros [dos judeus], membros do mesmo corpo e co-participantes [com os judeus] da promessa em Cristo Jesus por meio do evangelho" (Ef 3.6). A revelação deste mistério havia sido feita somente agora "aos santos apóstolos e profetas, no Espírito" (Ef 3.5). "Santos apóstolos" aparenta ser uma referência aos doze, foram os que primeiro que receberam a comissão de Cristo para pregar aos gentios entre todas as nações.[21] E Paulo se inclui naturalmente entre eles, pois diz em seguida que foi "constituído ministro" da parte de Deus para anunciar aos gentios "as insondáveis riquezas de Cristo" (Ef 3.7-8; cf. Cl 1.24-29).

Esta consciência acompanhou o apóstolo Paulo toda sua vida. Nas suas últimas cartas ele diz a Timóteo que foi "designado pregador e apóstolo... *mestre dos gentios* na fé e na verdade" (1Tm 2.7); e, mais tarde, velho

---

21 Já os "profetas" é uma provável referência aos profetas do Antigo Testamento, apesar de serem mencionados após os apóstolos, que cronologicamente vieram depois. Paulo nem sempre segue esta ordem e às vezes menciona os apóstolos antes dos profetas do Antigo Testamento: "Edificados sobre o fundamento dos apóstolos e profetas" (Ef 2.20).

e preso em Roma, diz que "... o Senhor me assistiu e me revestiu de forças, para que, por meu intermédio, a pregação fosse plenamente cumprida, e *todos os gentios* a ouvissem" (2Tm 4.17).

Não fora Deus haver levantado Paulo como apóstolo aos gentios, para pregar-lhes o Evangelho e defender a justificação pela fé, somente, sem as obras da lei, pode ser que hoje a igreja cristã seria apenas uma seita judaica. Paulo certamente não foi o precursor de uma nova onda de apóstolos após os doze, mas está na mesma categoria que eles e faz parte deste grupo restrito que não deixou sucessores com poderes e prerrogativas apostólicos. A categoria de apóstolo aos gentios equivalia ao apostolado dos doze a Israel e depois ao mundo. Isso coloca os doze e Paulo numa categoria de ministros de Deus cuja missão, uma vez completada, encerrou-se definitivamente no século primeiro. O testemunho da ressurreição de Cristo já foi estabelecido entre as nações e entre os judeus e o Evangelho da justificação pela fé em Cristo, confirmado entre as nações. A igreja de Cristo se encontra hoje firmemente estabelecida entre as nações, entre os gentios, não havendo mais necessidade de um apóstolo como Paulo, mas de evangelistas, pastores e presbíteros que continuem o trabalho de evangelização por ele iniciado.

Como os doze viam Paulo

O livro de Atos registra um encontro de Paulo com os doze em Jerusalém. O evento aconteceu no concílio que foi convocado para examinar a questão levantada por missionários da Judeia e outros da seita dos fariseus, de que os gentios que haviam se convertido a Jesus Cristo deveriam ser circuncidados e guardar a lei de Moisés (At 15.1-6).[22] Nessa ocasião, Paulo teve oportunidade de expor sua missão entre os gentios, os sinais e prodígios realizados e a conversão de inúmeros deles. Sua fala foi apoiada por Pedro e, em seguida, por Tiago, e a decisão dos apóstolos e presbíteros favoreceu Paulo contra os "da circuncisão" (At 15.7-22).[23] Na carta enviada a todas as igrejas com a decisão, Paulo e Barnabé são menciona-

---

22 Depois, Paulo esteve outra vez em Jerusalém, mas encontrou apenas Tiago (irmão de Jesus) e os presbíteros da igreja, cf. At 21.17-19.

23 Este é provavelmente o mesmo encontro que Paulo relata na carta aos Gálatas 2.1-10.

dos como "amados" e elogiados como "homens que têm exposto a vida pelo nome do nosso Senhor Jesus Cristo" (At 15.25-26).

Esta alta estima dos apóstolos de Jerusalém por Paulo se reflete numa das cartas de Pedro:

> ... e tende por salvação a longanimidade de nosso Senhor, como igualmente o nosso amado irmão Paulo vos escreveu, segundo a sabedoria que lhe foi dada, ao falar acerca destes assuntos, como, de fato, costuma fazer em todas as suas epístolas, nas quais há certas coisas difíceis de entender, que os ignorantes e instáveis deturpam, como também deturpam as demais Escrituras, para a própria destruição deles (2Pe 3.15-16).[24]

A passagem revela que, à época em que 2Pedro foi escrita, (entre 64 e 68 d.C.), várias cartas de Paulo estavam em circulação e que Pedro não somente estava de acordo com elas, como também as recomendava e considerava como Escritura. Pedro conhecia várias das epístolas de Paulo, sabia que eram acerca da salvação, reconhecia que algumas delas continham pontos de difícil entendimento, estava ciente de que estas epístolas tinham grande circulação já em seus dias, e que muitos interpretavam de maneira deturpada o que Paulo havia escrito. E o mais importante de tudo, Pedro coloca os escritos de Paulo em pé de igualdade com o Antigo Testamento, visto que "as demais Escrituras" é indubitavelmente uma referência aos escritos de Israel.

Esta atitude de Pedro pode refletir o que era o sentimento geral dos demais apóstolos para com Paulo, ou seja, que foram igualmente chamados por Deus e que havia uma harmonia fundamental na mensagem deles, ainda que chamados para diferentes missões. Mas, e o que Paulo pensava em relação aos doze?

Como Paulo via os doze

Paulo via os doze como um grupo definido de apóstolos, ao qual tam-

---

24 Estamos assumindo aqui a posição histórica de que Pedro foi o autor desta segunda carta que traz o seu nome, conforme está dito no versículo inicial.

bém pertencia por chamado divino.²⁵ Escrevendo à igreja de Corinto, onde havia questionamentos sobre sua autoridade apostólica, ele se alinha com os doze como testemunha do Cristo ressurreto (1Co 15.5-8). Como já vimos antes, para ele a aparição de Cristo na estrada de Damasco havia se constituído numa comissão apostólica da mesma ordem que as demais aparições da ressurreição aos doze.²⁶ Assim, ele é um apóstolo como os doze, e mesmo que ele pense de si mesmo como o menor entre eles (1Co 15.8-10), não faz distinção entre a sua pregação aos coríntios e a deles, pelo menos com referência à ressurreição: "Portanto, seja eu ou sejam eles, assim pregamos e assim crestes" (1Co 15.11); "somos tidos por falsas testemunhas de Deus" (1Co 15.15); "nossa pregação é vã" (1Co 15.14; veja ainda "nós, os apóstolos," 1Co 4.8). Respondendo aos que questionavam seu direito de receber sustento das igrejas como apóstolo, ele reinvidica os mesmos direitos dos doze (1Co 9:5-6). Sua defesa consiste em um apelo às evidências de seu apostolado: ele viu Jesus (1Co 9.1; cf. 15.8) e os próprios coríntios são o resultado de seus trabalhos apostólicos (1Co 9.1; cf. 3.5-7).²⁷

Em sua carta aos gálatas, ele narra um encontro com Tiago, o irmão de Jesus, e os apóstolos Pedro e João, que ele chama de "colunas", onde após expor-lhes o Evangelho que pregava entre os gentios, recebeu deles a destra de comunhão, uma expressão que significa não somente aprovação como também apoio e solidariedade (Gl 2.9). Este encontro ocorreu num contexto de tensão crescente entre os apóstolos e Paulo, por causa da questão da inclusão dos gentios na igreja. O encontro esclareceu que o Evangelho que Paulo pregava entre eles era o mesmo que Tiago, Pedro e João pregavam entre os judeus. Feita a divisão do campo de trabalho, Paulo foi para os gentios e eles, "para a circuncisão" (Gl 2.10). O comen-

---

25 Cf. D. A. Carson, *Showing the Spirit* (Grand Rapids: Baker Book House, 1987), 90.

26 Leon Morris, *The First Epistle of Paul to the Corinthians: An Introduction and Commentary*. The Tyndale New Testament Commentaries, ed. R. V. G. Tasker (London: Tyndale Press, 1958; reprint 1969), 207; F. F. Bruce, *1 and 2 Corinthians* em New Century Bible Commentary, eds. Ronald E. Clements and Matthew Black (London: Butler & Tanner Ltd., 1971), 142.

27 Simon Kistemaker, *Exposition of the First Epistle to the Corinthians*. New Testament Commentary (Grand Rapids: Baker, 1993), 285-86. Clark ("Apostleship," 347-348) apresenta vários argumentos que mostram a paridade de Paulo e os Doze; veja também Hywel R. Jones, "Are There Apostles Today?" em *Evangelical Review of Theology* 9/2 (1985), 109-114, que argumenta muito bem a favor deste ponto.

tário de Spence-Jones é relevante neste contexto: "Pedro não pode ter sido um bispo universal ou papa se era apenas apóstolo da circuncisão; pois ele praticamente concedeu a Paulo o apostolado da maior parte do mundo – as nações gentílicas".[28]

Este acordo não impediu Paulo de enfrentar Pedro quando o mesmo se mostrou "repreensível" no tratamento dos gentios que haviam crido. Paulo lhe resistiu "face a face" em Antioquia, na presença de todos, inclusive de emissários de Jerusalém da parte de Tiago (Gl 2.11-14). O confronto não deixou cicatrizes no relacionamento entre os dois, como se pode ver pela recomendação elogiosa que Pedro faz dos escritos de Paulo, muitos anos depois (2Pe 3.15-16).

O menor dos apóstolos

Apesar de se ver como igual aos doze, Paulo estava consciente que seu passado de perseguidor ferrenho dos crentes em Jesus Cristo poderia colocá-lo numa categoria inferior. Aos coríntios, ele reconhece que é "o menor dos apóstolos" (cf. "o menor de todos os santos", Ef 3.7-8; "o principal pecador", 1Tm 1.15) e que não era "digno de ser chamado apóstolo" por causa de sua perseguição feroz contra os cristãos, antes de encontrar Jesus no caminho de Damasco (1Co 15.9). A lembrança de seu passado de perseguição o acompanhou toda sua vida e o manteve constantemente humilde diante de Deus (Gl 1.13; Fp 3.6; 1Tm 1.13). Contudo, devemos atribuir esta autodiminuição de Paulo à sua genuína tristeza pelo que havia feito. Por outro lado, a consciência do passado não o impedia de declarar que, pela graça de Deus, ele havia trabalhado "mais do que todos eles" (1Co 15.10). Paulo provavelmente se refere ao fato de que seu empenho de evangelização aos gentios superava aquele dos primeiros apóstolos em termos de sofrimento, extensão e resultado. Contudo, o apóstolo atribui tudo "à graça de Deus comigo" (1Co 15.10), humildemente reconhecendo que foi somente pela misericórdia de Deus e seu favor que ele não somente foi feito apóstolo, com seu passado de perseguição, como também aquele apóstolo que mais se destacou entre todos.

---

28   H. D. M. Spence-Jones, ed., *Galatians*, The Pulpit Commentary (London; New York: Funk & Wagnalls Company, 1909), 95.

O que transparece de tudo isto é que não podemos falar de Paulo como o representante de uma segunda geração de apóstolos, inaugurando assim uma série de sucessores que chega até nós através da história, na pessoa dos modernos apóstolos ou do bispo de Roma, o papa, ou nos patriarcas da Igreja Ortodoxa. Paulo e os doze compõem um grupo, restrito que já desempenhou seu papel, à semelhança dos profetas do Antigo Testamento, e Deus não levantou sucessores após eles.

Apóstolos de Jesus Cristo

É instrutivo notar que os apóstolos do Novo Testamento, que são designados como sendo "de Jesus Cristo", são os doze e Paulo. Paulo se apresenta no início de suas cartas consistentemente como sendo "apóstolo de Jesus Cristo" (1Co 1.1; Tt 1.1) ou "apóstolo de Cristo Jesus" (2Co 1.1; Ef 1.1; Cl 1.1; 1Tm 1.1; 2Tm 1.1). Da mesma forma, nas duas cartas de sua autoria, Pedro se identifica como "apóstolo de Jesus Cristo" (1Pe 1.1; 2Pe 1.1). Paulo se refere aos doze como "apóstolos de Cristo," que estavam sendo imitados pelos falsos apóstolos (2Co 11.13). Judas, igualmente, se refere aos doze como "apóstolos de nosso Senhor Jesus Cristo" (Jd 17). Uma expressão equivalente é "os doze apóstolos do Cordeiro" em Apocalipse (21.14).

Esta designação aponta para o fato de que eles foram comissionados diretamente pelo Cristo ressurreto como testemunhas de sua ressurreição. Neste sentido, são um grupo definido e distinto dos demais, os quais são chamados de apóstolos ou "apóstolos das igrejas".

A única exceção é quando Paulo se refere a si mesmo, a Silvano e a Timóteo, como "apóstolos de Cristo" (1Ts 2.7). Ainda assim, ao fazer isso, ele não está elevando os dois à categoria de apóstolos de Jesus Cristo, mas se incluindo na condição deles, de mensageiros ou enviados de Jesus Cristo para a pregação do Evangelho, com o objetivo de demonstrar que eles teriam direito ao sustento da igreja.[29]

---

29 Veja a análise desta passagem mais adiante.

Características exclusivas de Paulo

Trataremos em seguida de mais algumas características do ministério de Paulo que o tornam, juntamente com os doze, os únicos a poderem ser nomeados como apóstolos num sentido exclusivo. Primeiro, o fato de Paulo se considerar como um sucessor dos profetas do Antigo Testamento. Segundo, sua interpretação inspirada e autoritativa das Escrituras, que nos deu seus escritos canônicos.

Paulo e os profetas do Antigo Testamento

Alguns estudiosos têm observado que Paulo concebe sua chamada ao ministério apostólico em termos da chamada e ministério dos profetas do Antigo Testamento, em geral, e de Jeremias, em particular.[30] Este último ponto é claro da linguagem que Paulo usa em referência à sua comissão apostólica em Gálatas 1.15 (cf. Rm 1.1-5).[31] De várias maneiras, a descrição de Paulo lembra a chamada de Jeremias, conforme já mencionamos acima (Jr 1.5,19): ambos foram separados por Deus antes do nascimento para serem enviados como seus mensageiros às nações, o que acarretaria grande sofrimento pessoal por causa das perseguições que haveriam de passar.

Rengstorf tem destacado certos aspectos da consciência apostólica de Paulo, que sugerem que ele via Jeremias como seu grande predecessor, todas elas visíveis na correspondência aos coríntios.[32] Entre eles encontramos a avaliação de Paulo que seus sofrimentos fazem parte da vontade de Deus para o seu apostolado (2Co 11.16-33; 1Co 4.9-13),[33] sua concentração exclusiva na pregação da palavra (1Co 1.14-17; 2.1-5) e sua

---

30 Podemos citar Rengstorf, ἀπόστολος, 438-40; Beker, *Paul*, 10, 112-16, Jacob M. Meyers and Edwin D. Freed, "Is Paul Also Among the Prophets?" *Interpretation* 20 (1966) 40-53; David Aune, *Prophecy in Early Christianity and the Ancient Mediterranean World* (Grand Rapids: Eerdmans, 1983), 202; Karl Olav Sandnes, *Paul - One of the Prophets? A Contribution to the Apostle's Self-Understanding*. WUNT, 2/43 (Tübingen: Mohr-Siebeck, 1991), 68-69; Clark, "Apostleship," 346-347.

31 Sobre o caráter profético de Rm 1.1-5, veja Sandnes, *Paul*, 146-53. Sobre Gl 1.15 veja Longenecker (*Galatians*, 30) que destaca o fato de que Paulo concebia seu apostolado não em termos do conceito judaico do *shaliach*, mas em termos do profetismo israelita.

32 Rengstorf, ἀπόστολος, 439-40.

33 Cf. Ulrich Brockhaus, *Charisma und Amt: Die paulinische Charismenlehre auf dem Hintergrund der frühchristlichen Gemeindenfunktionen* (Wuppertal: Theologischer Verlag Rolf Brockhaus, 1972), 97.

renúncia a qualquer reivindicação para seu apostolado que fosse baseada em experiências estáticas. Este último aspecto é mais visível na correspondência aos coríntios, argumenta Rengstorf, porque havia o perigo de que, se Paulo apelasse para isso, poderia induzir a igreja de Corinto, que era inclinada aos dons sobrenaturais, a buscar experiências dessa natureza.[34] Este último ponto nos parece um exagero de Rengstorf, especialmente porque Paulo apela, sim, para as visões e revelações do Senhor na correspondência aos coríntios, embora com alguma relutância (2Co 12.1). Os dois primeiros pontos de comparação com Jeremias, contudo, fazem todo sentido.

Rengstorf também destaca o caráter revelatório da proclamação de Paulo, o que estabelece a ligação entre a consciência de sua missão e a consciência dos profetas de que haviam sido chamados por Deus. De acordo com ele,

> O paralelo entre os apóstolos e profetas que encontramos em Paulo, repousa no fato de que ambos são portadores exclusivos da revelação, os profetas [do Antigo Testamento] como portadores de uma revelação que ainda estava em progresso e os apóstolos de uma revelação já completada.[35]

Esta relação próxima entre os apóstolos do Novo Testamento e os profetas do Antigo é vista em Efésios 2.20 onde, de acordo com Rengstorf, ambos estão unidos pela perspectiva do seu significado histórico.[36] Encontramos apoio para isto em Romanos 1.1-2, onde Paulo associa sua mensagem com a dos profetas veterotestamentários.[37] A conclusão de

---

34 Veja a discussão em Rengstorf, ἀπόστολος, 440. Sobre estes aspectos de 1Coríntios, poderíamos ainda adicionar 9.15-18, onde Paulo fala do caráter compulsório de sua comissão em termos que relembram a compulsão profética (cf. Rm 1.14). Este ponto foi notado por Sandnes (*Paul*, 117-30) e também por Harry P. Nasuti ("The Woes of the Prophets and the Rights of the Apostle: The Internal Dynamics of 1 Corinthians 9," *CBQ* 50 [1988] 246-64), que entretanto aponta para aquilo que considera uma diferença entre a perspectiva de Paulo sobre o sofrimento e a de Jeremias (pp. 245-58).

35 Rengstorf, ἀπόστολος, 441.

36 Ibid.

37 Cf. Sandnes, *Paul*, 149. Ele aponta o paralelo com 1Pe 1.10-12, onde os profetas do Antigo Testamento são associados aos apóstolos do Novo. Ele também critica Hall (Winfield Scott Hall, III, "Paul as a Christian

Rengstorf, é que os profetas do Novo Testamento (como os mencionados em 1Co 12.28) não são plenamente equivalentes aos profetas do Antigo Testamento, e não desempenham um papel muito proeminente no período do Novo Testamento, apesar de serem muito respeitados na época de Paulo. Esta conclusão de Rengstorf reforça o que já dissemos acima acerca dos apóstolos como os equivalentes plenos dos profetas de Israel.

Outro argumento nesta mesma direção é o fato de que Paulo se coloca acima dos profetas cristãos em atividade nas igrejas locais, especialmente os de Corinto. A plena autoridade que o ἀπόστολος carregava no desempenho de sua função se reflete na declaração de Paulo em 1Co 14.37-38: "Se alguém se considera profeta ou espiritual, reconheça ser mandamento do Senhor o que vos escrevo. E, se alguém o ignorar, será ignorado". Como Grudem aponta, Paulo aqui afirma a sua autoridade apostólica sobre toda a comunidade, até mesmo sobre os profetas.[38] Ele requer o reconhecimento da comunidade, especialmente dos profetas e espirituais – provavelmente os que falavam em línguas –, de que aquilo que ele estava escrevendo como diretrizes para o culto na comunidade (1Co 11-14) era um mandamento do Senhor.[39] Essas diretrizes incluem o apelo de Paulo a Isaías 28.11-12 no contexto imediato para apoiar o seu ensino (1Co 14.21). Sua interpretação da passagem e sua aplicação para a questão de línguas e profecia (14.22-25) é para ser aceita pelos profetas e espirituais de Corinto como correta e autoritativa. A sentença que Paulo passa sobre aqueles que, eventualmente, ignorassem sua palavra é grave (14.38; cf. Gl 1.7-10).

Prophet in his Interpretation of the Old Testament in Romans 9-11". Th.D. Dissertation; Chicago: Lutheran School of Theology, 1982, 45-46) por interpretar 1Pe 1.10-12 como se referindo aos profetas cristãos e se contradizer logo em seguida na pág. 121.

38 Grudem, *The Gift of Prophecy*, 30; Kistemaker, *1 Corinthians*, 516. Robertson (A. Robertson e A. Plummer, *A Critical and Exegetical Commentary on the First Epistle of Saint Paul to the Corinthians*. ICC, eds. S. R. Driver, et al [Edinburgh: T. & T. Clark, 1914], 327) observa: "O versículo reflete a convicção de um apóstolo que foi divinamente constituído". Fee (Gordon D. Fee, *The First Epistle to the Corinthians*. NICNT, ed. F. F. Bruce [Grand Rapids: Eerdmans, 1987], 711) aplica aqui a implicação da ordem da lista de 1Co 12.28 em que Paulo coloca os apóstolos em primeiro lugar, e conclui que apesar de também um profeta, Paulo é, antes de tudo, um apóstolo.

39 "O que vos escrevo" se refere, provavelmente, às instruções de Paulo nos capítulos 11-14, cf. Robertson, *Corinthians*, 327; Grudem, *The Gift of Prophecy*, 30-31; Sandnes, *Paul*, 99 n. 80. Sobre a identidade dos "espirituais" de Corinto veja Augustus Nicodemus Lopes, "Os espirituais de Corinto", em *Fides Reformata*, 3/1 (1998).

A demanda de Paulo aqui envolve mais do que apenas um apelo de um profeta cristão a outros profetas cristãos para que reconheçam que a fonte de sua mensagem é o Senhor. A autoridade que ele está afirmando é mais do que um profeta do Novo Testamento. Na verdade, é como a autoridade dos profetas do Antigo Testamento, cuja mensagem, uma vez que eles fossem reconhecidos como verdadeiros profetas, demandava completa obediência como a palavra de Deus. Esta passagem é uma prova importante de que os apóstolos, e não os profetas do Novo Testamento, eram os sucessores dos profetas do Antigo Testamento como portadores da palavra inspirada de Deus.

Como equivalente e sucessor dos profetas do Antigo Testamento, o apóstolo Paulo ocupava, com os doze, uma posição única na história da salvação, como instrumentos e canais da revelação de Deus - a qual estava destinada a tornar-se em Escritura. Foi através dos profetas do Antigo Testamento e dos apóstolos do Novo que Deus deu a conhecer a sua vontade de maneira infalível, completa e final. Nesse sentido, não existem mais pessoas que ocupem esta posição, uma vez que as Escrituras estão completas e o *canon*, fechado.

O caráter apostólico da hermenêutica de Paulo

Outra característica que evidencia a natureza exclusiva do apostolado de Paulo é a maneira como ele interpreta as Escrituras. O uso que Paulo faz do Antigo Testamento em suas cartas, mostra a sua consciência de que ele está sendo guiado por Deus ao seu sentido maior e final e que a interpretação que ele faz dos escritos sagrados, se constitui em Escritura também. Sua abordagem das Escrituras decorre de seu apostolado e, neste sentido, não há mais apóstolos como ele.

O uso do Antigo Testamento

Paulo cita o Antigo Testamento formalmente cerca de cento e quatro vezes em seus escritos. A interpretação que ele faz dessas passagens serve de base e fundamento para seus argumentos em favor do Evangelho que ele prega e de suas aplicações práticas. Quando analisamos mais de perto o uso que ele faz das Escrituras, percebemos que a maioria das vezes ele faz citações formais apresentadas com uma fórmula introdutória, como "está escrito" ou algo similar.[40] Outras vezes, ele faz alusões intencionais, como citações livres, referências a eventos e personagens, paralelos de linguagem e ecos da linguagem do Antigo Testamento. Exemplos disso são Romanos 5.12-14, 1Coríntios 10.1-15 e Gálatas 4.21-31, para citar alguns dos mais conhecidos. Geralmente, quer nas citações formais ou nas alusões, Paulo interpreta as passagens de maneira direta e natural (p. ex., Gl 4.27; Rm 3.13; 4.17-18; etc.). Todavia, às vezes ele diz que está citando a Escritura, mas não conseguimos identificar exatamente a passagem do Antigo Testamento que ele tem em mente (cf. 1Co 2.9; Rm 10.6,8; Ef 5.14). Provavelmente isso se dá porque ele está citando uma passagem de memória ou simplesmente dando o seu sentido mais amplo em combinação com mais outras passagens, como parece ser o caso em 1Coríntios 2.9.[41] Outras vezes, ele cita os textos de maneira diferente. A grande maioria desses casos é de pequenas alterações que não mudam em nada o sentido original (p. ex., Rm 4.3 citando Gn 15.6). Mas, em outras vezes – poucas, é verdade – a alteração parece ter sido feita para melhor servir ao seu argumento. Um exemplo disso é 1Coríntios 2.16, em que ele traz "mente" em lugar de "Espírito" como está no original de Isaías 40.13 (veja ainda 1Co 3.20/Sl 94.11).[42] Isso se deve provavelmente ao fato de que Paulo não se propõe a fazer citações *verbatim* dos textos sagrados, mas apenas a dar o seu sentido. Mesmo que ele diga "está escrito," limita-se a reproduzir o texto de forma geral ou fazer uma aplicação do mesmo (veja Rm 2.24). Em outras citações, Paulo parece estar fazendo a sua própria tradução em vez de usar a LXX ou o texto hebraico, ambos bem conhecidos dele. Um exemplo disso é Efésios 4.8 (citando Sl 68.19).[43]

---

40 Esta seção se baseia em grande parte na minha tese de doutorado: Augustus Nicodemus Lopes, "Paul as a Charismatic interpreter of Scripture: Revelation and Interpretation in 1 Corinthians 2:6-16", UMI Dissertations Services, 1998, e no meu livro *A Bíblia e seus intérpretes*.

41 Outros autores do Novo Testamento fazem a mesma coisa, como Mt 2.23.

42 Pedro, ao citar Joel 2.28 no dia de Pentecostes, troca "depois" por "nos últimos dias" (cf. At 2.17), uma evidência que este fenômeno não estava restrito a Paulo.

43 Tem sido aventada a possibilidade de Paulo estar seguindo, nestes casos, algum *targum*. Os *targums* eram traduções em aramaico dos textos hebraicos. Mas, faltam evidências mais concretas para tal afirmação. Os

Alguns estudiosos consideram equivocado o uso que Paulo, por vezes, faz das Escrituras do Antigo Testamento em seus escritos.[44] Em nossa opinião, esse tipo de abordagem reflete a convicção já preconcebida que a Bíblia é um livro humano cheio de erros. Percebe-se também uma certa indisposição em dar crédito aos escritores neotestamentários por conta do ambiente e contexto em que viveram. Em todos os casos, não é difícil provar que Paulo está fazendo um uso legítimo das passagens em suas cartas, desde que examinemos cada caso cuidadosamente, à luz da teologia do apóstolo e dentro do contexto maior do qual as passagens foram tiradas (cf. Rm 9.25-29; 10.5-8; etc.).[45] E, se levarmos em conta como Paulo entendia as Escrituras do Antigo Testamento e como ele se via como intérprete delas, poderemos perceber – e concordar – com a maneira como ele interpretava a sua Bíblia.

Fatores controladores da hermenêutica de Paulo

Paulo lê as Escrituras do Antigo Testamento à luz dos eventos histórico-redentivos relacionados com a encarnação, vida, morte e ressurreição de Cristo, e o surgimento da Igreja Cristã. Havia outros grupos, na época de Paulo, que também tinham as Escrituras como a Palavra de Deus e que estavam engajados em sua interpretação, como os rabinos de Israel e os monges de Qumran. Mas, esta consciência de Paulo da chegada dos últimos tempos e sua própria consciência de ser um apóstolo de Jesus Cristo, tornaram os resultados de sua interpretação completamente diferentes daqueles dos rabinos e da comunidade do Mar Morto.

Paulo estava convencido que Cristo é a chave que abre o sentido do Antigo Testamento, conclusão a qual chegou, não através de exegese, mas através de revelação (cf. At 9.1-9; Gl 1.14-16), o que o levou a ler sua Bíblia,

---

targums provavelmente apareceram mais tarde que Paulo, cf. "Targum" em Cross, *Oxford Dictionary*; mas, há debate sobre este ponto, veja "Targum" em Myers, *Eerdmans Bible Dictionary*.

44 Referindo-se ao uso que Paulo faz, em Rm 2.24, de Is 52.5, Ernest Käsemann diz: "Esta interpretação [que Paulo faz] obviamente muda o sentido do texto original, que já havia sido expandido pela LXX" (Ernest Käsemann, *Commentary on Romans* [Grand Rapids: Eerdmans, 1994], p. 67.

45 Para uma defesa da maneira como os autores do Novo Testamento usam o Antigo, veja Lopes, *A Bíblia e seus Intérpretes*, cap. 6; veja especialmente G. K. Beale e D. A. Carson, eds. *Commentary on the New Testament Use of the Old Testament* (Grand Rapids: Baker, 2007), com artigos de Moisés Silva, D. A. Carson, G. K. Beale, Craig Blomberg, I. Howard Marshall, etc.

não mais como um rabino, mas como um judeu que encontrou o cumprimento da promessa de Israel. Como ele explica mais tarde aos coríntios, a conversão a Cristo abre a porta para o verdadeiro sentido das Escrituras (2Co 3.13-17). Para Paulo, quando os judeus leem os livros da antiga aliança, a mente deles está coberta com o mesmo véu que havia sobre a face de Moisés, ao descer do monte com a Lei nas mãos, pois não enxergam Cristo neles (2Co 3.14a e 15). Quando um judeu se converte a Jesus como Senhor, o véu é retirado pelo Espírito e ele goza de liberdade para, finalmente, ler as Escrituras sem véu e ver Jesus nelas (2Co 3.17). Ele agora poderá ver que a Lei de Moisés (Rm 10.4-9), os Profetas (Rm 1.2; 16.25-26), e os escritos (Rm 4.7-8), falavam de Cristo e da salvação através dele (cf. 1Co 15.1-4). Para Paulo, o Antigo Testamento, com suas profecias e história, encontra cumprimento pleno e final em Cristo e na nova era inaugurada por ele (cf. Gl 3.13,16; Rm 15.3; 1Co 15.25,27,45; Ef 4.8; etc.).

Assim, para Paulo, os dias em que ele vivia eram dias de cumprimento, de realização das promessas do Antigo Testamento, e que, em Cristo, a época futura predita pelos profetas havia raiado (cf. 1Co 2.9; 10.11; Rm 16.25-27). Eventos como a rejeição do Messias por parte de Israel e a entrada dos gentios no povo de Deus encontram justificação nos escritos inspirados do Antigo Testamento, conforme ele expõe detalhadamente em Romanos 9.

Paulo também entendia a história como uma série de eventos salvadores determinados por Deus, que ocorrem numa determinada sequência histórica, tendo seu clímax na vida, morte e ressurreição de Jesus Cristo. É desta forma que ele pode se referir à encarnação como tendo ocorrido na "plenitude do tempo" (Gl 4.4) e à ressurreição como tendo ocorrido na "dispensação da plenitude dos tempos" (Ef 1.10). Ou seja, Deus vinha agindo salvadoramente no tempo e na história, de uma forma planejada, calculada e secreta. Com a vinda de Cristo, é revelada a dispensação do mistério, desde os séculos, oculto em Deus (Ef 3.9). E tudo isso, naturalmente, "por meio das Escrituras proféticas" (Rm 16.25-26). O papel dos doze e de Paulo foi receber, entender e transmitir estas revelações fundamentais para a igreja cristã.

Assim, Paulo funciona como sucessor escatológico dos profetas do Antigo Testamento. Sua hermenêutica é similar à deles. Tal como Isaías, Paulo interpreta os escritos sagrados anteriores à luz dos eventos escatológicos e de sua nova situação histórica. Entretanto, porque ele é um apóstolo, ele anuncia o cumprimento das promessas feitas aos profetas do Antigo Testamento. Como os profetas do Antigo Testamento, ele reconhece estar incumbido dos mistérios de Deus (1Co 4.1). Esta característica transparece mais claramente quando encontramos Paulo revelando "mistérios" em suas cartas.

A revelação dos mistérios

Nessas ocasiões, Paulo expõe estes mistérios como se eles fossem contidos nas Escrituras do Antigo Testamento, e agora se tornaram claros através de sua exposição. Embora a revelação de Jesus Cristo, que ele recebeu na estrada de Damasco, e que está no começo de sua carreira apostólica, tenha sido direta, sem qualquer mediação, é evidente que Paulo não aprendeu todas as profundezas do mistério de Cristo naquele momento e da mesma forma. Outros aspectos do mistério, que ele expõe em suas cartas, quase certamente vieram progressivamente, e isso não à parte ou sem as Escrituras do Antigo Testamento. O ponto é que, ao revelar esses mistérios em suas cartas, como alguém que foi incumbido deles, Paulo o faz em conexão com citações interpretadas das Escrituras do Antigo Testamento. Vejamos alguns exemplos.

O mistério do endurecimento de Israel e a completa inclusão dos gentios na igreja, são revelados em conexão com a citação "está escrito" de Isaías 59.20-21 e 27.9, cf. Salmo 14.7 e Jeremias 31.33-34 (Rm 11.25-27). Na doxologia final da carta aos Romanos, Paulo faz referência ao seu Evangelho como sendo a revelação do mistério guardado em silêncio nos tempos eternos, e que, agora, se tornou manifesto e foi dado a conhecer por meio das Escrituras proféticas. Aqui transparece claramente a relação entre mistério, revelação e as Escrituras, na hermenêutica do apóstolo (Rm 16.25-27). Sua exposição do mistério do corpo da ressurreição é apresentada como o cumprimento de Isaías 25.8 e Oséias 13.14 (1Co

15.50-57). E o grande mistério de Cristo e a igreja, que é refletido na relação de marido e mulher, deve ser deduzido de Gênesis 2.24 (5.31-33).

O mistério e sua revelação estão, de alguma forma, relacionados com as Escrituras do Antigo Testamento. A revelação do sentido do mistério veio a Paulo enquanto ele examinava as Escrituras, numa espécie de discernimento inspirado, que lhe permitia ver o sentido do mistério no Antigo Testamento à luz dos eventos do Evangelho.

Paulo e o Espírito

Nesta conexão, podemos nos referir à relação especial de Paulo com o Espírito, como um apóstolo de Cristo. Seu apostolado explica satisfatoriamente os mistérios que ele recebeu e revelou nas suas cartas através de exposições inspiradas dos escritos do Antigo Testamento. Ele era, antes de tudo, um ministro do novo pacto, um pacto do Espírito, superior ao da letra, publicado sob Moisés (2Co 3.3-9). Ele fala como o ministro de um pacto cujos membros gozavam da liberdade hermenêutica trazida pelo Espírito, que lhes removeu o véu dos corações quando eles voltaram-se ao Senhor pela primeira vez (2Co 3.14-18). Como apóstolo de Cristo, Paulo reivindica uma relação especial com o Espírito do Senhor. Seu apelo ao Espírito em 1Coríntios 7.40, "... penso que também eu tenho o Espírito de Deus", é feito em sua função de apóstolo e visa silenciar os "espirituais" de Corinto que se gabavam de ter posse exclusiva do Espírito. A sua proclamação da palavra da cruz, que produziu sua própria demonstração do Espírito e de poder (1Co 2.1-4), o seu gloriar-se acerca dos sinais de um verdadeiro apóstolo (2Co 12.12), e seu apelo aos seus leitores como fruto do seu trabalho no Senhor (1Co 9.1), que em 2Coríntios 3.1-3 é representado como uma carta escrita com o Espírito do Deus vivo, refletem este apelo ao Espírito em conexão com seu apostolado.

J. Christiaan Beker, que foi professor de Novo Testamento, em Princeton, em sua importante obra *Paul the Apostle* (1980), enfatiza a importância que o chamado apostólico de Paulo em Damasco teve desde o começo, pois foi este comissionamento "que autorizou [Paulo] a ser um intérprete autêntico do Evangelho, designado por Cristo."[46]

---

46 Beker, *Paul*, pp. 3-5

Beker chega a afirmar que o chamado de Paulo foi único e diferente dos demais apóstolos antes dele, que antes de serem apóstolos foram discípulos. Paulo era "um mediador direto do Evangelho [pois não o recebeu de Jesus durante seu ministério terreno] e seu intérprete autorizado".[47] É este chamado apostólico, segundo Beker, que se encontra no centro do seu pensamento e que traz tanto a sua coerência quanto a sua contingência. Paulo "reivindica ser não somente *um* intérprete mas *o* intérprete da tradição" recebida da igreja de Antioquia.[48] Beker diz, citando "a letra mata, mas o espírito vivifica" (2Co 3.6), que Paulo se sentia livre para mudar ou expandir a tradição em sua interpretação, com o alvo de trazer o seu verdadeiro sentido às preocupações particulares de suas igrejas. Ele ilustra este ponto a partir de 1Coríntios 15.1-11, onde Paulo prepara seu debate com os coríntios sobre a ressurreição estabelecendo o consenso apostólico sobre a ressurreição de Cristo (1Co 15.1-7,11) e sua autoridade apostólica única como intérprete da tradição (1Co 15.1,8-10). Como tal, a interpretação que ele oferece em 1Coríntios 15.12-50 é autoritativa e os coríntios deveriam se submeter a ela.[49]

Beker ainda defende que Paulo está consciente, como os profetas do Antigo Testamento, da presença da palavra divina na sua pregação (1Ts 1.8; 2:13; Rm 1.16; 2Co 2.14-16, etc.). Contudo, porque é um apóstolo, Paulo não é somente um sucessor deles, ele é o "profeta-apóstolo" que faz a ligação entre a ressurreição de Cristo e a ressurreição geral dos mortos no fim dos tempos, quando as promessas de Deus a Israel e aos gentios finalmente serão plenamente cumpridas.[50] Já que Paulo é o sucessor escatológico dos profetas de Israel, sua hermenêutica é similar à deles: ele interpreta a tradição em termos dos eventos escatológicos em seu novo contexto histórico. Por que ele é um apóstolo, ele anuncia o cumprimento das promessas feitas aos profetas do Antigo Testamento.[51]

---

47   Ibid., 6.
48   Ibid., 112.
49   Ibid.
50   Ibid., 113.
51   Ibid., 115-18. C. Evans defende uma tese similar, que a hermenêutica de Paulo é similar àquela dos verdadeiros profetas do Antigo Testamento, cf. C. Evans "Paul and the Hermeneutics of 'True Prophecy,'" *Bib* 65 [1984] 560-70.

Embora discorde de alguns pontos da interpretação de Beker, concordo com sua observação de que o apostolado de Paulo desempenhou um papel determinante na sua interpretação do Antigo Testamento. Ele estava consciente de ter sido encarregado por Deus como despenseiro de seus mistérios.

Fica claro que uma das prerrogativas de Paulo como apóstolo de Jesus Cristo era a capacidade dada pelo Espírito Santo de interpretar de maneira inspirada e infalível as Escrituras do Antigo Testamento. As suas cartas são o resultado desta atividade hermenêutica do apóstolo. E é por isto que são inspiradas e são a Palavra de Deus para nós. Segue-se que não temos mais apóstolos como Paulo em nossos dias, que possam nos dar textos inspirados e infalíveis, como a própria Palavra de Deus, a ponto de serem colocados ao lado dos textos canônicos no Novo Testamento.

Conclusão

Neste capítulo demonstramos que Paulo não representava uma espécie de segunda geração de apóstolos que surgiu como continuadora dos doze apóstolos de Jesus Cristo. Embora não fosse contado entre os doze, o apostolado de Paulo era da mesma natureza. Paulo tinha os requerimentos necessários: foi testemunha ocular do Cristo ressurreto, foi chamado diretamente por ele para o apostolado, e sofreu intensamente por amor ao Evangelho. Estas coisas o colocam em pé de igualdade com os doze, fechando este grupo restrito de apóstolos.

Demonstramos também que havia plena harmonia entre Paulo e os doze quanto ao Evangelho a ser pregado, embora tivessem campos de ação distintos. Embora Paulo se considerasse o menor de todos os apóstolos, ele tinha consciência de que, pela graça de Deus, seus labores e os resultados dos mesmos o destacavam dos demais, bem como seu chamado como "apóstolo dos gentios".

Vimos ainda alguns aspectos da obra apostólica de Paulo que tinham caráter exclusivo e fundacional. Paulo era um legítimo sucessor dos profetas do Antigo Testamento, como os doze. Como tal, Paulo havia sido habilitado por Deus a entender o sentido das Escrituras de Israel e revelar este sentido nas cartas que escreveu. Sua interpretação do Antigo Testamento era inspirada por Deus, autoritativa e ficou registrada infalivelmente nos seus escritos, os quais compõem o *canon* do Novo Testamento.

Todos esses pontos nos levam à inevitável conclusão de que o apostolado de Paulo estava relacionado com aquele momento decisivo da história da redenção, com a mudança da antiga para a nova aliança, com a inclusão dos gentios no povo de Deus e, especialmente, com o surgimento dos escritos do Novo Testamento. Em decorrência, não há qualquer fundamento bíblico para a afirmação de que Paulo foi o primeiro de uma série de apóstolos que se seguiram aos doze, os quais estão sendo levantados, outra vez, em nossos dias.

O que precisamos explicar em seguida é em que sentido Paulo e outros autores do Novo Testamento se referem a algumas outras pessoas, além dos doze e de Paulo, como "apóstolos".

Capítulo 4

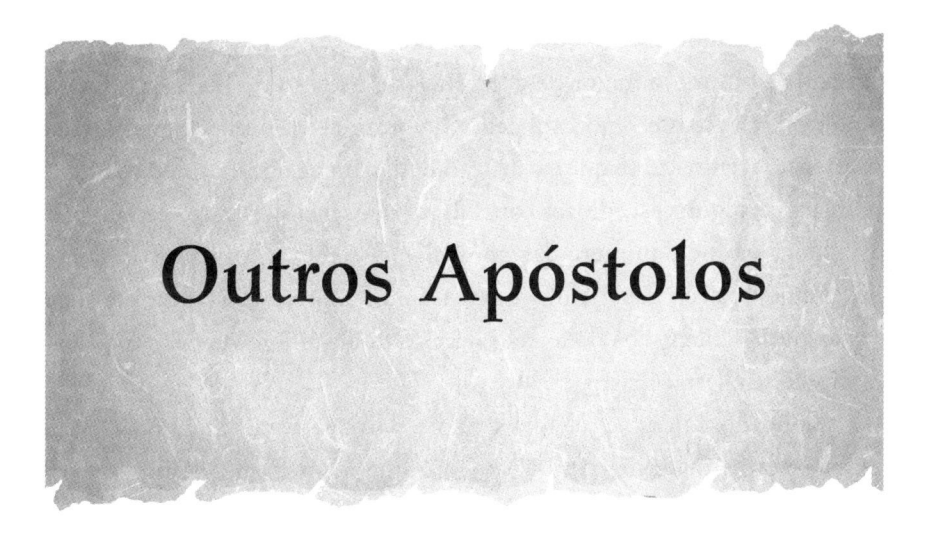

Outros Apóstolos

Entraremos agora na análise das passagens do Novo Testamento em que o termo ἀπόστολος é usado para outras pessoas, além dos doze e Paulo, ou num sentido geral em que parece sugerir que outros, além deles, também eram chamados de apóstolos no início da igreja cristã. Passagens assim são usadas para justificar a existência de apóstolos hoje, como parte da terceira geração que veio após os doze discípulos de Jesus e de Paulo.

Já de partida, é preciso reconhecer que não há unanimidade entre os estudiosos quanto ao sentido em que a palavra "apóstolo" é usada para estas pessoas, além dos doze e Paulo. A principal dificuldade é que o termo ἀπόστολος parece ter sido usado no início da igreja de maneira informal e ampla para designar diferentes categorias de pessoas e de ministérios, e que nem sempre os autores do Novo Testamento se preocuparam em dar maiores explicações ou a fazer distinções entre estes grupos.

Algumas observações iniciais precisam ser feitas aqui. Alguns estudiosos, geralmente de linha liberal, têm sugerido que foi Lucas quem popularizou o uso de "apóstolos" somente para os doze, desta forma passando a impressão de que, na igreja apostólica, eles eram os únicos a portar este título. O termo ocorre 81 vezes no texto grego do Novo Testamento. O número maior de ocorrências é na obra de Lucas: 36 vezes, sendo 29 em Atos e 7 no Evangelho que traz o seu nome. Como Lucas emprega o termo quase que exclusivamente para os doze, como um ofício eclesiástico, alguns estudiosos concluíram que teria sido ele o responsável pela ideia de que o número dos apóstolos de Cristo era fixo desde o início. Paulo, em contraste, tinha uma visão diferente, e reconhece em suas cartas outros, além dos doze, não limitando o número de apóstolos aos discípulos de Jesus Cristo.

Contudo, Lucas se refere a Paulo e Barnabé como "apóstolos" duas vezes no livro de Atos (At 14.4,14)), o que mostra que ele podia usar o termo para outros além dos doze. E Paulo se refere aos apóstolos de Cristo como "os doze" (1Co 15.5) e aqueles que "já eram apóstolos antes de mim" (Gl 1.17).

O que precisa ser lembrado é que Paulo, por vezes, usa a mesma palavra em sentidos diversos, os quais podem ser determinados geralmente pelo contexto. Tomemos, por exemplo, a palavra πρεσβύτερός (*presbúteros*), que significa ancião. Paulo a emprega no seu sentido comum, de uma pessoa idosa, em 1Timóteo: "Não repreendas ao *homem idoso* (πρεσβυτέρῳ)" (1Tm 5.1) e "exorta... às *mulheres idosas* (πρεσβυτέρας)" (1Tm 5.2). Nesta mesma carta, inclusive no mesmo capítulo, ele usa a mesma palavra πρεσβύτερός para se referir aos anciãos da igreja, aos bispos, eleitos e ordenados para governarem a igreja e ministrarem a Palavra de Deus, "devem ser considerados merecedores de dobrados honorários os *presbíteros* (πρεσβύτεροι) que presidem bem..." (1Tm 5.17). E, ainda, "não aceites denúncia contra *presbítero* (πρεσβυτέρου)..." (1Tm 5.19).[1]

Outro exemplo é a palavra διάκονός, que significa alguém que serve. Paulo a usa em dois sentidos. Primeiro, no seu sentido mais amplo, de al-

---

[1] Pedro faz uso similar da palavra, usando-a para os oficiais da igreja, "rogo aos *presbíteros* que há entre vós" (1Pe 5.1) e logo em seguida, para os idosos, "rogo igualmente aos jovens: sede submissos aos que são mais *velhos*" (1Pe 5.5).

guém que serve. Ele se refere a Jesus como sendo "ministro (διάκονός) da circuncisão" (Rm 15.8) e a si mesmo como sendo "ministro (διάκονός) de Cristo entre os gentios" (Rm 15.16). É claro que ele não está dizendo que tanto Cristo quanto ele, eram "diáconos" de uma igreja, muito embora ele use o termo neste sentido também: "Paulo e Timóteo, servos de Cristo Jesus, a todos os santos em Cristo Jesus, inclusive bispos e *diáconos* (διακόνοις) que vivem em Filipos" (Fp 1.1). E ainda: "O *diácono* (διάκονός) seja marido de uma só mulher e governe bem seus filhos e a própria casa" (1Tm 3.12).

Seria, portanto, equivocado inferir que Paulo não reconhece os ofícios de presbítero e diácono por empregar os mesmos termos descritivos destes ofícios para outras pessoas que, reconhecidamente, não eram ordenados nas igrejas. Entendemos que é exatamente a mesma coisa com o uso do termo ἀπόστολος. O fato de que Paulo usa "apóstolos" para outros além dos doze não quer dizer que ele não reconhecia que os doze tinham o ofício de apóstolos de Jesus Cristo. Ele simplesmente usa a palavra em mais de um sentido, o qual deve ser determinado pelo contexto. D. A, Carson diz que, "as tentativas de estabelecer o que o apostolado significava para Paulo simplesmente apelando para o alcance semântico pleno da palavra, como ela aparece em seus escritos, é um procedimento profundamente errado no nível metodológico".[2]

Cabe-nos, portanto, interpretar as passagens pertinentes à luz de seus contextos, para chegar ao sentido pretendido por Paulo. Todavia, isso nem sempre é fácil, pois os contextos históricos de algumas passagens não são tão claros. E ainda temos o fato inescapável que os pressupostos denominacionais e teológicos dos intérpretes acabam influenciando suas conclusões. Assim, mesmo não concordando com alguns que consideram a instituição do apostolado como algo completamente confuso e complicado nos inícios da igreja cristã, temos de admitir que podemos não ter todas as respostas às nossas indagações.

Conscientes das dificuldades, tentaremos construir nossas conclusões à luz daquilo que já vimos nos capítulos anteriores, especialmente as quali-

---

2 Carson, *Showing the Spirit*, 90.

ficações dos doze e de Paulo, como apóstolos de Jesus Cristo, e indagar se a designação de outros como apóstolos é feita neste mesmo sentido. Em outras palavras, podemos concluir que o emprego do termo ἀπόστολος para outras pessoas além dos doze e de Paulo é base suficiente para justificar o surgimento do moderno movimento de restauração apostólica?

Há diversas abordagens possíveis ao material. Iremos aqui proceder à nossa análise concentrando nossos esforços nas cartas de Paulo, visto que é nelas que encontraremos a grande maioria do uso do termo "apóstolo" para outras pessoas, e faremos, quando apropriado, referências às ocorrências em outros livros canônicos, que são Lucas-Atos, 2Pedro e Apocalipse.

Vamos começar com a declaração de Paulo de que ele foi a última pessoa a quem Jesus apareceu depois da ressurreição; "Afinal, depois de todos, [ἔσχατον δὲ πάντων] foi visto também por mim, como um nascido fora de tempo" (1Co 15.8). Paulo, aqui, indica que foi o último a quem Jesus apareceu, depois da ressurreição, para constituí-lo como apóstolo, fechando, desta forma, definitivamente, este grupo exclusivo dos doze e ele mesmo. Conforme Barret coloca, "se ver o Cristo ressurreto era uma qualificação indispensável [para o apostolado] (cf. 1Co 9.1), Paulo foi o último a ser nomeado."[3] Paulo se refere a si mesmo como "um nascido fora de tempo," isto é, um feto nascido prematuramente, indicando o reconhecimento de que não havia passado pelo processo de maturação dos doze, durante os anos em que estiveram com Jesus. A expressão reflete também a sua consciência de que ele foi o último a nascer apóstolo, ainda que de maneira prematura e fora de tempo. A palavra ἔσχατος, "depois," normalmente carrega este significado de "último". De acordo com o TDNT, "ἔσχατον sugere o fechamento de uma série, de forma que, a partir da época deste ἔσχατον, não pode mais haver eventos semelhantes ou equivalentes".[4] A tradução da NTLH expressa bem o sentido da frase, "Por último, depois de todos, ele apareceu também a mim, como para alguém nascido fora de tempo". O impacto desta declaração de Paulo é

---

3 C. K. Barrett, *A Commentary on the First Epistle to the Corinthians* em *Black's New Testament Commentaries* (London: Adam & Charles Black, 1968), 294; veja também Clark, "Apostleship," 352; Jones, "Are There Apostles Today?", 111.

4 TDNT, ἔσχατος.

evidente: a última vez que Jesus apareceu para constituir um apóstolo foi no caminho de Damasco. E, depois disto, nunca mais.

Foi este grupo limitado de apóstolos, de acordo com Paulo, que recebeu a revelação do misterioso plano de Deus da salvação, parte do qual consistia na inclusão dos gentios na igreja. A este grupo foi confiada a pregação do Evangelho aos judeus e gentios (Ef 3.5; cf. Cl 1.25-28). Para Paulo, a mensagem deles e a sua própria era o fundamento da igreja (1Co 3.10,11; Ef 2.20).[5] É a este círculo restrito de apóstolos que Paulo está consciente de pertencer. Mas, quem são os outros a quem ele se refere como apóstolos? E em que sentido ele os chama assim?

Os estudiosos reconhecem que, além dos doze discípulos de Jesus, Paulo aparenta considerar como apóstolos a *Tiago*, o irmão de Jesus (Gl 1.19; 1Co 15.7), *Barnabé* (1Co 9.6; cf. At 14.4,14), *Silvano* (provavelmente Silas) e *Timóteo* (1Ts 1.1; 2.7), *Apolo* (1Co 4.6,9), seus parentes *Andrônico e Júnias* (Rm 16.7) e *Epafrodito* (Fp 2.25). Além disso, ele usa expressões tais como os *"demais apóstolos"* (1Co 9.5), *"todos os apóstolos"* (1Co 15.7,9), *"outros apóstolos"* (Gl 1.18) e menciona irmãos que eram *"apóstolos das igrejas"* (2Co 8.23). Usei a expressão "aparenta considerar como apóstolos" porque, embora seja esta a impressão de uma primeira leitura casual das passagens mencionadas acima, diante de um exame mais acurado é possível se chegar à conclusão que, nem sempre, Paulo está, de fato, considerando aquelas pessoas como apóstolos. E, nos casos em que claramente ele está considerando, não é no mesmo sentido dos doze ou de si mesmo. Examinemos cada um destes casos.

Tiago

Paulo menciona Tiago, o irmão do Senhor, algumas vezes em Gálatas e em 1Coríntios. Em pelo menos duas destas ocasiões ele aparenta

---

5 Esta noção do fundamento apostólico da igreja remonta às palavras de Jesus a Pedro em Mt 16.18 e estão refletidas em Ap 21.14, conforme já vimos. Cf. Lincoln, *Ephesians*. "Fundamento" em Ef 2.20 não se refere às pessoas dos apóstolos e profetas, mas à sua pregação (Sandnes, *Paul*, 227-29). Uma vez lançado o fundamento, cessou a tarefa apostólica dos Doze e de Paulo, cf. F. David Farnell, "When Will the Gift of Prophecy Cease?", em *Bibliotheca Sacra*, 150, (April-June 1993), p.188.

associar Tiago com os apóstolos. Escrevendo aos gálatas, Paulo diz que numa visita que fez a Jerusalém encontrou-se com Pedro (a quem sempre chama de Cefas) e declara: "...e não vi *outro dos apóstolos, senão* Tiago, o irmão do Senhor" (Gl 1.19). Os dois pontos interpretativos mais importantes desta passagem são estes: quem são os "outros apóstolos" a que Paulo se refere e o sentido de *"senão"*.

Comecemos lembrando quem era Tiago. Ele é chamado por Paulo do "irmão do Senhor" para distingui-lo do apóstolo Tiago, filho de Zebedeu, um dos doze, que foi o primeiro do grupo a morrer martirizado (At 12.1-2). Embora alguns intérpretes desejem espiritualizar a expressão,[6] pouca dúvida pode existir que se trata do meio-irmão de Jesus, que durante o tempo do ministério terreno dele permaneceu incrédulo, junto dos outros meios-irmãos de Jesus (Mt 13.55; Mc 3.31; Lc 8.19; Jo 7.3-5). Não sabemos ao certo, mas pode ser que a aparição de Jesus a ele, mencionada por Paulo em 1Coríntios 15.7, foi o momento de sua conversão. Ele aparece no livro de Atos, depois da morte do apóstolo Tiago, filho de Zebedeu, como o líder da igreja de Jerusalém (veja At 12.17; 15.13; 21.18) e é quase que certamente o autor da carta que traz o seu nome (cf. Tg 1.1).

Os "outros apóstolos" referidos por Paulo (Gl 1.19), são os doze, o único grupo a quem Paulo pode se referir como "apóstolos" tão cedo na história da igreja cristã sem precisar explicar quem são.[7] Ademais, Pedro está entre eles e, momentos antes, Paulo havia se referido que em Jerusalém estavam aqueles que "já eram apóstolos" antes dele (Gl 1.17).[8]

A grande questão é a relação de Tiago, o irmão de Jesus, para com os doze. O que Paulo quis dizer com esta frase? "E não vi outro dos apóstolos, *senão* Tiago, o irmão do Senhor"? (Gl 1.19). A sentença é ambígua. Algumas vezes a expressão "a não ser" (εἰ μὴ) pode ser traduzida como "mas,"[9] deixando a frase assim: "...e não vi outro dos apóstolos. *Mas*, vi a

---

6 Cf. Jamieson, *Commentary*, in loco.

7 A data em que a carta aos gálatas foi escrita é reconhecidamente difícil de ser estabelecida com precisão. De qualquer forma, qualquer que seja a teoria defendida, ela foi uma de suas primeiras cartas, escrita em torno do ano 50 d.C.

8 Cf. Longenecker, *Galatians*, 34,38. Cf. também Kirk, "Apostleship since Rengstorf", 260, que mesmo um pouco reticente concorda que se trata de uma referência aos doze.

9 Cf. Louw & Nida, *Greek-English lexicon of the New Testament*, 89.131.

Tiago, o irmão do Senhor". Se for isto que Paulo quis dizer, ele não estava incluindo Tiago entre os apóstolos de Cristo. De acordo com Timothy George, Paulo provavelmente quis dizer algo assim: "Durante o meu encontro com Pedro eu não vi nenhum dos outros apóstolos, a não ser que você esteja contando Tiago, o irmão do Senhor".[10] Nesta mesma linha, Lange entende que, gramaticalmente, é decididamente mais fácil tomar "senão" (εἰ μὴ) no sentido de "mas".[11]

Muito embora Paulo nesta mesma carta o mencione juntamente com Cefas e João como os "colunas" da igreja de Jerusalém, e mesmo que Paulo declare que eles reconheceram o seu apostolado aos gentios e lhe deram a destra da comunhão (Gl 2.9), dificilmente Paulo queria dizer com esta frase, "e não vi outro dos apóstolos, senão Tiago, o irmão do Senhor", que Tiago era um apóstolo como um dos doze. Conforme Spence-Jones observa, Paulo parece se referir a ele de maneira hesitante ao compará-lo com os doze. Segundo Spence-Jones, a razão para isso era que Paulo realmente não considerava Tiago como um dos apóstolos; todavia, por causa da posição que ele ocupava, como líder da igreja de Jerusalém, e pelo prestígio que ele gozava entre os apóstolos e demais irmãos, Paulo sentiu que cabia mencioná-lo aqui, ao afirmar que Cefas foi o único apóstolo que ele encontrou.[12] Alguns têm sugerido que a posição de Tiago, que era mais que um presbítero, mas menos que um apóstolo, era de "homem apostólico", uma designação para aqueles que assistiram Paulo e outros apóstolos, e a quem foram conferidos dons e graça apostólicos.[13] Creio que a descrição "homem apostólico" é a que melhor define o status de Tiago. Todavia, isso ainda não o fazia um apóstolo de Cristo como Paulo e os doze.

---

10 Timothy George, *Galatians*, vol. 30, The New American Commentary (Nashville: Broadman & Holman Publishers, 1994), 127–128.

11 John Peter Lange, Philip Schaff, et. al., *A Commentary on the Holy Scriptures: Galatians*, ed. M. B. Riddle, trans. C. C. Starbuck (Bellingham, WA: Logos Bible Software, 2008), 26. Para uma posição contrária, veja Kenneth S. Wuest, *Wuest's Word Studies from the Greek New Testament: For the English Reader* (Grand Rapids: Eerdmans, 1997), Gl 1.19.

12 Spence-Jones, *Galatians*, 33.

13 Por exemplo, L. Berkhof, *Systematic Theology* (Grand Rapids, MI: Wm. B. Eerdmans publishing co., 1938), 585. Outros "homens apostólicos" seriam Marcos, Lucas, Judas (que além de pertencerem ao círculo dos apóstolos, foram inspirados para escrever livros do Novo Testamento) e talvez Barnabé. Cf. Vern Poythress, "What Are Spiritual Gifts?" em *Basic of the Faith Series* (New Jersey: P&R Publishing, 2010), 15 e 18.

Paulo parece se referir outra vez a Tiago como um apóstolo em 1Coríntios, numa passagem de difícil interpretação:

> E apareceu a Cefas e, depois, aos *doze*. Depois, foi visto por mais de quinhentos irmãos de uma só vez, dos quais a maioria sobrevive até agora; porém alguns já dormem. Depois, foi visto por *Tiago*, mais tarde, por *todos os apóstolos* e, afinal, depois de todos, foi visto também por mim, como por um nascido fora de tempo. Porque eu sou o menor dos *apóstolos*, que mesmo não sou digno de ser chamado apóstolo, pois persegui a igreja de Deus (1Co 15.5-9).

Aqui Paulo está enumerando uma série de pessoas a quem Jesus apareceu após a sua ressurreição e que poderiam confirmar, como testemunhas oculares, que ele havia ressurgido dos mortos: Cefas, os doze, mais de quinhentos irmãos, Tiago e, por fim, ele próprio, Paulo. Esta lista não foi criada por Paulo. Fazia parte da tradição que ele havia recebido, "antes de tudo, vos entreguei o que também recebi" (1Co 15.3), juntamente com os fatos acerca da morte e da ressurreição do Senhor, conforme as Escrituras (1Co 15.1-4). A lista menciona uma aparição particular a Cefas, da qual temos notícia em Lucas: "O Senhor ressuscitou e já apareceu a Simão!" (Lc 24.34). Aos doze, ele apareceu várias vezes, após a ressurreição, conforme os Evangelhos (cf. Mt 28.17; Mc 16.14; Lc 24.36-43; Jo 20.19,16; At 1.2-3; 10.41). Dos mais de quinhentos irmãos, alguns ainda vivos na época de Paulo, nada sabemos, a menos que Mateus 28.10 se refira a este evento. E, em seguida, vem esta aparição particular a Tiago, que, conforme já mencionamos acima, pode ter sido a ocasião de sua conversão a Jesus, como o Filho de Deus. O que nos interessa mais diretamente é que Paulo, continuando a lista das aparições, diz que Jesus, depois de ter sido visto por Tiago, foi visto "mais tarde, por *todos os apóstolos*". A grande questão é, quem seriam "todos os apóstolos" a quem Paulo se refere e se Tiago estaria incluído entre eles.

Quanto à identidade de "todos os apóstolos," as possibilidades são estas: (1) os doze; (2) todos os desta lista, incluindo os quinhentos irmãos e Tiago; (3) um grupo de outras pessoas, fora desta lista, a quem Jesus apareceu e que já eram apóstolos antes disso. Esta última possibilidade nos parece a menos provável por vários motivos. Paulo dificilmente os teria chamado de apóstolos antes de terem visto o Senhor. Fica difícil imaginar que durante os 40 dias em que Jesus apareceu aos doze (At 1.2-3) surgiu um outro grupo de apóstolos aos quais, durante uma reunião em que estavam todos juntos, Jesus lhes apareceu, vivo. Quem eram? Quem os constituiu apóstolos antes de terem visto a Jesus? A existência de um grupo assim, além dos doze, e que eram também testemunhas oculares da ressurreição, dificilmente teria passado despercebida nos relatos das aparições nos Evangelhos e no início do livro de Atos. Notemos que os mais de quinhentos a quem Jesus apareceu são mencionados apenas como "irmãos".

A segunda possibilidade, que "todos os apóstolos" se refere a Cefas, os mais de quinhentos e Tiago, foi defendida inclusive por Crisóstomo, que pensava que era uma referência a todos da lista e mais os setenta que haviam sido enviados por Jesus.[14] Contudo, esta interpretação tem contra ela a inferência de que Paulo estaria considerando estes mais de quinhentos irmãos e Tiago como apóstolos de Jesus Cristo, no mesmo nível de Cefas e dele mesmo.

Parece-nos que a explicação menos complicada é que Paulo está se referindo aos doze.[15] Lembremos que esta lista, mesmo se não for exaustiva (as aparições às mulheres e aos dois no caminho de Emaús não estão incluídas), é uma sequência histórica das aparições de Jesus após a ressurreição. Jesus apareceu a Pedro, isoladamente. Depois, apareceu aos doze, juntos – menos Judas Iscariotes, é claro. Depois a mais de quinhentos irmãos de uma só vez e em seguida a Tiago. E mais tarde, foi visto, outra vez, por todos os apóstolos, isto é, pelos doze, provavelmente no momento da sua ascensão aos céus (Lc 24.50).[16] Esta interpretação deixa Tiago

---

14 Cf. Jamieson, *Commentary*, 1Co 15.7.
15 Como Clark, "Apostleship," 351-353, embora de maneira indireta. Para uma argumentação contrária, veja Kirk, "Apostleship since Rengstorf," 257, que defende que se trata de uma referência a apóstolos "no sentido mais amplo possível".
16 Robertson, *Word Pictures*, 1Co 15.7.

de fora de "todos os apóstolos", já que a expressão é uma referência aos doze. Pode ser objetado que Paulo já havia mencionado os doze no início da lista. Contudo, isso não é um problema, visto que a lista é uma relação das aparições em sequência temporal.[17] Pode ser também questionado por que Paulo se refere aos doze como "todos os apóstolos". Mas, se considerarmos que ele fez menção a uma aparição individual a Cefas e que as primeiras aparições aos doze foram antes da nomeação de Matias como substituto de Judas, quando o grupo estava incompleto, faz sentido a referência aos doze como "todos os apóstolos". Especialmente se esta aparição ocorreu depois da nomeação de Matias.

Notemos, por fim, mais dois argumentos a favor da interpretação de que "todos os apóstolos" são os doze. Após listar as aparições do Cristo ressurreto, sendo ele o último a quem o Senhor apareceu, Paulo declara que é "o menor dos apóstolos" (1Co 15.9). Todavia, mesmo sendo o menor de todos e mesmo indigno de ser considerado apóstolo, Paulo declara que, pela graça de Deus, trabalhou mais do que todos eles (1Co 12.10). Ora, esta comparação, tanto de ser o menor dos apóstolos, quanto de ter trabalhado mais do que todos eles, só faz sentido se os apóstolos aqui referidos são os doze. Os coríntios, conforme já mencionamos, criticavam Paulo por ser um apóstolo inferior e não fazer parte do grupo dos doze apóstolos de Cristo. Logo, é com eles que Paulo se compara aqui. O outro argumento se baseia nos versículos seguintes a esta comparação, quando Paulo diz que se Cristo não ressuscitou, então "somos tidos por falsas testemunhas de Deus, porque temos asseverado contra Deus que ele ressuscitou a Cristo" (1Co 15.15). Só havia um grupo naquela época a quem Paulo poderia se associar como testemunha oficial da ressurreição de Cristo, cuja pregação servia de base para a fé da igreja: os doze. Portanto, deve restar pouca dúvida de que a expressão "todos os apóstolos" (1Co 15.7) se refere aos doze apóstolos de Jesus Cristo.[18]

---

17 "Depois" (4 vezes em 1Co 15.5-7) é a tradução de ἔπειτα ou εἶτα, "um ponto no tempo seguindo outro ponto" (Louw & Nida).

18 Kistemaker (*1 Corinthians*, 533) concorda que em 1Co 15.7 "todos os apóstolos" significa os doze (v. 5), mas a expressão pode ser mais ampla, mesmo se Tiago, que não fazia parte dos doze, não for incluído (cf. Herman Ridderbos, *Paul: An Outline of His Theology* [Grand Rapids: Eerdmans, 1975], 449, n. 61). Nesta

Assim, não podemos ter certeza de que em Gálatas 1.19 e 1Coríntios 15.5-9 Paulo está considerando Tiago como um apóstolo semelhante aos doze e a si mesmo. Ambas as passagens são reconhecidamente difíceis de entender e, portanto, não podemos usá-las de maneira assertiva para incluir Tiago no rol dos apóstolos de Jesus Cristo. A descrição "homem apostólico" é a que melhor define seu *status*.

Apolo

Um dos assuntos que Paulo trata em 1Coríntios é o questionamento levantado por alguns da igreja de Corinto quanto à legitimidade de seu apostolado. Ele não havia acompanhado Jesus durante o seu ministério terreno e não fazia parte dos doze, tendo sido chamado depois deles para o ministério entre os gentios. Estes fatos faziam com que Paulo tivesse de defender-se constantemente de insinuações de que ele era um apóstolo inferior aos doze, um apóstata do judaísmo ou então que era um mercenário interessado em retorno financeiro das igrejas que fundava. Era com base nestas insinuações que um grupo na igreja de Corinto questionava os direitos de Paulo como apóstolo de Cristo.

Em 1Coríntios Paulo se defende pelo menos duas vezes destas insinuações e acusações (1Co 4.1-21; 9.1-27). Na primeira, sua apologia é também em favor de Apolo: "Estas coisas, irmãos, apliquei-as figuradamente *a mim mesmo e a Apolo*, por vossa causa... porque a mim me parece que Deus nos pôs *a nós, os apóstolos*, em último lugar, como se fôssemos condenados à morte" (1Co 4.6,9). Alguns estudiosos defendem que Paulo está incluindo Apolo na expressão "nós, os apóstolos", uma vez que Apolo é citado no contexto (cf. 1Co 4.6). Não é de admirar, portanto, que estes estudiosos defendam que Apolo era um dos muitos apóstolos que havia na igreja cristã nascente.[19] A melhor maneira de entender esta conexão é examinarmos o contexto em que ela ocorre.

---

mesma linha vai Clark, "Apostleship," 361-363, que autores renomados como F. F. Bruce, Murphy-O'Connor and F. Godet como apoio.

19 Um bom exemplo é Andrew Wilson, "Apostle Apollos?" em *Journal of Evangelical Theological Society*, 56/2 (2013), 325-336.

Em 1Coríntios 4.6-13 Paulo procura corrigir a atitude tola dos coríntios de se vangloriarem de serem discípulos de homens (cf."Eu sou de Paulo, e eu, de Apolo", 1Co 3.4) enfatizando o fato que tanto ele, Paulo, quanto Apolo nada mais são do que servos através dos quais eles vieram a crer, e isto de acordo com o propósito do Senhor para cada um (1Co 3.5-9; cf. 4.1). Seus ministérios abençoados entre os coríntios – Apolo havia servido como pastor lá, depois de Paulo – se deviam à operação de Deus, como o crescimento de uma semente que é plantada (1Co 3.6-9). Paulo, como um apóstolo de Cristo, havia lançado o fundamento de acordo com a graça que havia sido dada a ele (1Co 3.10). Os ministérios subsequentes – inclusive o de Apolo – seriam julgados "no dia" (1Co 3.12-15), e aqueles que estivessem promovendo as divisões entre eles seriam severamente repreendidos por Deus (1Co 3.16-17).[20]

Em seguida Paulo exorta os coríntios a se gloriar somente no Senhor e a abandonar as divisões (1Co 3.18-4.5), e conclui tomando seu exemplo e o de Apolo como base para esta exortação à humildade: "*Estas coisas*, irmãos, apliquei-as figuradamente a mim mesmo e a Apolo, por vossa causa..." (1Co 4.6). Em seguida vem uma exortação severa aos coríntios na forma de uma ironia de Paulo, em que ele compara seus sofrimentos com aquilo que os coríntios pensavam a respeito de si mesmos (1Co 4.8-13).[21] E neste tom irônico, ele diz: "Porque a mim me parece que Deus nos pôs *a nós, os apóstolos*, em último lugar, como se fôssemos condenados à morte; porque nos tornamos espetáculo ao mundo, tanto a anjos, como a homens" (1Co 4.9).

Parece evidente que "nós, os apóstolos," é uma referência de Paulo a si mesmo e aos doze. Apolo não está incluído aqui por várias razões. Primeira, não há qualquer registro de que ele tenha passado pelo enorme catálogo de sofrimentos que Paulo apresenta aqui como credenciais dos apóstolos. Segundo, Paulo foi o fundador da igreja de Corinto e Apolo apenas continuou o trabalho já começado. E, por fim, como já notamos, a

---

20 Bruce, *1 and 2 Corinthians*, 45.
21 Veja uma análise mais profunda desta passagem em Augustus Nicodemus Lopes, *Uma Igreja Complicada* (São Paulo: Cultura Cristã, 2011), capítulo 12.

expressão "Estas coisas, irmãos, apliquei-as figuradamente a mim mesmo e a Apolo, por vossa causa" (1Co 4.6) se aplica ao que Paulo disse antes e não aos sofrimentos que ele descreve depois.[22]

É verdade que Paulo menciona Apolo várias vezes na passagem como alguém associado a ele. Mas, esta associação se deve ao fato de que Apolo foi aquele que veio a Corinto continuar a obra que Paulo havia começado – eles eram, portanto, cooperadores de Deus na obra em Corinto (1Co 3.4-9). Essa associação vai somente até o final da seção em que Paulo está lidando com as divisões (1Co 3.21-23). Em seguida, Paulo inicia outra seção, que embora esteja ligada aos temas anteriores, se constitui num novo desenvolvimento deles, que é a defesa contra as insinuações e críticas de alguns grupos da igreja quanto ao seu apostolado. Assim, ao dizer no início da seção que "importa que os homens nos considerem como ministros de Cristo e despenseiros dos mistérios de Deus" (1Co 4.1), ele tem em mente os apóstolos de Cristo, especialmente Pedro que é mencionado no contexto, como servos da igreja e ministros de Cristo.[23] A conclusão é que, quando Paulo diz "nós, os apóstolos" (1Co 4.9), ele já havia deixado Apolo para trás na argumentação, e tem em mente aquele grupo formado por ele e pelos doze.

Portanto, é no mínimo incerto que Paulo tenha se referido a Apolo como um apóstolo. O mais provável é que não, até porque Apolo veio a Corinto como pastor e mestre, para continuar o trabalho iniciado por Paulo.

Barnabé

Na segunda vez em que se defende, nesta carta, das insinuações dos coríntios contra o seu apostolado, Paulo inclui Barnabé em sua justificação: "não temos *nós* [eu e Barnabé] o direito de comer e beber? E também o de fazer-nos acompanhar de uma mulher irmã, como fazem *os demais*

---

22 Veja Clark, "Apostleship," 357, que também argumenta em favor desta posição.
23 Cf. G. Bornkamm, μυστήριον, em TDNT, 4:821. Cf. também as observações de Brown (Raymond Brown, *The Semitic Background of the Term "Mystery" in the New Testament*. FBBS, 21, ed. J. Reumann [Philadelphia: Fortress Press, 1968], 44): "O que é de particular interesse aqui [1Co 4.1] é que Deus designou os apóstolos como *oikonomoi* [despenseiros] dos mistérios de Deus".

apóstolos, e os irmãos do Senhor, e Cefas? Ou somente eu e Barnabé não temos direito de deixar de trabalhar?" (1Co 9.4-6).[24] O contexto parece indicar que Paulo considera Barnabé como um apóstolo, com direitos iguais aos seus e aos direitos dos doze.[25]

O que precisa ser explicado com relação a esta passagem é o motivo pelo qual Paulo inclui Barnabé em sua defesa do direito de receber sustento da igreja de Corinto especialmente porque sua argumentação gira em torno de uma comparação deste direito com o direito dos "demais apóstolos", os irmãos do Senhor e Cefas, o líder dos doze. Esta comparação não faria de Barnabé um apóstolo como eles, reforçando assim a ideia de que havia apóstolos como Paulo e os doze naquela época?

Acredito que não, pelos seguintes motivos. Primeiro, a palavra "apóstolo" é usada por Paulo em mais de um sentido, conforme já vimos acima e ainda veremos na análise de textos similares. Aqui em 1Coríntios 9.4-6 os "demais apóstolos" referidos por Paulo são apóstolos de igrejas locais e que eram conhecidos dos coríntios, talvez porque já haviam passado por lá. Todos eles, por serem enviados de uma igreja para pregar o Evangelho, tinham o direito de viver do Evangelho, isto é, de obter seu sustento das contribuições das igrejas por eles plantadas.

Segundo, Paulo e Barnabé podem ser categorizados juntos, como apóstolos, neste sentido da palavra. Ambos foram enviados pela igreja de Antioquia para uma obra de evangelização dirigida pelo Espírito Santo (At 13.1-3). É nesta condição que Lucas se refere a Paulo e Barnabé como "apóstolos", ao relatar a oposição que ambos receberam dos judeus na cidade de Antioquia da Psídia: "Dividiu-se o povo da cidade: uns eram pelos judeus; outros, pelos *apóstolos*" (At 14.4). Mais adiante, ao narrar a obra de evangelização dos dois em Listra e a reação da multidão diante da cura de um coxo de nascença, Lucas outra vez se refere a eles como apóstolos: "Ouvindo isto, os *apóstolos* Barnabé e Paulo, rasgando as suas vestes, sal-

---

24 James D. G. Dunn defende que não há qualquer indicação nesta passagem e seu contexto de que os coríntios estavam questionando os direitos de sustento de Paulo (*1 Corinthians* [Sheffield: Sheffield Academic Press, 1995], p. 60) e que Paulo teria introduzido o assunto por si mesmo. Contudo, esta explicação deixa sem sentido a referência de Paulo aos que o "interpelam", que é a causa dele apresentar esta "defesa" (1Co 9.3).

25 Como defende, por exemplo, Clark, "Apostleship," 355.

taram para o meio da multidão, clamando: Senhores, por que fazeis isto?" (At 14.14). O fato de Barnabé ser mencionado como apóstolo ao lado de Paulo não o torna um apóstolo como Paulo. Pois, Paulo era apóstolo em dois sentidos: o primeiro, como apóstolo de Jesus Cristo aos gentios, por ele constituído na aparição no caminho de Damasco. O segundo, como enviado pela igreja de Antioquia para a obra de evangelização. Barnabé é apóstolo tanto quanto Paulo neste último sentido.[26] Uma comparação que talvez nos ajude a entender é que Pedro se apresenta em sua primeira carta como "apóstolo de Jesus Cristo" (1Pe 1.1) e também como "presbítero" (1Pe 5.1). Neste sentido, uma referência do tipo "os presbíteros Pedro e Nicolau (nome fictício)" não faria de Nicolau um apóstolo como Pedro e, ao mesmo tempo, estaria correta, pois Pedro era também um presbítero. É assim que devemos entender "os apóstolos Paulo e Barnabé" (At 14.14).

Terceiro, o contexto de 1Coríntios 9.4-6 requer que o sentido de "demais apóstolos" seja, de fato, o de enviados de igrejas locais para a obra de evangelização: Paulo se refere à conversão dos coríntios como resultado de seu trabalho de pregação (1Co 9.1), se refere a si mesmo como sendo apóstolo para os coríntios (1Co 9.2), e ao fato de que os demais apóstolos comiam e bebiam e sustentavam sua família em viagens missionárias com as ofertas das igrejas. A menção em separado a Cefas, que era um dos doze, se deve provavelmente ao fato de que ele era um dos líderes prediletos em torno de quem os coríntios haviam criado um dos seus partidos (cf. 1Co 1.12): "até Cefas usa de seus direitos".

Ainda é importante notar que Barnabé e Tito estavam com Paulo quando ele esteve em Jerusalém para um encontro com os apóstolos (Gl 2.1). O assunto do encontro era a missão de Paulo aos gentios. Paulo, mesmo tendo Barnabé e Tito ao seu lado, diz que expôs aos "colunas" o Evangelho que *ele* pregava entre os gentios (Gl 2.2) e fala do *seu* apostolado aos gentios e da graça que *lhe* fora dada (Gl 2.8-9). Nem Barnabé e nem Tito são incluídos no apostolado aos gentios. A destra de comunhão estendida a eles é apenas na qualidade de companheiros de Paulo e parceiros de missão (Gl 2.9). Nas palavras de Spencer-Jones, "Paulo é

---

26 Veja a defesa deste ponto em Jones, "Are There Apostles Today?", 113.

distinguido de ambos em Gálatas capítulo 2. Reconheceu-se que o evangelho da incircuncisão foi confiado a Paulo *exatamente* como o evangelho da circuncisão foi confiado a Pedro".[27]

Nossa conclusão, portanto, é que Barnabé era apóstolo no sentido mais amplo da palavra, como também muitos outros eram assim nomeados naquela época. Eram irmãos enviados por igrejas locais para a obra de evangelização pioneira, para a plantação de novas igrejas em locais ainda não evangelizados. Usada neste sentido, a palavra "apóstolo" descreve a função deles, de enviados em missão. Teoricamente ela poderia ser empregada em nossos dias para designar aqueles que são enviados para o campo missionário, para fazer a obra de evangelização e plantar novas igrejas (como Barnabé, Silas e Timóteo), ou para aqueles que são representantes ou delegados de igrejas em missões de outra natureza (como Epafrodito e os dois irmãos de 2Co 8.23). Duas cautelas, entretanto. Primeira, a palavra "apóstolo" nunca é usada no Novo Testamento como um título, a não ser para os doze e Paulo. Quando usada em referência aos outros, ela simplesmente designa a função que exerciam, sem qualquer conotação de ofício ou exercício de autoridade sobre as igrejas e seus obreiros e líderes. Segundo, os modernos apóstolos não teriam, tecnicamente, o direito de usar a palavra nem como título e nem como descritiva de sua função por uma razão muito simples: eles não são enviados de igrejas locais para abrir novas igrejas na fronteira missionária. Na quase totalidade dos casos, são pessoas que abrem suas próprias comunidades, geralmente advindos de um cisma ou divisão, e que permanecem sempre na mesma cidade onde constroem a sede de sua nova denominação – coisas completamente alheias aos apóstolos-missionários do século I.

Silas e Timóteo

Após haver sido expulso de Tessalônica pelos judeus, Paulo escreve uma carta à igreja recém-fundada, incluindo Silvano e Timóteo no ca-

---

[27] Spencer-Jones, "Are There Apostles Today?," 113.

beçalho da mesma, como coautores (1Ts 1.1).²⁸ E, ao relatar e explicar os eventos acontecidos na cidade em resposta a insinuações de que ele havia abandonado a igreja porque era um mercenário, mais preocupado em salvar sua vida do que com os novos convertidos, ele diz: "Embora pudéssemos, como *enviados* de Cristo, exigir de vós a nossa manutenção, todavia, nos tornamos carinhosos entre vós, qual ama que acaricia os próprios filhos" (1Ts 2.7).

"Enviados de Cristo" (1Ts 2.7) é a tradução de Χριστοῦ ἀπόστολοι, "apóstolos de Cristo".²⁹ Não há dúvida de que Paulo está se referindo a si mesmo, Silvano e Timóteo: eles são incluídos como coautores da carta e Paulo vem usando a terceira pessoa do plural "nós" consistentemente desde o seu início. A questão é em que sentido Paulo os considera *apóstolos de Cristo* ao se incluir com eles nesta designação.

Parece-nos que a resposta é a mesma dada no caso de Barnabé: Paulo, às vezes, chama de "apóstolos" os obreiros enviados para o serviço do Senhor, alguns dos quais seus companheiros de viagens. Silas era da igreja de Jerusalém, profeta e notável entre os irmãos. Seu relacionamento com Paulo começou quando foi escolhido e enviado pela igreja para acompanhá-lo, junto de outros, na missão de entregar aos cristãos gentios as decisões do concílio de Jerusalém sobre a entrada deles na igreja (At 15.22, 32). Mais tarde, o próprio Paulo o escolhe como parceiro para a segunda viagem missionária, depois do desentendimento com Barnabé (At 15.36-41). Juntamente com Timóteo, Silas e Paulo vão a Tessalônica, Beréia e depois a Corinto (At 18.5). Paulo os chama de apóstolos no sentido mais abrangente da palavra, que é de enviados de Cristo, através das igrejas, para a obra de pregar o Evangelho. Como já dissemos antes, Paulo também era um apóstolo neste sentido. Esta é a razão pela qual não hesita em incluir-se na designação. Todavia, quando escreveu sua segunda carta aos coríntios, mesmo que Paulo mencione Timóteo e Silvano como

---

28 É preciso reconhecer que não há unanimidade entre os estudiosos de que Silvano é o mesmo Silas de Atos 15-18, cf. Clark, "Apostleship," 356-357. Todavia, esta identificação não é crucial para nossa argumentação.

29 Enquanto a ARA traduziu ἀπόστολοι como "enviados" – dando o sentido em que o termo é usado aqui, a NVI, NTLH e ARC traduziram literalmente como "apóstolos".

seus colegas e cooperadores (2Co 1.19), ele se apresenta como apóstolo de Jesus Cristo e a Timóteo como "o irmão" (2Co 1.1).

Completando nosso argumento, Silas e Timóteo eram apóstolos de Cristo como seus enviados para o trabalho missionário. Ao chamá-los de apóstolos, Paulo não os está colocando na mesma categoria dos doze apóstolos de Cristo, à qual ele mesmo pertence, mas apenas destacando a genuinidade da vocação deles e a origem de sua missão. A razão pela qual eles vieram pregar o Evangelho em Tessalônica, junto de Paulo, é que foram enviados por Jesus Cristo, ainda que não mediante uma aparição do Senhor ressurreto.

Andrônico e Júnias

Há outras duas pessoas na correspondência paulina que aparentemente são nomeadas de "apóstolos" por Paulo, a saber, Andrônico e Júnias. Elas são citadas ao final da carta aos romanos, com um elogio e o pedido de Paulo que a igreja os saúde em seu nome: "Saudai a Andrônico e a Júnias, meus parentes e companheiros de prisão, os quais são *notáveis entre os apóstolos*, e estavam em Cristo antes de mim" (Rm 16.7).

Há diversos pontos nesse versículo – de difícil interpretação, diga-se de passagem – que precisam ser examinados antes de concluirmos que Andrônico e Júnias eram apóstolos. Primeiro, em que sentido Paulo usa o termo "apóstolo" aqui e, segundo, o que a expressão "notáveis entre os apóstolos" quer dizer. O que está claro é que estes dois eram cristãos na igreja de Roma, que eram parentes de Paulo,[30] que haviam estado na prisão com ele algum tempo antes e que haviam crido em Jesus Cristo como o Senhor antes de Paulo ter passado pela experiência de Damasco. Sabemos também que eles eram "notáveis," uma palavra grega que significa destacados, conhecidos, famosos.[31] O que não sabemos ao certo é se eles eram apóstolos e se Júnias é um nome masculino ou feminino. A importância deste último ponto está no fato que muitos hoje, com base

---

30 O livro de Atos menciona também que Paulo tinha uma irmã e um sobrinho (At 23.16).
31 "Notáveis," ἐπίσημοι, literalmente "aqueles que carregam uma marca". Daí, a ideia de destaque ou realce.

nesta passagem, defendem a contemporaneidade do apostolado neotestamentário e também argumentam em favor do apostolado feminino. No Brasil, as duas "apóstolas" mais conhecidas de nossos dias são Valnice Milhomens e Neuza Itioka, cujas declarações e revindicações serão tratadas mais adiante neste livro.

A questão se Andrônico e Júnias eram apóstolos deve ficar sem definição, pois gramaticalmente, a expressão "os quais são notáveis entre os apóstolos" tanto pode indicar que Andrônico e Júnias eram apóstolos, quanto que eram tidos em alta conta pelos apóstolos existentes. Robertson comenta: "A expressão significa naturalmente que eles eram contados entre os apóstolos no sentido geral, como Barnabé, Tiago o irmão do Senhor, Silas e outros. Mas, a expressão pode significar simplesmente que eles eram famosos no círculo apostólico no sentido técnico."[32]

E mesmo que aceitemos que eram apóstolos, ainda resta o fato de que a palavra apóstolo no Novo Testamento, conforme já vimos acima, é usada, não somente para os doze, para Paulo, e para algumas pessoas associadas a ele, como Barnabé, Silas e Timóteo (cf. At 14.14; 1Ts 1.1), mas também para mensageiros e enviados de igrejas locais, como Epafrodito (Fp 2.25) e uns irmãos mencionados em 2Coríntios 8.23. Portanto, se Andrônico e Júnias eram apóstolos, deveriam pertencer a este tipo de mensageiros das igrejas locais, com um ministério itinerante. Estes "apóstolos" não tinham autoridade de governo em igrejas locais; antes, eram enviados por elas para desempenhar diferentes funções como representantes ou emissários.

E, a propósito, quem era Júnias? Os defensores do apostolado feminino contemporâneo argumentam que Júnias é um nome feminino, e que a mulher com este nome era uma "apóstola", em pé de igualdade com Andrônico. Segundo eles, a passagem prova que Paulo reconhecia que uma mulher podia exercer uma posição de autoridade sobre homens na Igreja apostólica. E, se elas eram admitidas ao apostolado, obviamente o eram também a cargos eclesiásticos, como presbiterato e pastorado.

---

32 A.T. Robertson citado por Wuest, *Wuest's Word Studies*. Cf. expressão similar, "notáveis entre os irmãos," At 15.22.

Mas é preciso considerar várias importantes questões relacionadas com a interpretação desta passagem. A primeira questão depende da solução de um problema textual.³³ Existem três variantes do nome Júnias nos manuscritos gregos de Romanos 16.7. As duas primeiras divergem quanto à acentuação da palavra Júnias no grego: (1) Ἰουνίαν, que seria o acusativo de Ἰουνιᾶς (Júnias) masculino; (2) Ἰουνιαν que seria o acusativo de Ἰουνία (Júnia) feminino. A terceira variante é Ἰουλίαν, que corresponderia ao feminino Júlia, que ocorre mais adiante no verso 15. Esta variante é unanimemente descartada pelos peritos em manuscritologia. Todavia, eles divergem entre si quanto à acentuação da variante certa. Se tiver acento é masculino e se não tiver, é feminino.

As citações mais conhecidas contendo "Júnias" na antiguidade, além de Romanos 16.7, são estas: Plutarco cita uma irmã de Brutus, chamada Júnias; Epifânio, o bispo de Salamina em Chipre, menciona Júnias de Romanos 16.7 como sendo um homem que veio a ocupar o bispado de Apaméia da Síria; e João Crisóstomo se refere a Júnias de Romanos 16.7 como sendo uma irmã notável até mesmo aos olhos dos apóstolos.³⁴

Os resultados são inconclusivos. Parece evidente que Júnias era nome tanto de homem quanto de mulher no período neotestamentário. O problema é que não sabemos em que gênero Paulo o usou em Romanos 16.7. Isso explica o surgimento de variantes divergindo na acentuação, e o surgimento da variante Ἰουλίαν, que é claramente uma tentativa de resolver a ambiguidade.

Se é preciso de tomar uma decisão, devemos dar mais peso à palavra de Epifânio, pois ele sabe mais sobre Júnias do que Crisóstomo, já que informa que Júnias se tornou bispo de Apaméia. Concorda com isto o testemunho de Orígenes (morto em 252 D.C.), que num comentário em latim à carta aos Romanos se refere a Júnias no masculino.³⁵

---

33 Cf. o estudo de U.K. Plisch, "Die Apostelin Junia: das Exegetische Problem im Röm 16,7 im Licht von Nestle-Aland27 und der Sahidischen Überlieferung," em *New Testament Studies* 42 (1996) 477-78. Veja também meu artigo "Ordenação Feminina: o que o Novo Testamento tem a dizer?" em *Fides Reformata*, 2/1 (1997).

34 Cf. John Piper e Wayne Grudem, "An overview of Central Concerns: Questions and Answers," em *Recovering Biblical Manhood & Womanhood: A Response to Evangelical Feminism*, eds. John Piper e Wayne Grudem (Wheaton, IL: Crossway Books, 1991) 79-80.

35 Ibid., 80.

Nomes gregos masculinos terminando em -ας não são incomuns, mesmo no Novo Testamento: André ('Ανδρέας, Mt 10.2), Elias ('Ηλίας, Mt 11.14) e Zacarias (Ζαχαρίας, Lc 1.5).[36] Para alguns comentaristas, Júnias é a abreviação de Junianius, um nome masculino — mas não há evidências claras disto. A conclusão é que não podemos saber com certeza se Júnias era uma mulher. Este é o motivo pelo qual as versões modernas estão divididas.[37]

Em última análise, só podemos afirmar com certeza, a partir de Romanos 16.7, que, quem quer que tenha sido, Júnias era uma pessoa tida em alta conta por Paulo, e que ajudou o apóstolo em seu ministério. Não se pode afirmar com segurança que era uma mulher, nem que era uma "apóstola", e muito menos uma como os doze ou Paulo.[38]

A passagem, portanto, não serve como evidência bíblica para a ordenação feminina no período apostólico. E essa conclusão está em harmonia com o fato de que Jesus não escolheu mulheres para serem apóstolos. Não há nenhuma referência indisputável a uma "apóstola" no Novo Testamento.[39]

Epafrodito

O caso de Epafrodito está entre os que mais claramente ilustram o uso do termo "apóstolo" como enviado de uma igreja local com uma missão específica, que nem sempre era pregar o Evangelho e começar

---

36 A. T. Robertson, *Grammar of the Greek New Testament* (New York: Hodder and Stoughton, 1914) 171-173.

37 A famosa KJV traduziu no feminino, o que é aplaudido por feministas como Berkeley Mickelsen e Alvera Mickelsen, "Does Male Dominance Tarnish Our Translation?" em *Christianity Today* (5 de Outubro de 1979) 23-29. As versões brasileiras estão divididas: ARA: Júnias (masculino), ARC: Júnia (feminino), NTLH: "irmã Júnia" (feminino), NVI: Júnias (masculino).

38 Cf. James B. Hurley, *Man and Woman in Biblical Perspective* (Grand Rapids: Academie, 1981) 121-122. Veja também o excelente artigo de Marcelo Berti em http://marceloberti.wordpress.com/2014/02/03/era-junia-uma-apostola/ (acessado em 05/02/2014).

39 Alguns têm sugerido que Jesus não escolheu mulheres para o colégio apostólico por que estava restrito pela cultura da sua época: mulheres apóstolas não seriam aceitáveis para os judeus da época, e colocariam em perigo a missão de Jesus (cf. G. Bilezikian, *Beyond Sex Roles* [Grand Rapids: Baker, 1985] 236). Da mesma forma, Giles ("Apostles before and after Paul," 250) argumenta que as resistências culturais impediram a igreja de nomear apóstolas na época. Mas estes argumentos são somente especulativos e, ao final, colocam Jesus e os próprios apóstolos numa situação difícil por se deixarem levar pelas convenções culturais em detrimento da verdade. Veja sua refutação em Piper e Grudem, *Recovering*, 221-222.

um trabalho pioneiro. Paulo o menciona duas vezes na carta aos filipenses (Fp 2.25; 4.18). Ao que sabemos, Epafrodito foi enviado pela igreja em Filipos, a qual havia sido fundada por Paulo, até Roma, com a missão de levar uma oferta para o apóstolo, que se achava preso ali. Pode ter sido durante a longa viagem de mais de 1.300 km que Epafrodito contraiu a doença que quase o matou. Paulo aparentemente cuidou dele (sua prisão era domiciliar) durante um tempo, e quando ele estava recuperado, enviou-o de volta a Filipos. Epafrodito, ao que tudo indica, foi o portador da carta aos filipenses, onde Paulo agradece o envio da oferta, dá notícias suas e trata de várias questões teológicas e práticas, provavelmente trazidas sob a forma de consulta por Epafrodito (cf. Fp 2.25-30; 4.10-18).

Epafrodito já era conhecido de Paulo, que se refere a ele como cooperador e companheiro de lutas, por quem o apóstolo tinha muita estima a ponto de entristecer-se bastante quando parecia que Epafrodito ia morrer (Fp 2.25-27). Isto tem levado alguns a pensar que se trata do mesmo Epafras, mencionado por Paulo na carta aos colossenses, que também foi escrita durante o tempo de prisão de Paulo em Roma (Cl 4.18). Paulo se refere a Epafras como um amado conservo (Cl 1.7). Ele era o pastor da igreja de Colossos (Cl 1.7) e intercedia constantemente por seu rebanho, mesmo estando longe, em Roma (Cl 4.12). Paulo ainda menciona Epafras na carta a Filemon, escrita também da prisão, e se refere a ele como "prisioneiro comigo" (Fm 23). Todavia, pesa contra a identificação de Epafrodito com Epafras o fato de que Colossos, onde Epafras era pastor, fica a mais 600 km de Filipos, de onde Epafrodito havia sido enviado a Roma – e isto em direções opostas.

Não sabemos se Epafrodito era o pastor da igreja de Filipos. No mínimo, era o enviado deles a Roma, para atender as necessidades de Paulo. É neste sentido que Paulo se refere a ele como "vosso *mensageiro*," literalmente, ὑμῶν ἀπόστολον, "vosso apóstolo" (Fp 2.25).[40] Aqui vemos claramente o emprego do termo para designar alguém enviado por

---

40 Todas as traduções mais conhecidas em português traduziram ἀπόστολον aqui como *enviado, mensageiro*, etc.

uma igreja para cumprir uma missão, que no caso, era a entrega de ofertas a um obreiro numa terra distante.[41] Em casos assim, o termo ἀπόστολος se aproxima bastante do conceito rabínico de *shaliah*, o representante autorizado ou comissionado oficialmente para representar o que o enviara em missões de diversas naturezas. [42]

"Apóstolos das igrejas"

É nesse mesmo sentido que Paulo se refere a mais dois irmãos como sendo ἀπόστολοι ἐκκλησιῶν, "*mensageiros* das igrejas" (2Co 8.23). A NVI e a NTLH traduziram como "representantes das igrejas," o que provavelmente é mais exato por ressaltar o aspecto da representação comissionada para a execução de uma tarefa.[43] Para ser um apóstolo neste sentido não se requeria um comissionamento feito diretamente pelo Senhor ressurreto e nem ter sido testemunha de sua ressurreição.

Não sabemos quem eram estes "irmãos". Paulo escreve de uma forma a deixar claro que os coríntios saberiam a quem ele se referia, mas este conhecimento morreu com eles e com Paulo. Podemos apenas imaginar que se tratava dos dois irmãos que são mencionados no contexto juntamente com Tito. O primeiro é o irmão "cujo louvor no evangelho está espalhado por todas as igrejas" (2Co 8.18). Ele havia sido eleito pelas igrejas da Macedônia para acompanhar Paulo e Tito a Jerusalém, levando a oferta recolhida nestas igrejas para os crentes judeus pobres (2Co 8.1, 18-19). O outro, Paulo diz sem citar o seu nome, era o irmão "cujo zelo, em muitas ocasiões e de muitos modos, temos experimentado" (2Co 8.22). Ambos haviam sido eleitos pelas igrejas da Macedônia para acompanharem a entrega em Jerusalém das ofertas levantadas por estas igrejas, para evitar a aparência do mal – isto é, que Paulo sozinho ficasse responsável por tão grande soma de dinheiro (cf. 2Co 8.19-21). Nas

---

41 Barrett, *Corinthians*, 293.

42 Para uma posição contrária, veja Schmithals, *The Office of Apostle*, 102.

43 Assim, Martin (Ralph P. Martin, *2 Corinthians*, em Word Biblical Commentary, vol. 40 [Waco, TX: Word, 1986], 278) traduz 2Co 8.23 como "delegados das igrejas".

palavras de Clark, "não há qualquer indicação de que Paulo os considera como missionários ou apóstolos de direito".[44]

À semelhança de Epafrodito (Fp 2.25), estes irmãos eram apóstolos de igrejas locais, representantes autorizados e comissionados para cumprir uma missão em local distante. Em ambos os casos, a entrega de recursos financeiros estava envolvida, o que mostra que Paulo podia, por vezes, usar o termo "apóstolo" sem conotação missionária.

Conclusão

Neste capítulo analisamos as passagens do Novo Testamento em que algumas pessoas, fora do círculo dos doze e de Paulo, aparentam ser chamadas de "apóstolos," que são Tiago, Apolo, Barnabé, Silas, Timóteo, Andrônico e Júnias, Epafrodito e os irmãos que eram "apóstolos das igrejas".

Em nossa avaliação, em nenhum destes casos o termo "apóstolo" é usado no mesmo sentido em que é empregado para os doze e Paulo, como aqueles que foram chamados diretamente pelo Cristo ressurreto para serem testemunhas de sua ressurreição e lançarem o fundamento da igreja cristã. Eles são chamados de "apóstolos" no sentido mais amplo da palavra, como enviados, delegados, representantes, missionários, mensageiros das igrejas no desempenho de uma missão.

Em resumo, podemos perceber que "apóstolo" é usado nestes casos com as seguintes conotações.

1) Alguém cuja posição e função lhe conferia um *status* apostólico similar aos doze e Paulo, muito embora não esteja no mesmo nível deles. A única pessoa no Novo Testamento que se encaixa aqui é Tiago, o irmão do Senhor, a quem o Senhor apareceu depois da ressurreição e que se tornou o líder da igreja de Jerusalém (Gl 1.18; 1Co 15.7). Não haveria correspondentes hoje, pois Jesus não apareceu a mais ninguém depois de Paulo.

2) Aqueles que eram enviados por Cristo, através das igrejas, para pregar o Evangelho em regiões onde Cristo ainda não havia sido anun-

---

44 Cf. Clark, "Apostleship," 360-361.

ciado. Aqui temos Barnabé (At 14.1,14; 1Co 9.6), Silvano e Timóteo (1Ts 1.1; 2.7) e "os demais apóstolos" mencionados por Paulo (1Co 9.5). É somente neste sentido, assim entendemos, que alguém em nossos dias poderia reivindicar a designação. Todavia, os verdadeiros missionários estão bem longe de procurar títulos desta natureza.

3) Aqueles que eram delegados ou mensageiros de igrejas locais, encarregados de levar ofertas aos necessitados, como Epafrodito, mensageiro da igreja de Filipos encarregado de levar uma oferta a Paulo (Fp 2.25) e os "apóstolos das igrejas," enviados por elas para levar uma oferta a Jerusalém junto com Paulo (2Co 8.23).

4) Há dois casos em que não é certo que as pessoas mencionadas foram, de fato, chamadas de apóstolos, Apolo (1Co 4.6,9) e Andrônico e Júnias (Rm 16.7). Mesmo que fossem, seria provavelmente no sentido do segundo ponto, acima.

5) E há aquelas passagens em que a referência aos apóstolos quase que certamente significa os doze discípulos de Jesus Cristo, "todos os apóstolos" (1Co 15.7) e "os outros apóstolos" (Gl 1.19).

Assim, o único sentido em que o termo "apóstolo" poderia ser usado hoje é aquele de missionário pioneiro e desbravador de novos campos, que levam o Evangelho às nações. Foi assim que o título foi usado algumas vezes no decorrer da história da igreja cristã, como por exemplo, "Bonifácio, apóstolo dos germanos" (680-754 d.C.). Há uma longa lista destes pioneiros chamados de "apóstolos," cujos nomes estão sempre associados aos locais onde levaram o cristianismo como pioneiros ou onde ajudaram a sua propagação.[45] Todavia, não é neste sentido que o movimento de restauração apostólica o emprega hoje, e sim num significado similar aos doze e a Paulo.

---

45 Cf. a lista deles em http://en.wikipedia.org/wiki/Apostle_(Christian), acessado em 28/09/2013.

Capítulo 5

"Apóstolo" era um Dom Espiritual?

Precisamos agora tratar de mais duas passagens nas cartas de Paulo, que são usadas como base para a existência de apóstolos em nossos dias: 1Coríntios 12.28 e Efésios 4.11.[1] Nelas, "apóstolos" figuram em listas onde aparecem dons espirituais (χαρίσματα) e ministérios.

> A uns estabeleceu Deus na igreja, primeiramente, *apóstolos*; em segundo lugar, profetas; em terceiro lugar, mestres; depois, operadores de milagres; depois, dons de curar, socorros, governos, variedades de línguas (1Co 12.28).
> E ele mesmo concedeu uns para *apóstolos*, outros para profetas, outros para evangelistas e outros para pastores e mestres (Ef 4.11).

A interpretação destas passagens pelos defensores do apostolado moderno é que ser apóstolo era um dom espiritual ligado a um minis-

---

[1] É no mínimo interessante que Clark, em seu artigo, trata destas duas passagens em conjunto numa seção intitulada "Problem passages" ("Passagens problemáticas"), cf. "Apostleship," 365ss.

tério – o mais importante de todos – visto que estas listas são de dons e ministérios que Deus concedeu à igrejas para sua edificação. Assim, o apostolado deveria ter permanecido ativo na igreja de Cristo através dos séculos, bem como os demais dons mencionados nestas listas.

Quando confrontados com o fato de que não surgiram apóstolos como os doze e Paulo no cristianismo histórico após a morte deles no século I, os defensores do apostolado moderno argumentam que isto se deveu à falta de abertura espiritual para sua manifestação, causada pela corrupção e pela institucionalização da igreja depois do período apostólico. Segundo eles, a Reforma protestante não foi profunda o suficiente no retorno às Escrituras e deveria ter restaurado a validade e exercício dos dons espirituais e de todos os ministérios mencionados no Novo Testamento – inclusive o de apóstolo – nas igrejas cristãs. O atual movimento de reforma apostólica reivindica que isto está sendo feito agora, e que o movimento de reforma apostólica é a continuação da Reforma protestante, levando-a a sua plenitude pela restauração do apostolado na igreja de Cristo.

Este raciocínio se baseia numa interpretação equivocada de "apóstolos" nestas duas listas. Acredito que em nenhuma das duas listas, o termo "apóstolos" se refira a um dom espiritual, como o de ensino ou de profetizar, mas a um ofício, exercido por um número limitado de pessoas levantadas por Deus na igreja em seus primórdios para estabelecer de maneira definitiva o fundamento da igreja de Cristo aqui neste mundo. E, este ministério ou ofício, devido à sua natureza fundacional, era temporário e cessou quando os escritos apostólicos foram reconhecidos e aceitos pelas igrejas cristãs, formando o que conhecemos como o Novo Testamento.

O conceito de apostolado como um ofício exclusivo dos doze e de Paulo na igreja cristã nascente encontra oposição da parte de estudiosos liberais do Novo Testamento. Para eles, a igreja primitiva era inicialmente baseada nos carismas (dons) espirituais. A liderança era exercida por pessoas que tinham dons espirituais de apostolado, profecia, ensino, liderança, etc. À medida que o tempo passou, de acordo com o pensamento liberal, os dons espirituais foram sendo gradativamente substituídos pelos ofícios, enquanto a igreja se tornava mais e mais institucionalizada, naquilo que ficou conhecido como Ur Katholicismus, "catolicismo primitivo", resultando numa ordem hierárquica complexa, fixa e semelhante à militar. Portanto, os documentos do Novo Testamento que falam de ofícios ou de uma ordem hierárquica ou institucional de apóstolos, bispos, presbíteros e diáconos, não podem ter sido escritos no século I, mas somente em meados do século II em diante, em defesa destes ofícios. Assim, Atos, Efésios e as Pastorais (1 e 2 Timóteo e Tito) são consideradas como obras tardias do século II e no caso das cartas de Paulo, são obras pseudepígrafas elaboradas por alguém se passando por ele.[2]

Um exemplo dessa linha de pensamento se vê no liberal alemão E. Käsemann, que diz perceber no livro de Atos este catolicismo incipiente que mais tarde desabrochou no catolicismo pleno, com seus dogmas e hierarquia elaborados. Entre estas tendências "católicas", Käsemann inclui a sucessão apóstolica e transmissão de autoridade. Todavia, simplesmente não existe nada disso em Atos e a tese de Käseman tem sido, em geral, rejeitada.[3] A argumentação proveniente do liberalismo alemão já foi respondida adequadamente por estudiosos conservadores, que demonstram a falta de qualquer base convincente para a rejeição da autenticidade de Efésios, por exemplo, com base nesta distinção entre carisma e ofício.[4]

Outra frente de oposição ao conceito de ofício no período apostólico vem de alguns grupos dentro do campo pentecostal, com sua ênfase nos dons espirituais e no desejo de tê-los todos funcionando em nossos dias – inclusive o dom de apóstolo. Se for admitido que o apostolado seja um ofício ligado aos doze e a Paulo, não se pode reivindicar a existência hoje de apóstolos com a mesma autoridade deles. A questão é, portanto,

---

[2] Como, por exemplo, Arthur Patzia, *Ephesians, Colossians, Philemon* em *New International Biblical Commentary* (Peabody, MS: Hendrickson Publishers Inc., 1984); Ralph Martin, *Ephesians, Colossians, and Philemon* em *Interpretation* (Atlanta: John Knox Press, 1991). Mas, veja um posicionamento distinto em Klyne Snodgrass, *Ephesians* em *The NIV Application Commentary* (Grand Rapids: Zondervan, 1996), 202, que rejeita esta reconstrução liberal, bem como Kirk, "Apostleship since Rengstorf," 258.

[3] Cf. John B. Polhill, *Acts*, vol. 26, *The New American Commentary* (Nashville: Broadman & Holman Publishers, 1995), 53–54.

[4] Cf. por exemplo, as introduções ao Novo Testamento de Donald Guthrie, Robert H. Gundry, D. A. Carson, etc. Embora o argumento carisma *versus* ofício não tenha mais tanta credibilidade nos meios acadêmicos, a autoria paulina de Efésios continua sendo questionada por autores liberais com base em outros argumentos.

se podemos provar biblicamente que o apostolado, em algum sentido, era um dom espiritual ou um ministério permanente da igreja de Cristo.

1Coríntios 12.28

Iniciemos nosso exame do assunto com a análise de 1Coríntios 12.28:

> A uns estabeleceu Deus na igreja, primeiramente, *apóstolos*; em segundo lugar, profetas; em terceiro lugar, mestres; depois, operadores de milagres; depois, dons de curar, socorros, governos, variedades de línguas (1Co 12.28).

A leitura comum desta passagem é que Paulo usa "apóstolos" nesta lista como um dom espiritual, à semelhança dos demais dons mencionados nela. Contudo, creio que aqui, "apóstolos" é a designação de uma determinada classe de pessoas, juntamente com profetas e mestres, que foram instituídas por Deus em sua igreja para o estabelecimento dela e sua consequente edificação. E a classe "apóstolos" tinha uma natureza temporária. Diversos argumentos podem ser usados para demonstrar este ponto.

O sentido geral de "apóstolo" no Novo Testamento

O termo ἀπόστολος, conforme já vimos até aqui, é empregado no Novo Testamento de duas maneiras básicas. A mais frequente é como uma designação do ofício dos doze e de Paulo. Neste uso, "apóstolo" funciona como um título, como "os doze apóstolos" ou "o apóstolo Paulo." Vimos já as qualificações necessárias, bem como as evidências para o ofício de apóstolo. E como somente os doze e Paulo se enquadram nestes requerimentos.[5] Como ofício, o termo "apóstolo" pertence a eles somente. Não se pode falar, aqui, que eles foram colocados nesta posição porque tinham o "dom" de apóstolo.

---

5 Notemos que o próprio Tiago, que era muito próximo dos doze e considerado um homem apostólico, não se apresenta como apóstolo em sua carta (cf. Tg 1.1), enquanto que Paulo e Pedro consistentemente usam este título (cf. 1Pe 1.1; 2Pe 1.1; Rm 1.1; Ef 1.1; etc.).

O outro uso do termo ἀπόστολος é para designar uma função desempenhada por alguém que foi escolhido e enviado por uma igreja ou igrejas para uma obra. Conforme vimos no capítulo anterior, podemos incluir nesta categoria os irmãos que eram "apóstolos das igrejas" (2Co 8.23), Epafrodito, que era "apóstolo" dos filipenses para auxiliar nas necessidades financeiras de Paulo (Fp 2.25), Barnabé (At 14.4,14) e outros obreiros referidos como "os demais apóstolos" por Paulo em 1Coríntios 9.5.

Assim, "apóstolo" no Novo Testamento não é a designação de um dom espiritual. O termo designa o ofício de apóstolo (os doze e Paulo) e pessoas que foram enviadas com uma missão. Esta missão tanto podia ser pregar o Evangelho (Paulo e Barnabé, At 14.4,14; Silas e Timóteo, 1Ts 2.17; "os demais apóstolos", 1Co 9.5; talvez Andrônico e Júnias, Rm 16.7) ou entregar uma oferta em dinheiro (os irmãos, 2Co 8.23; Epafrodito, Fp 2.25). Isto não quer dizer que os doze, Paulo e os demais chamados de apóstolos não tivessem dons espirituais ou que não precisavam deles. Usando apenas Paulo como exemplo, encontramos em sua pessoa dons como mestre e profeta (At 13.1; 2Tim 1.11), línguas (1Co 14.18), sinais e prodígios (2Co 12.12), para mencionar alguns. Ou seja, apóstolos como Silas e Timóteo, enviados para pregar o Evangelho, provavelmente teriam dons de evangelista, mestre, pastor, governos, e outros relacionados com esta função.[6] O que quero dizer é que, enquanto "profetas" e "mestres" designam uma classe reconhecida de pessoas (veja At 13.1-2) e os dons espirituais correspondentes (veja 1Co 14.2; Rm 12.6-7), não há um dom que corresponda ao ofício de apóstolo nesta mesma proporção.

A divisão da lista entre pessoas e dons

Percebe-se, num exame mais cuidadoso, que Paulo parece dividir a lista de 1Coríntios 12.28 em duas partes. Na primeira, marcada pela sequência "primeiramente... segundo... terceiro," ele enumera os apóstolos, profetas e mestres, pessoas que foram estabelecidas por Deus

---

6 Silas tinha o dom de profetizar, At 15.27. Veja a exortação de Paulo a Timóteo para reavivar o dom que havia recebido pela imposição de suas mãos e dos presbíteros (1Tm 4.14; 2Tm 1.6), bem como sua exortação para que ele fizesse a obra de um evangelista (2Tm 4.5).

na igreja como seus ministros.⁷ Eles estão numa posição de maior importância em relação ao que vem na segunda parte da lista. Esta é composta de cinco dons ou atividades, colocadas de maneira genérica: milagres, curas, socorros, governos e variedades de línguas. "Operadores de milagres", que vem em seguida a mestres, é a tradução de δυνάμεις, "milagres" – a palavra "operadores" não ocorre no grego. Depois de "milagres" é que aparece a palavra "dons" (χαρίσματα) se referindo a curar. Ou seja, Paulo menciona no início da lista *pessoas* que foram estabelecidas na igreja por Deus e, depois, passa a citar de maneira abstrata os *dons espirituais*.⁸

Esta divisão da lista entre pessoas e dons também aparece claramente no versículo seguinte: "Porventura, são todos apóstolos? Ou, todos profetas? São todos mestres? Ou, operadores de milagres? Têm todos dons de curar? Falam todos em outras línguas? Interpretam-nas todos?" (1Co 12.29). É evidente a distinção entre ser apóstolos, profeta ou mestre e ter dons de curar e falar em línguas. Portanto, estando no topo da primeira parte da lista, "apóstolos" não pode ser considerado como um dom similar aos que vêm na segunda parte.

É interessante ainda observar que na lista de Romanos 12.6-8 Paulo segue uma ordem inversa: ele inicia com dons (profecia e ministério) e termina com pessoas (o que ensina, o que exorta, o que contribui, etc.), o que mostra que ali ele estava interessado primeiramente em tratar dos dons, enquanto que em Corinto ele deseja estabelecer a supremacia dos ofícios ocupados por pessoas dotadas, supremacia essa sobre os dons como o de fazer milagres, curar e especialmente falar em línguas.⁹

---

7 Notemos a relação com 1Co 12.18. "Deus dispôs" e "Deus estabeleceu" traduzem a mesma frase em grego, ἔθετο ὁ θεὸς. Cf. F. Godet, *Commentary on St. Paul's First Epistle to the Corinthians* (Edinburgh: T & T Clark, 1890), 222.

8 Cf. Robertson, *Corinthians*, 280. A NVI e a NTLH traduziram, equivocadamente, na minha opinião, esta lista sem fazer a distinção entre *pessoas* (apóstolos, profetas e mestres) e *dons* (milagres, curas, socorros, etc.). Cf. p. ex. NVI: "Na igreja, Deus estabeleceu primeiramente apóstolos; em segundo lugar, profetas; em terceiro lugar, mestres; depois os que realizam milagres, os que têm dons de curar, os que têm dons de prestar ajuda, os que têm dons de administração e os que falam diversas línguas". Cf. a tradução correta da ARC, "E a uns pôs Deus na igreja, primeiramente, apóstolos, em segundo lugar, profetas, em terceiro, doutores, depois, milagres, depois, dons de curar, socorros, governos, variedades de línguas".

9 Assim Barrett, *Corinthians*, 295; Robertson, *Corinthians*, 280.

As razões para a divisão da lista

Há vários motivos prováveis pelos quais Paulo faz esta distinção na lista entre pessoas dotadas por Deus (apóstolos, profetas e mestres) e dons espirituais (milagres, curar, socorros, governos e línguas). Ele certamente desejava corrigir a supervalorização do dom de línguas que acontecia na igreja de Corinto.[10] Esta é a razão principal pela qual ele apresentou a lista em sequência, "primeiramente, apóstolos; em segundo lugar, profetas; em terceiro lugar, mestres", agrupando em seguida os dons espirituais sem ordem aparente, mas deixando as línguas por último (1Co 12.28). Barrett corretamente observa que o objetivo de Paulo era destacar a importância para a Igreja desses três ofícios da palavra, pelos quais ela é implantada e edificada. Ele poderia ter enumerado por ordem os demais dons também, mas julgou não ser necessário, apenas colocando línguas e interpretação em último lugar. Apóstolos, profetas e mestres são ministérios da Palavra e, portanto, "o ministério cristão primordial".[11] Eles figuram aqui em "ordem de eminência",[12] pois, como ministérios da Palavra, são de importância vital para a existência e manutenção das igrejas. Os dons mencionados na segunda parte da lista ocupam posição secundária quanto a isto, especialmente o dom de línguas, o menos útil de todos para a edificação da igreja, conforme Paulo argumenta no capítulo 14 desta carta.

Outra razão pela qual Paulo se refere aos apóstolos, profetas e mestres como pessoas que vêm primeiro numa lista de importância para a edificação da igreja é a oposição que ele sofria da parte de, pelo menos, um grupo da igreja de Corinto quanto ao seu apostolado. Ao colocar os apóstolos no topo de uma lista daqueles que foram estabelecidos por Deus na igreja para a sua edificação, Paulo estava lembrando aos coríntios que os apóstolos eram o ofício mais elevado na igreja de Cristo por causa de sua utilidade e propósito. Talvez, ao ter se referido à cabeça como membro do corpo (1Co 12.21) Paulo já tinha em mente o apostolado.[13]

---

10 Cf. sobre isto Lopes, *O Culto Espiritual*. Veja ainda Godet, *Corinthians*, 222.
11 Barrett, *Corinthians*, 295.
12 Robertson, *Corinthians*, 279.
13 É o que sugere Godet, *Corinthians*, 224.

Ofícios

Alguns estudiosos percebem a importância desta distinção entre pessoas e dons e identificam os três primeiros da lista como sendo ofícios.[14] John MacArthur aponta para o uso do verbo τίθημι, "estabelecer," na passagem, o qual é usado com frequência para indicar uma designação oficial de alguém para um ofício. Jesus "designou" os seus doze discípulos (Jo 15.16). Deus "constituiu" os presbíteros como bispos (supervisores) do rebanho de Deus (At 20.28) e o próprio Paulo foi "designado" pregador, apóstolo e mestre (2Tm 1.11). Da mesma forma, Deus "estabeleceu" soberanamente em sua igreja apóstolos, profetas e mestres. MacArthur acredita que os dois ofícios de apóstolo e profetas foram temporários e cessaram quando o Novo Testamento foi completado.[15] Calvino tem uma posição semelhante, embora para ele somente o ofício de apóstolo era temporário e que os outros dois, profetas e mestres, são permanentes.[16]

De acordo com Robertson e Plummer, esta lista indica que "os apóstolos eram a ordem primeira da igreja". Eles eram análogos aos profetas do Antigo Testamento, enviados ao novo Israel como os profetas foram enviados ao antigo. Como tal, pertenciam à igreja toda e não a congregações locais.[17] E como tal, o ofício de apóstolo cessou como também o dos profetas do Antigo Testamento.

Quem são os "apóstolos" desta lista

À luz destes argumentos, a explicação que nos parece mais plausível para o significado de "apóstolos" nesta lista é que Paulo tem em mente os doze e a si mesmo.[18] Esta posição, contudo, não é consenso.

---

14 Hans Conzelmann, *1 Corinthians* (Philadelphia: Fortress Press, 1975), p. 215; Adolf von Harnack, *The Mission and Expansion of the Christianity in the First Three Centuries*. Vol. 1 (New York: Harper, reimpressão 1962), pp. 319-368; Gordon Clark, *First Corinthians: a contemporary commentary* (Jefferson, Md: Trinity Foundation, 1991), p. 200.

15 John MacArthur, *1Corinthians*, em *The MacArthur New Testament Commentary* (Chicago: Moody Press, 1984), 322-323.

16 João Calvino, *1 Coríntios* (São Paulo: Edições Parácletos, 1996), 390. Para Calvino, os profetas eram expositores e pregadores da Palavra e este ofício permanece hoje no ofício de pastores e mestres.

17 Robertson, *Corinthians*, 279.

18 MacArthur, *1 Corinthians*, 323; Gregory J. Lockwood, *1 Corinthians* (Saint Louis: Concordia, 2000), 452; Carson, *Showing the Spirit*, 88-91.

Diversos exegetas entendem que o termo se aplica, além dos doze e Paulo, a Tiago, Barnabé, Silas e mesmo evangelistas ou missionários como Timóteo e Tito.[19] O argumento usado por quase todos que defendem esta posição é que Paulo usa o termo "apóstolo" num sentido muito mais amplo do que os doze e ele mesmo. Na frase clássica de Robertson e Plummer, "não poderia ter havido falsos apóstolos (2Co 11.13), a menos que o número de Apóstolos [sic] fosse indefinido".[20] Contudo, não estamos negando que o termo é usado de maneira ampla por Paulo, como já analisamos detalhadamente desde o início de nosso estudo. O que vimos também foi que os contextos geralmente indicam quem Paulo tem mente quando usa o termo "apóstolo". O fato de que ele chama várias pessoas diferentes de apóstolos não quer dizer que ele está usando a palavra sempre no mesmo sentido. Carson corretamente afirma que "as tentativas de estabelecer o que o apostolado significava para Paulo simplesmente apelando para o alcance semântico pleno da palavra, como ela aparece em seus escritos, é um procedimento profundamente errado no nível metodológico".[21] Além do que, seria absurdo pensar que evangelistas e missionários figurariam acima de profetas e mestres na igreja apostólica. Os argumentos que se seguem me parecem suficientes para estabelecer a posição de que, aqui, "apóstolos" é a designação dos doze e de Paulo.

Em quase todas as ocorrências do termo ἀπόστολος nesta carta, a referência é ao próprio Paulo, como apóstolo de Jesus Cristo (1Co 1.1; 9.1-2; 15.9) e aos doze (1Co 4.9; 15.7), conforme já demonstramos acima.[22] A única exceção parece ser "os demais apóstolos" (1Co 9.5), uma referência aos enviados das igrejas para a pregação do Evangelho. Portanto, ao dizer que Deus estabeleceu na igreja primeiramente os apóstolos, Paulo não pode ter em mente outra categoria que não aquela dos doze e ele mesmo.[23]

---

19 Cf. Godet, *Corinthians*, 224; Barrett, *Corinthians*, 294-295; Robertson, *Corinthians*, 279; Morris, *First Corinthians*, 175.
20 Robertson, *Corinthians*, 279.
21 Carson, *Showing the Spirit*, 90.
22 Cf. Carson, *Showing the Spirit*, 88-91; Lockwood, *1 Corinthians*, 452.
23 Cf. Carson, *Showing the Spirit*, 90.

Eles foram estabelecidos primeiramente por Deus na igreja pelo caráter fundamental de seu chamado e obra, conforme já vimos acima: "Edificados sobre o fundamento dos apóstolos e profetas" (Ef 2.20). Os doze e Paulo foram apóstolos de Jesus Cristo para lançar os fundamentos da Igreja e registrar a revelação: "... o mistério... agora revelado aos seus santos apóstolos e profetas" (Ef 3.5). Os profetas das igrejas vêm em segundo, em grau de importância, como os intérpretes e aplicadores da mensagem apostólica.[24] E os mestres em terceiro, como aqueles que regularmente ensinavam nas igrejas com base nas instruções apostólicas, que cedo adquiriram forma escrita, ao lado das Escrituras do Antigo Testamento.

O significado de "primeiramente" (πρῶτος, 1Co 12.28) é crucial para entendermos o sentido de "apóstolo" aqui nesta lista.[25] Este advérbio pode ser traduzido como "primeiro de uma série" ou "aquilo que é melhor, proeminente ou mais importante".[26] O contexto nos ajuda a decidir pela segunda opção. Nesta parte da carta, Paulo está estimulando os coríntios a buscarem o que é melhor para a edificação da igreja: "Procurai, com zelo, os melhores dons"(1Co 12.31). Portanto, a sequência "primeiramente... segundo... terceiro" destaca aqueles ministérios que são mais importantes para a igreja de Cristo, dos quais os "apóstolos" seriam os mais importantes, seguidos pelos profetas e mestres.[27]

Somente os doze e Paulo poderiam figurar como primeiros numa lista de importância de ofícios e ministérios que Deus estabeleceu na igreja. Conforme Carson, "é difícil imaginar por que Paulo designaria

---

24 Para Calvino, esses profetas não eram dotados do dom de vaticinar (predizer), mas eram expositores e intérpretes da Palavra de Deus, hábeis para aplicar seu ensino às circunstâncias presentes (Calvino, 1 Coríntios, 390). Nesta mesma linha, veja J. Gillespie, "Interpreting the Kerygma: Early Christian Prophecy According to 1 Corinthians 2:6-16,", em *Gospel Origins & Christian Beginnings*, eds. J. E. Goehring, et al. (Sonoma, CA: Polebridge Press, 1990), pp. 151-66. De acordo com Thomas Gillespie, os profetas cristãos foram os primeiros intérpretes do kerygma, isto é, da proclamação apostólica, e, portanto, os primeiros teólogos cristãos cf. Thomas Gillespie, *The First Theologians. A Study in Early Christian Prophecy* (Grand Rapids, Michigan: WM. B. Eerdmans Publishing Co., 1991).

25 Cf. Carson, "A palavra reveladora, acredito, é 'primeiramente'" (*Showing the Spirit*, 90).

26 Cf. Louw & Nida, πρῶτος; TDNT, πρῶτος.

27 Cf. Calvino, 1 Coríntios, 392; Morris, *First Corinthians*, 143; Carson, *Showing the Spirit*, 36 (embora relutante); Barrett, *Corinthians*, 295. Os coríntios, por assim dizer, tinham a sua própria lista de dons por importância. Não é difícil imaginar qual ocupava o topo da lista: as línguas! Paulo toma a lista dos coríntios e a coloca de cabeça para baixo, em 12.28, invertendo a prioridade que eles davam ao dom de línguas, colocando-o como último da lista em importância.

como 'primeiramente', em qualquer sentido, aqueles que eram apóstolos num sentido derivado – mensageiros das igrejas, talvez".[28]

De acordo com Godet, Paulo teria começado a lista pensando em enumerar apenas uma variedade de ministérios e dons que Deus havia estabelecido na igreja. Ao deparar-se com a desigualdade de importância e utilidade entre eles, decide então ordená-los conforme o seu valor para a igreja. A lista, portanto, reflete a primazia do ofício de apóstolo tanto porque veio primeiro como por sua dignidade.[29]

Notemos ainda que os "apóstolos" desta lista foram estabelecidos "na igreja," ἐν τῇ ἐκκλησίᾳ, e não "nas igrejas". Esta qualificação cabe apenas aos doze e Paulo, que tinham um ministério universal e não local. Paulo inicia esta lista de ofícios e dons dizendo que Deus os estabeleceu "na igreja". Diversos estudiosos têm observado que esta é provavelmente a primeira vez em que a palavra "igreja" é usada por Paulo para se referir à igreja universal e não a uma igreja local.[30] A importância desta observação está no fato de que Paulo não pode estar pensando em apóstolos no seu sentido geral, mas nos doze e em si mesmo. Eles não eram oficiais ou ministros de igrejas locais, designados por elas para servir àquelas comunidades – como provavelmente era o caso com os "apóstolos das igrejas", os profetas e os mestres. Eles eram ministros estabelecidos por Deus sobre toda a igreja, isto é, eles eram apóstolos para as igrejas de Corinto, Éfeso, Colossos, Roma, etc., e também para todas as que haveriam de vir, até os nossos dias. É nesse sentido que a igreja cristã atual também é apostólica. Ela se baseia na doutrina dos apóstolos que foi preservada nos escritos apostólicos. Notemos que, na outra lista de dons que aparece neste mesmo capítulo (1Co 12.8-10), Paulo tem em mente a igreja de Corinto. Nela, ele descreve os dons que estavam presentes naquela igreja. Os apóstolos não aparecem nesta lista.[31]

Quanto à objeção de que necessariamente teríamos de incluir profetas e mestres também como ofícios da igreja universal, podemos

---

28 Carson, *Showing the Spirit*, 90.
29 Godet, *Corinthians*, 222-223. Nesta mesma linha, Robertson, *Corinthians*, 278-279.
30 Como Robertson, *Corinthians*, 278; Morris, *1 Corinthians*, 174; Lockwood, *1 Corinthians*, 452.
31 Cf. Godet, *Corinthians*, 223.

ponderar, como C. K. Barret, que "Paulo usa a palavra 'igreja' aqui nos dois sentidos [universal e local] e que este sentido muda à medida que o texto progride: apóstolos na igreja universal e profetas nas assembléias das igrejas locais".[32]

Em conclusão, entendemos que "apóstolos" em 1Coríntios 12.28 é uma referência de Paulo aos doze e a si mesmo, como o ofício mais elevado na igreja de Cristo, devido à sua função de trazer a Palavra por revelação divina, e assim estabelecer os fundamentos da igreja juntamente com os profetas do Antigo Testamento (Ef 2.20). Portanto, não se pode usar esta passagem para a reivindicação de que existe o dom de apóstolo e que o mesmo está em operação em nossos dias, uma vez que as qualificações do ofício não estão mais disponíveis.

Efésios 4.11

Passemos agora a analisar a segunda passagem onde "apóstolos" figuram ao lado de outros ministérios ou dons espirituais.

> E ele mesmo concedeu uns para *apóstolos*, outros para profetas, outros para evangelistas e outros para pastores e mestres, com vistas ao aperfeiçoamento dos santos para o desempenho do seu serviço, para a edificação do corpo de Cristo (Ef 4.11-12).

Clark corretamente avalia que "estes versículos são cruciais para o entendimento restauracionista da necessidade da continuação do ministério apostólico".[33]

Pessoas com dons

Indaguemos, inicialmente, se esta lista é de dons espirituais, os quais estariam disponíveis para a igreja cristã em todos os tempos

---

32 Barrett, *Corinthians*, 293.
33 Clark, "Apostleship," 366. Por "Restauracionista" ele se refere ao moderno movimento que busca restaurar o ministério apostólico nas igrejas hoje.

de sua existência aqui neste mundo. Notemos, de saída, a maneira como Paulo descreve os componentes da mesma. Embora ele se refira nos versos 7 e 8 aos dons espirituais que foram dados por Cristo à sua igreja (cf. "a graça foi concedida...", v.7; "concedeu dons...", v.8), a lista do verso 11 não é apresentada de forma abstrata, como "dons de curar, dom de profetizar, dons de discernimento e ciência," a exemplo de outras listas (cf. 1Co 12.4-11; 28-29; Rm 12.6-8). Paulo diz que Cristo concedeu *pessoas* que são apóstolos, profetas, evangelistas, pastores e mestres. Ele concedeu "uns" e "outros". Estas pessoas, sem dúvida, foram capacitadas com dons espirituais para exercer estes determinados e diferentes ministérios ou ofícios na igreja.[34] Segundo Snodgrass, "a ideia aqui não é de dons dados a um grupo especial, mas da graça dando pessoas a igreja".[35]

A liderança na igreja apostólica

Outra constatação é a complexidade das funções descritas nesta lista. É praticamente impossível reavermos com exatidão o funcionamento prático do sistema de governo ou liderança que era exercido nas igrejas cristãs no período apostólico. O Novo Testamento menciona apóstolos, presbíteros, bispos, evangelistas, diáconos e diversas outras categorias, além do dom de presidir e governar. Nem sempre é possível termos uma descrição acurada do trabalho exercido por estas pessoas. Pastores podiam ser mestres e alguns profetas eram mestres também. Apóstolos, como Paulo, eram profetas e mestres. Presbíteros governavam igrejas locais e também pregavam. Diáconos, como Felipe e Estevão, foram eleitos para cuidar da obra social das igrejas, mas eram pregadores e evangelistas.

O que transparece com mais clareza é que todos eles exerciam suas funções mediante a pregação da Palavra e que as diferenças estavam na área de inspiração, autoridade que exerciam nas igrejas,

---

34 Cf. Harold W. Hoehner, *Ephesians* em ed. Phillip W. Confort, *Cornerstone Biblical Commentary* (Carol Stream, IL: Tyndale House Publishers, 2008), 82; Snodgrass, *Ephesians*, 137.

35 Snodgrass, *Ephesians*, 203.

reconhecimento como uma classe ou ofício e mobilidade. Aqueles que eram reconhecidamente inspirados por Deus eram os apóstolos. Eles também eram recebidos com maior autoridade. Já mobilidade é um enigma. Os doze parecem ter estacionado por um tempo em Jerusalém, mas depois se mobilizaram pelo Império, pregando o Evangelho em todo lugar, como podemos inferir discretamente de Atos e segundo nos conta a tradição cristã. Já Paulo era um itinerante, sem sede definida por mais do que dois ou três anos num mesmo lugar. Os profetas eram receptores de revelações ocasionais e, por vezes, eram capazes de profecia preditiva.[36] Havia profetas itinerantes, como Silas e Ágabo, mas havia profetas estacionados em suas igrejas, como aqueles de Corinto. O Didaquê, que data do século II, menciona apóstolos e profetas itinerantes. Os evangelistas não parecem ter sido canais de revelação e nem sabemos que autoridade eles teriam nas igrejas. Como o nome indica, eles eram pregadores das boas novas. Eles seriam, à primeira vista, os que tinham mais mobilidade. Mas, Felipe, o único chamado com este título no Novo Testamento, apesar de suas viagens para Samaria, tinha uma casa em Cesaréia, e Timóteo, a quem Paulo exorta a que faça a obra de um evangelista, estava fixo na cidade de Éfeso. Os únicos que aparentemente eram sitos em comunidades locais eram os pastores destas igrejas, que também são chamados de mestres. Eles não eram portadores de revelação, mas sua instrução era para ser recebida como autoritativa enquanto estivesse em harmonia com o ensino apostólico.

Diante deste quadro, pintado de maneira simples acima, precisamos reconhecer que é praticamente impossível agrupar numa mesma categoria todos que são mencionados por Paulo nesta lista de Efésios 4.11. Nem todos são inspirados, eles não têm a mesma autoridade, alguns eram itinerantes e outros não, uns representam ofícios e outros apenas dons.

---

36 As revelações que eram dadas aos profetas das igrejas locais não eram as mesmas revelações fundacionais dadas aos apóstolos, mas percepções quanto à aplicação da palavra de Deus às circunstâncias, de forma que profetizar é descrito por Paulo como se fosse pregação (cf. 1Co 14.3, 24-25, 30). Os profetas que são associados aos apóstolos na recepção de revelações fundacionais são provavelmente os profetas do Antigo Testamento, embora haja controvérsia sobre este ponto (Ef. 2.20; 3.5).

	Apóstolos	Profetas	Evangelistas	Pastores/mestres
Inspiração	x	x		
Revelação	x	x		
Governo	x		?	x
Mobilidade	x	?	?	
Dom		x	?	x
Ofício	x			x
Permanente			x	x

É natural, portanto, que existam diversas interpretações deste versículo, todas defendidas por hábeis expositores, quanto à natureza dos apóstolos, profetas, evangelistas, pastores e mestres mencionados por Paulo. Pessoalmente, entendo que ela é uma relação, não exaustiva, de diferentes ministérios que foram levantados por Deus para que a igreja de Cristo, como corpo, viesse a existir, se edificar e se expandir no mundo, como o contexto da passagem indica.

A temporariedade de funções

Infere-se, portanto, que nem todos esses ministérios de Efésios 4.11 são necessários em todas as épocas da igreja. Apóstolos, como Paulo, foram receptores da revelação de Deus e instrumentos dele para estabelecer a verdade central do Evangelho sobre a pessoa de Cristo e para escrever esta verdade – ele e pessoas associadas a ele. Paulo e os doze tiveram um papel fundacional no início da igreja cristã. Seu ofício se tornou exclusivo à medida que seus ensinos se tornaram Escritura. Podemos falar de apóstolos hoje somente no sentido secundário e como analogia: os modernos missionários cristãos são semelhantes a pessoas como Barnabé, Epafrodito, Silas e Timóteo, que eram enviados de igrejas para anunciar o Evangelho, e por isto eram chamados de apóstolos, "enviados". Assim, da mesma forma, podemos falar de profetas hoje, mas somente no sentido de expositores e pregadores da palavra de Deus, não mais como canais de revelações e expositores dos mistérios de Deus.

Aqui, em Efésios 4.11, portanto, Paulo não está preocupado em dar uma lista que seja somente de oficiais da igreja, ou somente de dons, ou somente de ministérios, ou somente daqueles que exercem autoridade na igreja. A lista é daqueles diferentes ministérios que Deus usa para abençoar o seu povo. Se removermos de nosso caminho o desejo de achar uma explicação que encaixe todos mencionados nesta lista numa única categoria, estaremos livres para entender melhor o que cada um deles representa. E, para isto, o contexto não será somente a lista, mas a carta aos Efésios e todo o Novo Testamento. E, ao fazermos isto, verificaremos que Paulo pode colocar os apóstolos numa mesma lista em que constam pastores e mestres sem que isto nos leve à conclusão que ser apóstolo era um dom, como os pastores e mestres, ou que pastores e mestres são ofícios como o de apóstolo. Paulo poderia perfeitamente colocar na mesma lista ministérios que foram temporários, como apóstolos e profetas, e ministérios que são permanentes, como evangelistas, pastores e mestres.

Parece-nos que o motivo pelo qual alguns se sentem obrigados a defender que "apóstolos" aqui deve ser um dom, é a presença nesta mesma lista de funções que são reconhecidamente um dom, como profetas e mestres (cf. "dom de profetizar," 1Co 13.2; Rm 12.6-7). Mas, conforme já mencionamos, não nos parece que "dom espiritual" é o critério orientador pelo qual Paulo selecionou os componentes desta lista, e sim a contribuição destes diferentes ministérios para a edificação do corpo de Cristo.

Quem são os "apóstolos" desta lista?

Uma vez libertos da tentação de classificarmos todos os componentes desta lista numa única categoria (dons, ofícios, ministérios, etc.), podemos agora focar no termo "apóstolos" e decidir a quem Paulo se refere simplesmente examinando como ele usa o termo nesta carta. Este uso está em perfeita harmonia com o uso que ele faz em 1Coríntios e nas demais cartas, ou seja, "apóstolos" é, nesta carta, uma referência aos doze apóstolos de Jesus Cristo, dentre os quais Paulo se incluía.[37] A palavra "apóstolo" aparece 4 vezes nesta carta. Uma delas é uma referência de Paulo a si mesmo, quando se apresenta, "Paulo, apóstolo de Jesus Cristo por vontade de Deus" (Ef 1.1). Outras duas são referências claras aos doze, com a possível inclusão de si próprio. Em Efésios 2.20, Paulo diz que a igreja está edificada sobre o fundamento dos apóstolos e profetas (Ef 2.20). John Stott, mesmo dando uma dimensão mais ampla ao sentido do termo nesta passagem, ainda assim o restringe consideravelmente:

> A palavra "apóstolos" aqui não pode ser um termo genérico para missionários ou plantadores de igrejas ou bispos ou outros líderes de igrejas; na verdade, ela deve denotar aquele grupo pequeno e especial que Jesus escolheu, chamou e autorizou a ensinar em seu nome, e que foram testemunhas oculares da sua ressurreição, consistindo dos doze e de Paulo, Tiago e talvez um outro mais.[38]

Paulo diz ainda que aos "santos apóstolos e profetas" foi revelado o mistério da inclusão dos gentios na igreja (Ef 3.5). Notemos que ele qualifica os apóstolos como "santos", um adjetivo que Paulo dificilmente usaria a não ser para os doze, que, a esta altura, já eram reconhecidos como um grupo distinto e restrito, ao qual Paulo insiste em pertencer.[39] Os únicos

---

[37] John R. W. Stott, *The Message of Ephesians* em The Bible Speaks Today (Downers Grove: Intervarsity, 1991), 160; Snodgrass, *Ephesians*, 203 (embora timidamente).
[38] Stott, *Ephesians*, 107. Cf. também Ernest Best, *Essays on Ephesians* (Edinburgh: T & T Clark, 1997), p. 158.
[39] Cf. Best, *Ephesians*, 158. Abraham Kuyper nota que eles são chamados de "santos", não porque haviam obtido a perfeição, mas porque haviam sido separados para o serviço de Deus, como o templo e sua mobília (*The Work of the Holy Spirit*, 139-140). Clark comenta que, ao usar "santos", Paulo está expressando a compreensão

apóstolos mencionados no Novo Testamento que se qualificam como receptores da revelação de Deus e estabelecedores do fundamento da igreja são os doze apóstolos de Jesus Cristo e Paulo. Portanto, ao dizer que Deus concedeu "apóstolos" à sua igreja para sua edificação, Paulo tinha em mente este grupo restrito, que portava o ofício temporário de apóstolo.[40]

Uma objeção que pode ser levantada é que Paulo menciona explicitamente os dons no contexto imediato da passagem: "A graça foi concedida a cada um de nós segundo a proporção do dom de Cristo" (Ef 4.7). "Graça," χάρις, não se refere à graça salvadora, mas aos dons que Cristo concedeu a cada um dos crentes.[41] Em seguida, Paulo diz que Cristo, ao subir aos céus na ressurreição, "concedeu dons aos homens", ἔδωκεν δόματα τοῖς ἀνθρώποις (Ef 4.8). Estes "dons" são enumerados em seguida numa lista, a qual é prefaciada pelo mesmo verbo "conceder", do verso 8, "ele mesmo concedeu," καὶ αὐτὸς ἔδωκεν (Ef 4.11). E o termo "apóstolos", ἀποστόλους, ocorre logo no início dela. A isto pode ser argumentado que, embora Paulo esteja se referindo aos dons espirituais nos versos 7 e 8, contudo, no verso 11 ele menciona os que receberam estes dons, descrevendo o ofício ou ministério que eles exercem.[42] Apóstolos, profetas, evangelistas, pastores e mestres são a dádiva do Cristo vencedor ao seu povo.

Em outras palavras, os únicos apóstolos que serviam como fundamento da igreja – seus ensinos e seus escritos – e a quem Deus deu revelações diretas relacionadas com o surgimento da igreja e seu andamento, e que poderiam, assim, figurar como primeiros nas listas de ofícios e ministérios da igreja, são os doze e Paulo. Este ofício, evidentemente, cessou com a morte deles. Não existem mais apóstolos neste sentido. De acordo com Rengstorf, "os apóstolos são oficiais de Cristo, pelos quais

---

de que tanto ele quanto os principais representantes dos apóstolos e profetas, foram favorecidos com um papel especial na igreja, o que sugere que este papel não era para ser continuado ("Apostleship," 367).

40 A maneira como Paulo descreve seu apostolado nesta carta (Ef 3.7-9), deixa claro que ele via pelo menos o seu apostolado como um ofício. Ele foi "constituído ministro" por Deus para pregar aos gentios (Ef 3.7; cf. "sagrado encargo", Rm 15.16), linguagem que lembra a instalação de presbíteros: "Vos constituiu bispos" (At 20.29); "constituísses presbíteros" (Tt 1.5).

41 Cf. Charles H. Talbert, *Ephesians and Colossians* (Grand Rapids: Baker, 2007), 109.

42 Cf. Hoehner, *Ephesians*, 87. Esta mistura de pessoas e dons, conforme já vimos, acontece na lista de 1Co 12.28 e Rm 12.4-8.

a igreja é edificada. Neste sentido, eles podem ser comparados com os profetas do Antigo Testamento (Ef 2.20; 3.5), cujo ofício, com base em sua comissão, era preparar o caminho para aquele que haveria de vir".[43]

Outra objeção é que aqueles que são chamados de apóstolos no Novo Testamento, mas que não pertencem ao circulo restrito dos doze e de Paulo, como Barnabé, Epafrodito, Andrônico e Júnias, tinham o dom de apostolado, que consistia no estabelecimento de igrejas em áreas ainda não alcançadas. Estes "apóstolos", num sentido mais amplo, poderiam estar sendo mencionados por Paulo nesta lista de ministérios. Hoehner, que defende esta posição, acredita que é neste sentido que Paulo usa o termo "apóstolos" aqui.[44] Todavia, se o ministério de apóstolo é este, qual a diferença do evangelista, que aparece logo em seguida na lista? Ao descrever o evangelista, Hoehner, na verdade, dá a mesma descrição do que ele acredita que era o dom de apóstolo: "a função deles se assemelha ao do missionário moderno".[45]

Quando os "apóstolos" foram dados à Igreja?

Alguns estudiosos argumentam que, de acordo com esta passagem, Cristo concedeu apóstolos *depois* de ter subido aos céus, na sua ascensão, e portanto, depois de Pentecostes (Ef 4.10). Assim, "apóstolos" aqui não pode incluir os doze, uma vez que eles foram estabelecidos como apóstolos *antes* de Pentecostes. Desta forma, os doze são apóstolos *pré* Pentecostes e Paulo e os demais, *pós* Pentecostes.[46] Jones, todavia, faz uma cuidadosa exegese do contexto e demonstra que a expressão "subiu acima de todos os céus" (Ef 4.10) é uma referência à exaltação de Cristo, que começa com a ressurreição. É o Cristo *ressurreto* quem concedeu apóstolos ao seu povo, o que inclui os doze juntamente com Paulo.[47]

---

43 Rengstorf, ἀπόστολος. Cf. John Calvin and William Pringle, *Commentaries on the Epistles of Paul to the Galatians and Ephesians* (Bellingham, WA: Logos Bible Software, 2010) in loco; Snodgrass, *Ephesians*, 202, n.31, embora ele prefira "ordem institucional" pois acha que "ofício" é forte demais para descrever estes ministérios. Para uma opinião contrária, veja Talbert, *Ephesians and Colossians*, 112; Francis Foulkes, *The Epistle of Paul to the Ephesians* em Tyndale New Testament Commentaries Grand Rapids: Eerdmans, s/d, 119.

44 Hoehner, *Ephesians*, 87.

45 Ibid., 88.

46 Cf. Jones, "Are There Apostles Today?", 114, que cita A. Wallis como defensor deste ponto.

47 Ibid., 114-116.

Conclusão

À luz destas considerações, parece ficar claro que os apóstolos mencionados nas listas de 1Coríntios 12.28 e Efésios 4.11 são aqueles a quem Deus, primeiramente, encarregou de receber e transmitir a sua revelação e estabelecê-la na igreja em geral, a saber, os doze e Paulo. É neste sentido que eles vêm "primeiro".

Ao longo da história da igreja, houve aqueles que foram enviados para a obra do Senhor a lugares onde Cristo ainda não havia sido anunciado, com a missão de abrir novas igrejas e pregar o Evangelho de Cristo. Alguns destes pioneiros, a maior parte dos quais sofreu e morreu por Cristo, foram chamados, geralmente depois da morte deles, de apóstolos às nações onde foram levar o Cristianismo. Contudo, esta designação foi eventual, pois o título de apóstolo é historicamente uma designação dos doze e de Paulo, como um reconhecimento do seu trabalho fundacional. O seu uso costumeiro para designar obreiros e missionários certamente poderia causar muita confusão.

O que o moderno movimento de restauração apostólica deseja é mais do que o reconhecimento de que havia o dom de apóstolo e que o mesmo continua na igreja em nossos dias. Pois, o que se vê não é um anelo pela função de apóstolos, mas sim o título e o poder a ele associados por causa dos doze e de Paulo.

Capítulo 6

Falsos Apóstolos e Superapóstolos

Examinemos agora o caso daqueles a quem o apóstolo Paulo chama de "superapóstolos" e "falsos apóstolos", na sua segunda carta aos coríntios (2Co 11.5; 11.13 e 12.11). Trata-se de obreiros que apareceram na igreja de Corinto, ostentando o título de apóstolos, apresentando credenciais que supostamente provavam esta reivindicação, querendo diminuir Paulo como apóstolo e assumir a liderança da igreja.

Paulo os chama de "super apóstolos," ὑπερλίαν ἀποστόλων (2Co 11.5; 12.11), provavelmente como uma ironia.[1] Os tais se apresentavam com reivindicações extravagantes e se colocando acima de Paulo e talvez dos doze. Paulo os considera "falsos apóstolos" (2Co 11.13), não somente porque a mensagem deles representava um desvio do ensino apostólico

---

1 Cf. "tais apóstolos", ARA; "superapóstolos", NVI; "superapóstolos" NTLH. A ARC, todavia, traduziu como sendo uma referência não irônica, "aos mais excelentes apóstolos", o que altera substancialmente a interpretação da passagem, sugerindo que estes apóstolos "mais excelentes" eram os doze com quem Paulo estava se comparando.

original, mas também porque eram imitadores, tentando se passar por apóstolos de Cristo.[2]

Robertson e Plummer afirmam que "não poderia ter havido falsos apóstolos (2Co 11.13), a menos que o número de Apóstolos [sic] fosse indefinido".[3] O que eles querem dizer é que se reconhecia a existência de apóstolos além de Paulo e dos doze, e que não havia limite para o número de apóstolos naquela época. De acordo com esta interpretação, os "falsos apóstolos" eram falsos não porque estavam usurpando um título que era somente dos doze ou de Paulo, pois havia muitos outros apóstolos além deles. Eles eram falsos somente porque pregavam um falso evangelho. Assim, de acordo com esta linha de interpretação, a existência de falsos apóstolos no período apostólico é uma prova de que havia muitos apóstolos em atividade naquela época e que consequentemente não existe nenhuma razão pela qual se deva negar a existência deles em nossos dias.

Todavia, uma análise mais atenta aos textos de 2Coríntios que se referem aos falsos apóstolos, parece sugerir que Paulo os considera "falsos" não somente por serem falsos mestres, mas também por serem usurpadores do título. Eles se apresentavam como apóstolos similares aos doze e a Paulo, e não como enviados de alguma igreja para cumprir uma missão. Eles queriam poder, autoridade, reconhecimento e, especialmente, ganhar dinheiro. Suas credenciais envolviam sonhos, visões, revelações, milagres, ascendência judaica e outras coisas destinadas a impressionar os crédulos coríntios. É verdade que haviam outros apóstolos além de Paulo e dos doze, conforme já mostramos anteriormente, mas estes que apareceram em Corinto não eram do nível de Silas, Timóteo, Barnabé ou Epafrodito – não, eles eram "superapóstolos", como os doze e acima de Paulo. Eles eram falsos porque o grupo de "apóstolos de Jesus Cristo" ao qual eles queriam pertencer – os doze e Paulo – era limitado.[4]

---

2 Alguns estudiosos sugerem que Paulo estava se referindo ironicamente aos doze apóstolos de Jesus Cristo, sediados em Jerusalém. Contudo, diante dos relatos do livro de Atos e de Gálatas capítulo dois, da concordância e harmonia entre Paulo e os doze, esta sugestão não se sustenta. Veja os argumentos contra a ideia de que os "superapóstolos" eram os doze em Kirk, "Apostleship since Rengstorf," 253.

3 Robertson, *Corinthians*, 279.

4 "Apóstolos de Jesus Cristo" é uma designação quase que exclusiva dos doze e Paulo no Novo Testamento, cf. a argumentação na seção "Apóstolos de Jesus Cristo".

Examinemos mais de perto as evidências. Quase que certamente esses obreiros eram judeus, supostamente convertidos ao Cristianismo, pregadores itinerantes, que se vangloriavam de sua ascendência judaica e de serem ministros de Jesus Cristo.[5] Eles haviam entrado na igreja de Corinto e estavam fazendo graves acusações contra Paulo, o que levou o apóstolo a ter de escrever esta carta depois de haver visitado a cidade para tratar do assunto.

Paulo diz que eles "mercadejavam a Palavra de Deus", uma alusão às exigências financeiras que estavam fazendo (2Co 2.17). Eles se apresentavam com "cartas de recomendação," provavelmente da igreja de Jerusalém, com o intuito de imporem a sua autoridade sobre a igreja (2Co 3.1-3).[6] Ao apresentar-se como "ministro de uma nova aliança, não da letra, mas do espírito" (2Co 3.6) e ao fazer o contraste entre o Evangelho e o Judaísmo (2Co 3.6-18), Paulo deixa transparecer que eles pregavam as glórias da antiga aliança baseada na lei de Moisés como superior ao Evangelho de Paulo.[7] Ao fazer isto, eles astutamente "adulteravam" a Palavra de Deus (2Co 4.2) e pregavam a si mesmos e não a Cristo (2Co 4.5). Paulo os critica por se "gloriarem na aparência", o que pode ser uma referência ao fato de que se gloriavam de ser judeus legítimos, talvez de Jerusalém, ao contrário de Paulo que era da Dispersão (2Co 5.12). Eles haviam sugerido que Paulo havia enlouquecido (2Co 5.13). Criticavam-no por proceder como o mundo (2Co 10.2) e de ser covarde, pois escrevia cartas fortes e graves quando estava distante, mas quando estava presente, sua apresentação pessoal era "fraca" e sua palavra "desprezível" (2Co 10.9-10; cf. 11.6). Eles insinuavam que Paulo queria aproveitar-se financeiramente deles, ao inventar uma coleta para os pobres de Jerusalém (2Co 8.14-18).[8] Eles apresentavam-

---

5 Cf. Carson, *New Bible Commentary*, na Introdução.

6 Isto não quer dizer que os apóstolos de Jerusalém estariam de acordo com a atividade sectária e mercenária deles, em Corinto.

7 Para uma posição contrária, veja Clark, "Apostleship," 359-360 e Carson, *New Bible Commentary*, Introdução. Mesmo admitindo que os oponentes de Paulo eram judeus cristãos, Carson não acredita que eram judaizantes, como aqueles que infestaram as igrejas da Galácia. Contudo, o contraste entre as duas alianças no capítulo 3 só faria sentido no contexto de uma mensagem judaizante dos oponentes de Paulo.

8 Esta é, provavelmente, a razão pela qual Paulo toma várias precauções para evitar acusações de apropriação indébita das ofertas que ele haveria de levar a Jerusalém, cf. 2Co 8—9.

-se como verdadeiros israelitas (2Co 11.22) e "ministros de Cristo" (2Co 11.23), talvez operadores de milagres (2Co 12.12), que tinham visões e revelações do Senhor (2Co 12.1). Apresentavam-se como no mesmo nível de Paulo, ou mesmo como superiores a ele, por terem maiores e melhores credenciais (2Co 11.12). A igreja de Corinto, ou um grupo dentro dela, estava aceitando a presença e o discurso deles, com suas críticas a Paulo, que certamente tinham o objetivo de minar a sua liderança e autoridade e, finalmente, assenhorear-se da comunidade (2Co 11.1-4).

A resposta de Paulo a tudo isto vem de várias maneiras. Primeira, ele responde às reivindicações destes "apóstolos" apresentando, constrangido, as suas próprias credenciais apostólicas, aceitando, num primeiro momento, que estas credenciais definem um apóstolo de Cristo: ele também é judeu (2Co 11.22), faz sinais e prodígios (2Co 12.12), tem visões e revelações do Senhor (2Co 12.1-4).

Mas, paralelamente, Paulo apresenta as credenciais de um verdadeiro apóstolo que estes "apóstolos" não tinham, e que o faziam um verdadeiro "ministro de Cristo," em contraste com eles, que eram ministros de Satanás: eles traziam cartas de recomendação, mas a recomendação de Paulo eram os próprios coríntios, convertidos pela sua pregação (2Co 3.1-4). Eles se vangloriavam de seus predicados e credenciais, mas Paulo se gloriava de seus sofrimentos (2Co 6.4-10), de um espinho na carne (2Co 12.7-10) e de ter tido de fugir uma vez de uma cidade descido num cesto, pelo muro, para não ser morto pelos judeus (2Co 11.32-33).

Terceiro, Paulo os denuncia como "falsos apóstolos," "obreiros fraudulentos," que na verdade eram ministro de Satanás travestidos de ministros de Cristo, seguindo a estratégia do diabo de se passar por Deus (2Co 11.13-15). Ele apela aos coríntios para não se porem em "jugo desigual com os incrédulos," no que parece ser uma referência a estes falsos apóstolos (2Co 6.14-18).

Fica evidente, então, de nossa análise, que estes obreiros fraudulentos haviam arrogado a si mesmos o título de apóstolos de Jesus Cristo, numa tentativa de se imporem autoritativamente sobre as igrejas, numa espécie de imitação dos doze, com o fim de dominarem sobre elas. Eles eram apóstolos falsos, não somente porque o grupo de apóstolos ao qual eles reivindicavam pertencer estava já fechado, mas também porque não possuíam as credenciais essenciais de um verdadeiro apóstolo. Além disso, estavam adulterando a Palavra de Deus no intento de auferir ganhos financeiros das igrejas.

Nossa conclusão está de acordo com o fato de que apareceram muitos, quando os doze e Paulo ainda viviam, reivindicando um *status* similar. Encontramos um exemplo disto no livro de Apocalipse, na carta à igreja de Éfeso: "Conheço as tuas obras, tanto o teu labor como a tua perseverança, e que não podes suportar homens maus, e que puseste à prova os que *a si mesmos se declaram apóstolos* e não são, e os achaste mentirosos" (Ap 2.2). À semelhança do que havia acontecido em Corinto, homens maus apareceram na igreja de Éfeso dizendo-se apóstolos. Ao contrário do que havia acontecido na igreja de Corinto, os crentes de Éfeso puseram estes apóstolos à prova – certamente examinando as suas reivindicações, suas credenciais e sua mensagem – e concluíram que eles eram impostores, no que foram aprovados pelo Senhor. Aqui cabem as palavras de Spence-Jones: "Chamar um homem de sucessor dos apóstolos, o qual não tem o caráter apostólico – nobreza, lealdade a Cristo e total autoabnegação – é uma farsa malévola".[9]

O *status* de apóstolo era cobiçado desde cedo na história da igreja cristã, não como um indicativo de alguém que estava envolvido na obra missionária, mas pelo poder, autoridade e respeito que este *status* comandava. E é exatamente neste sentido que ele vem sendo apropriado e usado por muitos hoje que se apresentam como apóstolos de Jesus Cristo.

Conclusões gerais

É hora de resumirmos nossos achados até o momento. Nesta primeira parte de nossa pesquisa, procuramos examinar todas as passagens do Novo Testamento onde o termo ἀπόστολος ("apóstolo") ocorre. O

---

9 Spence-Jones, *Galatians*, 140.

alvo da nossa investigação foi determinar a sua origem e o significado, bem como em que sentido ele é empregado no Novo Testamento. Em linhas gerais, nossas conclusões são as seguintes.

O termo "apóstolo" no Novo Testamento tem sua origem em Jesus, que o usou para doze discípulos que ele escolheu no início de seu ministério. O conceito de "apóstolo" já era conhecido no mundo grego da época, mas Jesus o usa com base em conceitos presentes no Antigo Testamento e no judaísmo de seus dias, tais como a representação autorizada, a vocação dos profetas de Israel como enviados de Deus e a própria consciência de Jesus de ter sido também enviado por Deus ao mundo. Na literatura rabínica posterior, encontra-se um conceito similar ao de apóstolo, que é o *shaliah*, alguém enviado com poderes de representação. Apesar das semelhanças entre eles, o conceito de apóstolo transcende o do *shaliah* no aspecto escatológico e missionário e é certamente anterior a este.

Os doze apóstolos de Jesus foram escolhidos por ele de maneira soberana, dentre a multidão dos que o seguiam. O número doze é fixo, pois é a contraparte dos doze patriarcas das doze tribos de Israel e indica a liderança do novo Israel, que é a igreja de Cristo. A missão primordial que Jesus lhes deu, foi de serem as testemunhas autorizadas de que ele havia ressuscitado dentre os mortos, e sobre este fundamento erguer o edifício da igreja cristã, batizando e discipulando os que cressem nesta mensagem. Para tanto, lhes foi concedido realizar sinais e prodígios e registrar, sob a inspiração do Espírito Santo, os fatos concernentes à vida e obra de Jesus, e dar a explicação dos mesmos para os que cressem. Como aqueles que foram testemunhas oculares da ressurreição e nomeados diretamente por Jesus Cristo como seus apóstolos, os doze não têm sucessores, e nem Pedro, que era seu líder. Da mesma forma que a missão dos profetas de Israel terminou com o último livro do Antigo Testamento, a missão dos doze terminou com os escritos do Novo Testamento.

Saulo de Tarso, por sua vez, foi chamado diretamente por Jesus Cristo, numa aparição após a ressurreição, para ser apóstolo dele aos gentios. Como os doze, Paulo viu o Cristo ressurreto, foi comissionado diretamente por ele e sofreu muito por causa do Evangelho. Seu apóstolado foi reconhecido pelos doze, embora Paulo se considerasse o menor dos apóstolos. Na condição de apóstolo de Jesus Cristo, Paulo se via como sucessor dos profetas de Israel e capaz de interpretar de maneira autoritativa os escritos deles, mediante a revelação dos mistérios das Escrituras pelo Espírito Santo. Seus escritos eram inspirados, como aqueles dos doze e dos profetas de Israel.

Paulo e os doze são chamados de "apóstolos de Jesus Cristo" em distinção aos demais, que eram apóstolos ou enviados de igrejas locais, e formam um grupo exclusivo e fechado. Assim, não encontramos fundamento bíblico para a afirmação de que Paulo representa uma segunda geração de apóstolos, depois dos doze, e que serve de fundamento para a existência de apóstolos em nossos dias.

Há outras pessoas que são claramente chamadas de apóstolos no Novo Testamento, como Barnabé, Silvano, Timóteo e Epafrodito. Nestes casos, vimos que foram chamados assim por serem enviados ou mensageiros de igrejas locais para pregar o Evangelho ou levar ofertas. Embora se argumente que Tiago, Apolo, Andrônico e Júnias eram apóstolos, não encontramos evidências textuais suficientes para fazer esta afirmação de maneira clara. Já aqueles que são chamados por Paulo de "apóstolos das igrejas", eram irmãos enviados pelas igrejas gentílicas para auxiliarem Paulo no levantamento e entrega das ofertas dos gentios aos judeus de Jerusalém.

Ser "apóstolo" não era um dom espiritual, como o dom de profeta, mestre ou pastor, mas uma designação de uma função. Esta função, no caso dos doze e de Paulo, assumia conotação de ofício, que implicava em uma instalação pública e oficial, reconhecida por todos – ou pela maioria. No caso dos demais, descrevia o trabalho deles como enviados em uma missão. Todos os que são chamados de apóstolos no Novo Testamento precisavam de dons espirituais para desempenhar suas missões, mas o apostolado, em si, não era um dom espiritual – mas a nomeação ou descrição de um ofício ou função. Como tais, os apóstolos de Jesus Cristo – os doze e Paulo – figuram primeiro nas listas de ministérios e dons espirituais, pela sua primazia, excelência e autoridade. Não sendo um dom espiritual, o apostolado dos doze e de Paulo não pode ser reivindicado para nossos dias em nome da contemporaneidade de todos os dons espirituais descritos no Novo Testamento. Por ser um ofício com uma missão fundadora, o apostolado não está mais disponível em nossos dias, a não ser se entendido no sentido mais amplo do termo, a saber, enviado, delegado, emissário, missionário ou mensageiro.

Desde cedo, apareceram na igreja aqueles que reivindicavam ser apóstolos tanto quanto os doze e Paulo, como os obreiros fraudulentos que se introduziram na igreja de Corinto e de Éfeso. Entretanto, já em seus dias, foram rechaçados em suas pretensões e rotulados de falsos apóstolos e obreiros de Satanás. Todavia, estes fatos não foram suficientes para refrear, nos séculos subsequentes, a usurpação deste que é o ofício mais excelente da igreja, como veremos a seguir.

Parte 2

Os Continuadores da Obra Apostólica

Capítulo 7

Judas Iscariotes, Tiago e os Presbíteros da Judeia

Vamos agora analisar o Novo Testamento em busca das medidas que os apóstolos de Jesus Cristo tomaram para a continuidade da missão que lhes foi dada pelo Senhor, na chamada Grande Comissão (Mt 28.18-20; Mc 16.15-18; Lc 24.44-49). Eles certamente haviam percebido que a tarefa de discipular as nações não poderia ser cumprida nos dias de suas vidas. Ela deveria ser levada adiante por outras pessoas depois deles. Quem são estas pessoas? Qual a relação delas para com os apóstolos de Cristo? Que outras medidas eles tomaram para que a doutrina apostólica fosse preservada e transmitida? A resposta a estas indagações servirá de base para analisarmos as reivindicações daqueles que, em nossos dias, se apresentam como apóstolos de Jesus Cristo.[1]

Ainda neste escopo, analisaremos alguns exemplos de movimentos e grupos dentro da igreja cristã que, desde a morte dos doze e de Pau-

---

1 A "Grande Comissão" foi dada por Jesus primariamente aos seus apóstolos, antes da ascensão, mas é evidente, pelo livro de Atos, que a igreja cristã entendeu que todos os cristãos eram responsáveis por dar testemunho de Cristo (At 8.4; etc.). A questão é quem haveria de suceder os apóstolos na liderança desta tarefa.

lo propuseram a restauração do ofício apostólico como meio de trazer a igreja de volta à verdade, da qual, supostamente, ela havia se desviado, já nos seus primórdios.

Comecemos, então, com o primeiro - e único - caso de substituição de um dos apóstolos de Cristo, que é o caso de Judas Iscariotes.

Judas Iscariotes

Ele aparece nas três listas dos apóstolos citadas nos Evangelhos sinóticos. Seu sobrenome "Iscariotes", vem de seu pai, Simão Iscariotes (Jo 6.71; 13.2,26) e, talvez, seja uma referência à vila de Queriote (Js 15.25), onde seu pai e talvez ele mesmo tenham nascido (Iscariotes significa "homem de Queriote" em hebraico). Outra explicação aventada para o sobrenome Iscariotes se baseia em sua semelhança com a palavra aramaica *sikarios*, "assassino" (At 21.38), mas a ligação é muito remota. No máximo provaria que o pai de Judas, Simão Iscariotes, fazia parte de um grupo de sicários ou assassinos.[2] Este sobrenome é sempre mencionado para distinguir Judas Iscariotes do outro Judas, que era também apóstolo (cf. Jo 14.22).

Judas, após haver sido chamado por Jesus para ser um dos apóstolos, tornou-se o tesoureiro do grupo e carregava a bolsa, de onde costumava subtrair valores para uso próprio (Jo 12.6; 13.29). Seu amor ao dinheiro é usado por João para explicar o seu desprezo pela generosidade de Maria, quando ela derramou precioso perfume nos pés de Jesus (Jo 12.1-8). Mateus e Marcos relacionam a ganância de Judas com a traição, ao registrá-la logo em seguida ao episódio do desperdício do perfume (Mt 26.14-16; Mc 14.10-11). Lucas e João acrescentam que Satanás entrou em Judas imediatamente antes da traição (Lc 22.3; Jo 13.2,27).

Ele é repetidamente mencionado como "um dos doze" (Mc 14.10,20; Jo 6.71; 12.4; Lc 22.3) provavelmente para enfatizar a malignidade da sua traição. Pedro se refere a ele como "contado entre nós e teve parte

---

[2] Veja Craig Blomberg, *Matthew*, vol. 22, *The New American Commentary* (Nashville: Broadman & Holman Publishers, 1992), 170.

neste ministério" (At 1.17). Mateus, ao escrever seu Evangelho posteriormente à traição e substituição de Judas, introduz a relação dos doze dizendo "os nomes dos doze apóstolos são estes" (Mt 10.2-4) e coloca Judas na lista. Judas, portanto, era considerado como tendo sido realmente um dos doze apóstolos de Cristo Jesus, em que pese o fato de que, desde o início, o Senhor já sabia que ele seria o traidor. Isso se deu, somos assim informados, para cumprir as Escrituras a respeito dele (Jo 13.18). Jesus o designa, antes da traição, como "o filho da perdição" (Jo 17.12) e "diabo" (Jo 6.70). Judas nunca esteve entre os escolhidos (Jo 13.18; 18.9). Contudo, sua traição lhe é imputada como uma decisão própria: "Judas se transviou, indo para seu próprio lugar" (At 1.25).

Sua substituição por Matias se deu pela necessidade de preservar o simbolismo escatológico do número doze e pela necessidade do grupo apostólico estar completo no dia de Pentecostes, quando o Senhor ressurreto enviaria o Espírito Santo sobre toda a sua igreja, revestindo-a de poder para a tarefa de ensinar as nações. Quando o Espírito Santo veio sobre a igreja no dia de Pentecoste ela estava completa, com doze apóstolos do Cordeiro.

O apóstolo Tiago, irmão de João

Esta é, provavelmente, a razão pela qual não se tomaram providências para substituir o apóstolo Tiago, irmão de João, filho de Zebedeu, após ter sido morto ao fio da espada a mando de Herodes (At 12.2).[3] Judas foi substituído porque era o traidor e porque o número dos apóstolos precisava estar completo para o Pentecostes. Passado Pentecostes e iniciada a fase da igreja cristã, não havia mais necessidade de se manter o número dos doze completo, substituindo os que morriam por outros apóstolos, até porque, a uma certa altura, não haveria mais candidatos como Matias e José, o Justo, para preencher os requisitos exigidos. Nas palavras de Polhill, "não poderia

---

3 De acordo com Clemente, o acusador de Tiago se converteu ao ouvir a sua defesa e foi decapitado juntamente com ele (cf. Eusébio, *Hist. Eclesiást.*, II. 9.).

haver sucessão apostólica pelo simples fato de que não havia, depois de um tempo, mais nenhuma testemunha ocular da ressurreição que pudesse tomar o lugar dos que haviam morrido".[4]

Os presbíteros da Judeia e de Jerusalém

Mesmo não nomeando substitutos para si próprios, os doze estavam cientes da necessidade da continuação da obra deles. Uma providência que foi tomada cedo por eles foi a instalação de "presbíteros" nas igrejas da Judeia e, especialmente, na igreja de Jerusalém. Pelo que lemos no livro de Atos, presbíteros aparecem bem cedo, ao lado dos doze apóstolos de Cristo. A razão para a nomeação deles, sem dúvida, foi a crescente demanda por liderança nas igrejas da Judeia e as próprias demandas internas da igreja de Jerusalém. Era preciso instituir homens que fossem capazes de levar avante a obra iniciada pelos apóstolos, pastoreando as igrejas, ensinando a doutrina apostólica, batizando os novos convertidos, confrontando os falsos mestres e supervisionando os deveres sociais das comunidades.

Não nos é dito em Atos seus nomes, suas qualificações e nem de que forma eles foram feitos presbíteros pela primeira vez. A escolha e instalação deles, contudo, deve ter seguido os moldes da escolha e nomeação dos sete em Atos 6.1-6, a saber, uma escolha feita pela igreja sob a orientação dos apóstolos.[5] Aqui, podemos acrescentar que mesmo antes da escolha dos sete (At 6.1-6), a escolha de Matias para substituir Judas foi feita por indicação de dois nomes por parte dos irmãos e a escolha supervisionada pelos apóstolos (At 1.21-23).

A razão provável para Lucas não ter dado um relato da instituição dos primeiros presbíteros nas igrejas da Judeia é que este ofício já era conhecido dos judeus cristãos, pois "anciãos" era o único ofício permanente nas sinagogas. No caso das igrejas gentílicas, como veremos mais adiante, Lucas faz a narrativa, visto tratar-se de algo desconhecido dos

---

4 Polhill, *Acts*, 93.
5 Cf. John Peter Lange, Philip Schaff, et al., *A Commentary on the Holy Scriptures: Acts* (Bellingham, WA: Logos Bible Software, 2008), 221–222.

crentes gentios.⁶ Lucas os menciona pela primeira vez em Atos como "os presbíteros", indicando que era um grupo já formado e reconhecido. Por isso, ele os introduz na narrativa sem maiores explicações: "Os discípulos, cada um conforme as suas posses, resolveram enviar socorro aos irmãos que moravam na Judeia; o que eles, com efeito, fizeram, enviando-o *aos presbíteros* por intermédio de Barnabé e de Saulo" (At 11.29-30). Como era para eles que a oferta deveria ser enviada, deduz-se que eles eram os líderes dos cristãos das igrejas da Judeia.⁷ Como em Atos o termo "os presbíteros" é usado consistentemente para aqueles de Jerusalém, é possível que foi a eles que a oferta foi entregue. De qualquer forma, fica claro que, àquela altura, os presbíteros eram também responsáveis pela administração financeira da igreja.⁸ De acordo com Polhill, "é notável a transição sutil na liderança da igreja de Jerusalém através destes capítulos". Ele observa que, começando com a eleição dos sete (At 6.1-6), os apóstolos foram gradativamente transferindo as responsabilidades locais para poderem se dedicar mais e mais ao trabalho missionário.⁹

A palavra que Lucas usa para "presbíteros" (πρεσβυτέρους) é a mesma que ele emprega em seu Evangelho e em Atos, para designar os anciãos de Israel (cf. Lc 9.22; 20.1; 22.52; 22.66; At 4.8,23). Estes anciãos eram os membros do Sinédrio, o concílio maior dos judeus, e líderes das sinagogas. Aparentemente, foi neste sistema de governo que os apóstolos basearam o governo das igrejas recém fundadas.¹⁰ A origem

---

6 Ibid.

7 Matthew Henry, *Matthew Henry's Commentary on the Whole Bible: Complete and Unabridged in One Volume* (Peabody: Hendrickson, 1994), 2114.

8 Aqui podemos indagar qual seria, naquele momento, o papel dos sete nomeados para cuidar da distribuição dos alimentos entre as viúvas, At 6.1-6. Algumas tradições protestantes igualam os presbíteros e os diáconos, visto que parecem ter funções administrativas similares. Todavia, eles eram grupos distintos na liderança das igrejas, cf. "bispos [presbíteros] e diáconos", Fp 1.1. É provável que a função dos sete era distribuir os recursos recebidos e levantados pelos presbíteros. Cf. John Calvin and Henry Beveridge, *Commentary Upon the Acts of the Apostles*, vol. 1 (Bellingham, WA: Logos Bible Software, 2010), 476–477.

9 Polhill, *Acts*, 275.

10 Esta é a posição mais aceita sobre a origem do Sinédrio e do papel dos anciãos de Israel. Veja uma defesa deste ponto em Augustus Neander, *History of the Planting and Training of the Christian Church by the Apostles* (London: George Bell & Sons, 1880), p. 35-36, nota 2.. Veja ainda "Elder" em Meyers, *Eerdmans Bible Dictionary*; J. A. Thompson, "Sanhedrin," em Wood, *New Bible Dictionary*. Mas, para uma opinião diferente, veja "Sanhedrin" em Walter A. Elwell, *Baker Encyclopedia of the Bible* (Grand Rapids, MI: Baker Book House, 1988).

dos anciãos remonta ao tempo de Moisés, quando este escolheu setenta homens para ajudá-lo a governar e guiar o povo de Israel no deserto, conforme determinação de Deus:

> Disse o SENHOR a Moisés: Ajunta-me setenta homens dos *anciãos* de Israel, que sabes serem *anciãos* e *superintendentes* do povo; e os trarás perante a tenda da congregação, para que assistam ali contigo. Então, descerei e ali falarei contigo; tirarei do Espírito que está sobre ti e o porei sobre eles; e contigo levarão a carga do povo, para que não a leves tu somente (Nm 11.16-17).[11]

À exceção do governo civil, os presbíteros da igreja cristã desempenharam papel similar aos anciãos de Israel, exercendo plena autoridade religiosa. Beale observa que Lucas contrasta diversas vezes no livro de Atos "os apóstolos e presbíteros" com as autoridades, anciãos, escribas e principais sacerdotes de Israel (At 4.5,8,23; 23.14; 25.15). Da mesma forma que as "autoridades, anciãos e os escribas" se reuniram em Jerusalém para examinar a expansão impressionante da igreja (At 4.5-7), os "apóstolos e presbíteros" se reuniram para examinar a expansão da igreja entre os gentios (At 15.1-6). Conforme Beale, "a função dos anciãos em Atos 4 e dos presbíteros em Atos 15 parecem virtualmente idênticas".[12]

Além de se ocuparem com a administração dos recursos (At 11.30), os presbíteros estavam junto com os apóstolos para decidir questões relacionadas com a expansão da fé em todo o mundo e para confrontar falsos ensinamentos. Quando surgiu a questão relacionada com a entrada

---

11 É interessante observar que os setenta foram designados de *anciãos* e *supervisores*. A palavra hebraica para "supervisores," שֹׁטֵר, *soter*, significa um sub-oficial. Era um termo usado de maneira geral para um oficial, em muitas áreas do governo e da sociedade. No Antigo Testamento é usado para os sub-oficiais dos setenta anciãos (Dt 1.15), os quais ajudavam os anciãos nas tarefas administrativas (Dt 31.28) e mesmo em assuntos militares (Dt 20.5ss; Js 1.10; 3.2). Durante o período dos reinos divididos, eles continuaram como oficiais envolvidos em assuntos militares (1Cr 27.1; 2Cr 26.11) e como levitas, tratando de assuntos legais e religiosos (1Cr 23.4; 26.29; etc.), cf. R. D. Patterson, שׁטר, ed. R. Laird Harris, Gleason L. Archer Jr., and Bruce K. Waltke, *Theological Wordbook of the Old Testament* (Chicago: Moody Press, 1999), 918–919. Não é impossível que Paulo use o termo ἐπίσκοπος, "bispo", que significa superintendente, para se referir aos presbíteros algumas vezes, por causa da associação de ancião com supervisor que é feita em Números 11.16.

12 Beale, *Theology*, 822.

dos gentios na igreja, foi aos "apóstolos e *presbíteros*" em Jerusalém que se resolveu levar o assunto para uma resolução (At 15.2,4,6). Após a discussão do assunto, a resolução foi escrita como tendo sido tomada "pelos apóstolos e *presbíteros*" (At 15.22; 16.4), os quais também subscreveram-na para ser enviada a todas as igrejas (At 15.23).

Os presbíteros de Jerusalém e Paulo

Lucas também nos diz que, quando Paulo chegou a Jerusalém, ao final de sua terceira viagem missionária, "todos os *presbíteros* se reuniram" juntamente com Tiago, o irmão do Senhor, para recebê-lo (At 21.17-18). O fato de Paulo não ter encontrado nenhum dos doze nesta visita, pode ser explicado pelo trabalho missionário deles em outras regiões, conforme a determinação de Jesus (At 1.8).[13] O objetivo da reunião era receber a oferta que Paulo havia levantado para os cristãos pobres da Judeia e ouvir o relato do seu ministério entre os gentios. O relato de Paulo alegrou muito os presbíteros, a ponto de darem "glórias a Deus" por tudo que ouviram (At 21.20).[14] E, em seguida, orientaram Paulo a tomar determinadas providências, enquanto estivesse em Jerusalém, com o fim de desfazer rumores entre os cristãos judeus da cidade de que ele estava ensinando contra a lei de Moisés (At 21.20-25). Paulo acatou a orientação dos presbíteros e fez conforme instruído (At 21.26).[15]

O que se pode inferir destas informações do livro de Atos, é que os presbíteros se tornaram os líderes das igrejas de Jerusalém e da Judeia, supervisionando não somente os assuntos internos, mas também a expansão da fé cristã em todas as partes do mundo, resolvendo as questões doutri-

---

13 Cf. Robertson, *Word Pictures*, At 21.18; Polhill, *Acts*, 446.

14 "Quando Paulo deu, pela primeira vez, o relato do seu ministério bem sucedido no concílio de Jerusalém, encontrou o silêncio como resposta. Mas, agora, seu relatório foi recebido com maior entusiasmo" (Polhill, *Acts*, 446).

15 A orientação dos presbíteros de Jerusalém para que Paulo participasse no voto dos quatro crentes judeus, bem como a concordância de Paulo em submeter-se ao ritual, tem provocado intensas discussões entre estudiosos. Robertson (*Word Pictures*, At 21.26) corretamente observa que o alvo de Paulo era desfazer as calúnias levantadas contra ele pelos judaizantes. Veja ainda os comentários úteis de Polhill, *Acts*, 448. Já Lange, argumenta que o texto não está dizendo com certeza que Paulo fez o voto e todo o ritual, cf. Lange, *Acts*, 390.

nárias e práticas relacionadas com esta expansão, ouvindo relatórios da missão entre os gentios e orientando sobre procedimentos afins. A tarefa deles era principalmente preservar a igreja dos falsos ensinamentos, como fica claro do episódio de Atos 15, onde eles, junto com os apóstolos, rechaçaram um falso ensinamento que, se não fosse impedido, teria destruído a igreja em seu início.[16] Notemos que a missão deles era preservar a doutrina dos apóstolos e não trazer novas doutrinas (At 2.42). Eles seriam os que naturalmente continuariam o trabalho inicial dos doze.

Conclusão

Os doze apóstolos de Cristo promoveram a eleição e a ordenação de presbíteros nas igrejas da Judeia e em Jerusalém com o objetivo de prover a liderança necessária para a continuidade da obra de evangelizar o mundo e edificar a igreja de Cristo. Portanto, são os presbíteros os legítimos continuadores da obra deles. Essa continuação não implicou na transferência das prerrogativas exclusivas dos apóstolos para eles. Eles deveriam preservar o ensino dos apóstolos, guardá-lo contra os falsos mestres, e transmiti-lo às gerações seguintes. A obra deles se ergueria sobre o fundamento dos apóstolos e dos profetas. Como afirma Polhill, "o ministério final dos apóstolos foi estabelecer lideranças nas igrejas novas".[17]

Isto ficou evidente do fato de que não houve substituição do primeiro apóstolo a morrer, Tiago, filho de Zebedeu. Judas, antes dele, foi substituído por Matias porque era preciso que o número doze fosse completado pelo seu simbolismo e pela necessidade deste número estar completo no dia de Pentecostes, quando o Espírito Santo desceu sobre a igreja de Cristo. A partir daí, os apóstolos não buscaram preencher as "vagas" que iam sendo abertas no colégio apostólico. Em vez disso, ordenaram presbíteros para assumirem a liderança das igrejas nascentes e ensinarem tudo aquilo que os apóstolos receberam de Jesus Cristo e lhes passaram.

---

16 Cf. Beale, *Theology*, 822.
17 Polhill, *Acts*, 319.

Conforme está claro no livro de Atos, os presbíteros gradativamente foram assumindo a liderança das igrejas na Judeia, à medida que os apóstolos saíram para evangelizar noutras regiões e ali plantar igrejas, onde, igualmente, ordenaram outros presbíteros. A validade e autoridade dos presbíteros como os líderes das igrejas cristãs foram claramente reconhecidas pelo apóstolo Paulo, o qual também adotou nas igrejas que fundou, o mesmo modelo de liderança presbiteral, como veremos em seguida.

Portanto, é no trabalho dos presbíteros que encontraremos a continuidade do trabalho dos apóstolos. Não se pode reivindicar em nossos dias a necessidade da continuidade do ofício de apóstolo, o qual cabia aos doze e a Paulo somente, visto que eles mesmos estabeleceram os bispos/presbíteros como aqueles que deveriam levar avante a obra iniciada.

# Capítulo 8

Paulo e os Presbíteros das igrejas gentílicas

A nomeação de presbíteros pelos doze para governar e pastorear as igrejas da Judeia, dando continuidade ao trabalho apostólico, foi feita também por Paulo nas igrejas que ele fundou, de acordo com o livro de Atos. Ao final da sua primeira viagem missionária, Paulo passou, juntamente com Barnabé, pelas igrejas que haviam fundado na Galácia, nas cidades de Listra, Icônio e Antioquia, "fortalecendo a alma dos discípulos... e, promovendo-lhes, em cada igreja, a eleição de *presbíteros*, depois de "orar com jejuns" (At 14.22-23). Esta foi a maneira prática encontrada para promover a edificação daquelas igrejas.

O modo da escolha e nomeação

A palavra "eleição" em Atos 14.23 significa, literalmente, "escolha por meio do levantar de mãos". A construção da sentença não deixa claro se foram os apóstolos que escolheram os presbíteros,[1] ou se foram as igrejas,

---
1 Como defende, por ex., Spence-Jones, *Galatians*, 438.

por meio de votos, os quais foram depois confirmados pelos apóstolos, o que parece mais provável.² Se levarmos em conta que a escolha de Matias para o lugar de Judas foi feita por meio da indicação de dois nomes da parte dos irmãos (At 1.23), e que a primeira nomeação de oficiais (os sete diáconos) foi feita por eleição da igreja sob a supervisão dos apóstolos (At 6.1-6), estabelecendo assim o precedente, é quase certo que os presbíteros tenham sido escolhidos pelo voto dos irmãos, sob a orientação de Paulo e Barnabé, e por eles instalados no ofício. Este procedimento viria a servir de modelo para a nomeação de presbíteros por Timóteo e Tito mais tarde (cf. 1Tm 3.1-6; Tt 1.3-6).

A tarefa dos presbíteros

O papel destes presbíteros era cuidar das igrejas, levando avante a obra pioneira do apóstolo Paulo. Nas palavras de Calvino, "Cristo não enviou seus apóstolos somente para pregar o Evangelho, mas ele também lhes determinou que ordenassem pastores, para que a pregação do Evangelho fosse diária e perpétua".³

Próximo do final de sua terceira viagem missionária, Paulo se encontrou com os presbíteros de Éfeso na cidade de Mileto, de partida para Jerusalém (At 20.17-38). Estes presbíteros haviam certamente sido instalados sob a sua orientação quando fundou a igreja na cidade, conforme a sua prática (At 14.23), embora disto não tenhamos registro. As orientações e instruções que Paulo lhes deu nestas palavras de despedida são bastante reveladoras do papel dos presbíteros, especialmente Atos 20.28-35: eles haviam sido constituídos "bispos" sobre a igreja de Deus pelo Espírito Santo e deveriam "pastorear" o rebanho de Deus que lhes havia sido confiado (At 20.28). O seu trabalho principal seria enfrentar os "lobos vorazes" que haveriam de entrar no rebanho, "homens falando coisas pervertidas" com o objetivo de arrastar os crentes após si (At 20.29-30). Portanto, eles deveriam vigiar noite e dia, tomando como modelo o

---

2 Como defende, p. ex., Polhill, *Acts*, 319; Jamieson, *Commentary*, At 14.23; Lange, *Acts*, 272.
3 Calvin, *Acts*, 27.

trabalho do próprio Paulo entre eles, feito com lágrimas e sem buscar recompensas financeiras (At 20.31-34). Deveriam também se lembrar dos pobres e necessitados entre eles, como Paulo ensinou com seu próprio exemplo (At 20.35). Paulo esperava que os presbíteros continuassem o trabalho que ele havia começado, pastoreando a igreja, enfrentando os falsos profetas, atendendo aos pobres e necessitados. A referência a eles como "bispos" (ἐπισκόπους, At 20.28), que significa "supervisores", mostra que, além dos dois termos serem usados para indicar a mesma função (presbíteros e bispos, cf. Fp 1.1; 1Tm 3.1-2; Tt 1.5 e 7), o papel dos presbíteros era supervisionar as igrejas sobre as quais foram constituídos.[4] Vemos também que Paulo entende que a designação deles para a função foi obra do Espírito Santo (At 20.28), mesmo que eles tenham sido eleitos como os presbíteros da Galácia, por meio de eleição promovida por Paulo (At 14.23).

As qualificações dos presbíteros

Nas cartas de Paulo, encontramos mais indicações daquilo que o livro de Atos nos mostra. Os bispos (presbíteros) e diáconos são incluídos por ele entre os destinatários de sua carta à igreja de Filipos (Fp 1.1), o que mostra que o sistema de governo pelos presbíteros/bispos já estava estabelecido em todas as igrejas.[5] De acordo com Jamieson, comentando Filipenses 1.1,

> Enquanto os apóstolos estavam constantemente visitando as igrejas em pessoa ou por delegados, pastores regulares seriam menos necessários. Mas, quando alguns apóstolos foram removidos por diversas

---

[4] "Presbítero" tem origem no uso judaico das sinagogas e "bispo", era um termo mais conhecido do mundo gentílico. Para os argumentos em favor da igualdade de bispos e presbíteros veja Lange, *Acts*, 222; John Peter Lange, Philip Schaff, et al., *A Commentary on the Holy Scriptures: Phillipians* (Bellingham, WA: Logos Bible Software, 2008), 12; Richard R. Melick, *Philippians, Colossians, Philemon*, vol. 32, *The New American Commentary* (Nashville: Broadman & Holman Publishers, 1991), 50.

[5] Melick corretamente observa que a carta aos Filipenses foi escrita pouco tempo antes de 1Timóteo, onde as funções dos bispos/presbíteros e diáconos já são claramente reconhecidas e seus requerimentos, estabelecidos. cf. Melick, *Philippians, Colossians, Philemon*, 50.

causas, tornou-se necessário providenciar uma ordem permanente nas igrejas. Daí as três cartas pastorais, na sequência da carta aos Filipenses, prover instruções quanto à devida nomeação de bispos e diáconos. Que os bispos e diáconos sejam saudados de maneira proeminente, pela primeira vez, no início desta carta [Filipenses], está de acordo com esta nova necessidade das igrejas, quando os outros apóstolos foram mortos ou estavam longe, e Paulo passava muito tempo na prisão. O Espírito, portanto, dá a entender que as igrejas deveriam passar a depender de seus próprios pastores, agora que os dons milagrosos estavam passando e dando lugar à providência ordinária de Deus. Também, a presença dos apóstolos inspirados, através de quem estes dons eram ministrados, estava sendo retirada.[6]

Mais tarde, Paulo orienta Timóteo sobre as qualificações necessárias para aqueles que aspiram ao episcopado (presbiterato), o que também nos revela que os presbíteros, além de irrepreensíveis, precisavam preencher requerimentos relacionados à sã doutrina, capacidade de ensinar, vida familiar e conduta pessoal, além de relacionamentos (1Tm 3.1-7).[7] A tarefa deles era presidir e ensinar o rebanho, e aqueles que se dedicavam arduamente no ensino deveriam ser reconhecidos pela igreja e receber "dobrados honorários" (1Tm 5.17). Os presbíteros não poderiam ser acusados senão com base no depoimento de "duas ou três testemunhas" (1Tm 5.19), mas, uma vez constatado que viviam em pecado, deveriam ser repreendidos diante de todos, "para que também os demais temam" (1Tm 5.20).

Instruções similares são passadas a Tito. Ele deveria "constituir presbíteros" na recém-fundada igreja de Creta. Tito deveria cuidar para que eles cumprissem os requerimentos morais e espirituais necessários, especialmente alguém que fosse "apegado à palavra fiel, que é segundo a doutrina, de modo que tenha poder tanto para exortar pelo reto ensino

---

6 Jamieson, *Commentary*, Fp 1.1.
7 Alguns acham que estes requerimentos foram exigidos por Paulo diante dos problemas doutrinários e morais causados por presbíteros em Éfeso. Todavia, o mais provável é que Paulo esteja reforçando os requerimentos gerais para o ofício. Os apóstolos tinham exigências morais e espirituais para todos que iriam ocupar ofícios nas igrejas, como os sete em Jerusalém (At 6.1-6).

como para convencer os que o contradizem" (Tt 1.9). Este processo ocorria mediante a eleição e nomeação de homens qualificados, conforme o modelo da eleição dos sete (At 6.1-6) e a prática de Paulo (At 14.23).

Tiago, o irmão de Jesus, líder dos presbíteros da igreja de Jerusalém, orienta os leitores de sua carta a, quando estivessem doentes, chamar os presbíteros da igreja para que orassem com eles, ungindo-os com óleo em nome do Senhor. Caso o doente confessasse seus pecados, eles seriam perdoados – embora não se diga que este perdão seria dado pelos presbíteros (Tg 5.14-15).[8] As palavras de Tiago mostram que a presença de presbíteros nas igrejas, como pastores do rebanho, era generalizada entre as igrejas apostólicas.

O apóstolo Pedro escreve aos presbíteros das igrejas às quais sua carta era destinada, exortando-os em termos muito similares ao sermão de Paulo aos presbíteros de Éfeso (1Pe 5.1-4; cf. At 20.17-35). Pedro os exorta a que pastoreiem o rebanho de Deus de maneira voluntária, como exemplos do rebanho, esperando a recompensa que haveriam de receber do Supremo Pastor, Jesus Cristo. Apesar de se identificar no início de sua carta como "apóstolo de Jesus Cristo" (1Pe 1.1), ele se dirige aos presbíteros como sendo também presbítero: "rogo aos *presbíteros* que há entre vós, eu, *presbítero* como eles" (1Pe 5.1).[9] Não pode haver dúvida que os presbíteros aqui são os líderes oficiais das igrejas às quais Pedro escreve.[10] Da mesma forma, o apóstolo João se apresenta em duas de suas cartas simplesmente como "o *presbítero*" (2Jo 1; 3 Jo 1).[11]

---

8 Essa passagem tem sido usada indevidamente, tanto para provar a extrema unção católico-romana como a unção com óleo para a prosperidade ou cura, nos cultos neopentecostais. Para uma interpretação da passagem, veja "Augustus Nicodemus Lopes", *Tiago*, em Interpretando o Novo Testamento (São Paulo: Cultura Cristã, 2006), 173-180.

9 "Presbítero como eles" é a tradução de συμπρεσβύτερος, que só aparece aqui no Novo Testamento.

10 Cf. Edward Gordon Selwyn, *The First Epistle of St. Peter* (New York: Saint Martin Press, 1969), 228; Charles Bigg, *1 & 2 Peter, Jude*, em International Critical Commentary (Edinburgh: T & T Clark, 1901), 183; Leonhard Goppelt, Ferdinand Hahn, et al., *A Commentary on 1 Peter* (Grand Rapids: Eerdmans, 1993), 340; J. N. D. Kelly, *A Commentary on the Epistles of Peter and of Jude* (New York: Harper & Row, c1969), 196; Paul J. Achtemeier, *1 Peter: A Commentary on First Peter* (Minneapolis: Fortress, c1996), 321–22; J. H. Elliott, "Ministry and Church Order in the NT: A Traditio-Historical Analysis (1 Pt 5, 1–5 & plls.)," *CBQ* 32 (1970): 371.

11 Estou assumindo aqui a posição histórica de que o apóstolo João é o autor de 1, 2 e 3 João. Para uma defesa desta posição, veja Carson, *Introdução*, 494-499.

Conclusão

Essa identificação dos apóstolos como presbíteros sugere a proximidade dos dois ofícios desde cedo na igreja cristã e reforça o nosso ponto, que os apóstolos estabeleceram presbíteros nas igrejas locais para serem os continuadores de sua obra fundacional. Conforme Schreiner observa,

> Cada pedaço da evidência mostra que os presbíteros estavam espalhados desde cedo pelas igrejas cristãs. Eles são mencionados por diferentes autores: Lucas, Paulo, Pedro e Tiago. Eles se encontram espalhados por uma região extensa do mundo greco-romano, de Jerusalém na Palestina, até a inteireza da Ásia Menor e Creta.[12]

Os doze apóstolos de Cristo e o apóstolo Paulo procederam desde cedo à nomeação de presbíteros nas igrejas cristãs, em Jerusalém, na Judeia e por todo o império romano. Esses presbíteros eram escolhidos pelas igrejas, sob a supervisão dos apóstolos ou de delegados por eles enviados, de acordo com determinados requerimentos espirituais, morais e relacionais. Diferentemente dos apóstolos, não se requeria deles que tivessem visto o Senhor ressurreto, que tivessem sido chamados diretamente por eles ou que realizassem sinais e prodígios.

Enquanto os apóstolos exercem um ministério itinerante, os presbíteros ou bispos eram encarregados de pastorear as igrejas, ensinar a Palavra de Deus, confrontar os falsos ensinos e os falsos mestres, orar pelos doentes, batizar os novos convertidos, cuidar das necessidades materiais dos pobres e supervisionar a expansão das igrejas em todos os lugares. Não lhes foi dada a missão de revelar novas verdades, mas de preservar o ensino apostólico e edificar as igrejas na doutrina dos apóstolos.

Esses líderes eram chamados de *presbíteros* (anciãos) porque a função requeria a gravidade, seriedade e maturidade que naturalmente são próprias dos anciãos, uma associação muito clara na função de ancião

---

12 Thomas R. Schreiner, *1, 2 Peter, Jude*, vol. 37, *The New American Commentary* (Nashville: Broadman & Holman Publishers, 2003), 231.

das sinagogas e membros do Sinédrio. Também eram chamados de *bispos* (supervisores), um termo mais conhecido no mundo grego, porque sua tarefa era primariamente a de supervisionar o rebanho que lhes fora confiado por Deus. Esses dois títulos não indicam dois ofícios diferentes, mas dois aspectos da mesma função.

O Novo Testamento nos mostra de maneira clara que a intenção dos apóstolos de Jesus Cristo era que os presbíteros das igrejas locais preservassem os fundamentos da igreja por eles lançados e que continuassem a obra de edificação e expansão da Igreja de Cristo. E isto eles fariam preservando e propagando a doutrina dos apóstolos, recebida quer pessoalmente ou por meio de seus escritos, e não por meio de uma sucessão ininterrupta de homens. A apostolicidade da igreja reside na sua aderência à doutrina dos apóstolos e não numa sucessão de apóstolos.

Os apóstolos não nomearam apenas um presbítero ou bispo para cuidar de uma igreja, mas uma pluralidade deles. Assim, cada igreja tinha seus presbíteros ou bispos. O conceito de bispo, como um líder dentre os presbíteros é um desenvolvimento posterior ao tempo dos apóstolos, e não tem fundamento bíblico, como bem observa João Calvino, que diz que o ofício de bispo "se originou num costume humano e não repousa na autoridade da Escritura".[13] É o que veremos em seguida.

---

13 John Calvin and William Pringle, *Commentaries on the Epistles of Paul the Apostle to the Philippians, Colossians, and Thessalonians* (Bellingham, WA: Logos Bible Software, 2010), 23.

Capítulo 9

Timóteo e Tito: Bispos?

Tem sido argumentado que embora os presbíteros tenham sido colocados como os líderes das igrejas cristãs, eles estavam debaixo da liderança dos apóstolos, a princípio, e, depois, de delegados apostólicos ou bispos, que se tornaram posteriormente os sucessores dos apóstolos. De acordo com esta linha de pensamento, o modelo de um bispo supervisionando igrejas onde existem presbíteros, já se percebe no período apostólico. Como tal, deveria ser o modelo adotado pelas igrejas cristãs em todas as épocas. Esta reivindicação é geralmente feita pelas igrejas episcopais, anglicanas, luteranas, Ortodoxa oriental (grega) e, num certo sentido, pela Igreja católica Romana, a qual se baseia no conceito de uma série ininterrupta de homens que foram ordenados pelos próprios apóstolos e depois pelos seus sucessores, e assim por diante, até os nossos dias.[1]

---

[1] Embora nem todas estas reividiquem que seus bispos sejam sucessores diretos dos apóstolos, como por exemplo, os bispos das igrejas luteranas até 1884. Cf. Cross, *Oxford Dictionary*, 211.

A reivindicação do moderno movimento neopentecostal de restauração apostólica, chamada de "nova reforma apostólica", todavia, não apela para este tipo de sucessão. Os modernos apóstolos não se veem numa linhagem de descendência histórica que tem sua origem nos doze e em Paulo, como os bispos da Igreja Ortodoxa Grega ou o Papa. Para eles, existem apóstolos hoje pelo simples fato de que Deus sempre quis e que esses são como os doze e Paulo. Segundo afirmam, é um dom, um ofício, um ministério permanente, que Deus está, outra vez, levantando na igreja.

Contudo, a questão da sucessão apostólica, por meio de bispos ou de outros apóstolos, é crucial para avaliarmos a legitimidade de termos apóstolos hoje. Pois, se verificarmos que os apóstolos não pretenderam deixar substitutos ou sucessores, quer por meio de substituição (nomeação de outros para substituir os que morreram) ou sucessão (transmissão do cargo a outros com poderes para continuar transmitindo a mais outros, e assim, sucessivamente) fica evidente que, tanto a reivindicação dos bispos e do Papa que se consideram sucessores apostólicos, quanto dos apóstolos neopentecostais modernos que se consideram iguais aos doze e Paulo, é abusiva.

A discussão exegética em torno da sucessão apostólica gira em torno de diversos pontos, sendo o mais importante o papel de Timóteo e Tito encontrados no livro de Atos e nas Cartas Pastorais (1 e 2 Timóteo e Tito). Conforme estas fontes, Paulo enviou Timóteo e Tito para organizar as igrejas de Éfeso e de Creta e lá estabelecer presbíteros. Alguns concluem deste fato que Timóteo e Tito estariam numa posição superior àquela dos presbíteros, como delegados ou prepostos apostólicos, com autoridade sobre eles. Eles teriam sido os primeiros bispos e, como tal, se tornaram os precursores dos bispos monásticos que se desenvolveram no período pós-apostólico, os quais se tornaram, por sua vez, os sucessores dos apóstolos na igreja cristã até nossos dias.[2]

---

2 Para uma defesa clássica, clara e suscinta desta posição, veja J. J. Oosterzee, *1 & 2 Timothy* em Lange, *1&2 Timothy*, 37. Aos interessados em pesquisar mais a fundo a defesa da sucessão de bispos, sugiro: Arthur W. Haddan, *Apostolical* succession in the Church of England (London; Rivingtons; New York: Pott and Amery, 1870); Charles Gore, *The Church and the Ministry*, 4th ed. (London, New York: Longmans, Green, and Co.,

As missões de Timóteo e Tito

Timóteo, de fato, fazia parte do grupo de obreiros ao redor de Paulo (cf. At 17.14-15; 18.5; 20.4; Rm 16.21) e, eventualmente, era enviado por ele em missão às igrejas fundadas pelo apóstolo. Paulo o enviou à Macedônia, mais especificamente a Corinto, com Erasto, para preparar a sua chegada, lembrar aos coríntios dos caminhos de Paulo e adiantar o levantamento das ofertas para os crentes da Judeia (At 19.22; cf. 1Co 4.17; 16.10). Enviou-o aos crentes de Tessalônica com notícias suas, para confirmá-los na fé e trazer informações quanto ao estado da recém-formada igreja, que se encontrava sob perseguição (1Ts 3.1-3). Planejava enviá-lo à igreja de Filipos, para obter notícias da igreja (Fp 2.19). E, finalmente, o deixou em Éfeso para tomar emergencialmente as providências necessárias para organizar a igreja ali e enfrentar os falsos mestres que estavam se infiltrando na comunidade (1Tm 1.1-7). Paulo pretendia ir pessoalmente a Éfeso para atender a esses assuntos, mas, como havia a possibilidade de demorar-se, escreveu-lhe uma carta sobre como proceder na igreja (1Tm 3.14-15). Quando Paulo escreveu a sua segunda carta a Timóteo, este provavelmente ainda estava em Éfeso.[3]

Tito foi enviado por Paulo especialmente à igreja de Corinto, no período de tensão entre aqueles crentes e o apóstolo. Tito foi encarregado de levar a eles uma mensagem de Paulo que aparentemente foi bem recebida (2Co 2.3-4,13; 7.6-16). Mais adiante, Paulo envia Tito outra vez a Corinto, desta feita para administrar as contribuições da igreja para os pobres de Jerusalém (2Co 8.16-24). Tito foi depois enviado por Paulo a Creta para designar presbíteros, refutar falsos mestres e instruir a igreja

---

1900) – esta obra se tornou a defesa padrão da sucessão apostólica entre os anglicanos; ver também o ensaio de C. H. Turner em Henry Barclay Swete, *Essays on the Early History of the Church and the Ministry*, by Various Writers (London: Macmillan and Co., Limited, 1918); Kenneth E. Kirk, *The Apostolic Ministry* (London: Hodder & Stoughton Limited, 1946); Arnold Ehrhardt, *The Apostolic Succession in the First Two Centuries of the Church* (London: Lutterworth Press, 1953); William Telfer, *The Office of a Bishop* (London: Darton, Longman & Todd, 1962), pp. 107–120; W. Palmer, *Treatise on the Church of Christ* (1838). Este último serviu de inspiração para o movimento de Oxford (final do séc. 19) que buscava reaver a doutrina da sucessão dos bispos dentro das igrejas anglicanas.

3 Cf. Thomas D. Lea and Hayne P. Griffin, *1, 2 Timothy, Titus*, vol. 34, The New American Commentary (Nashville: Broadman & Holman Publishers, 1992), 52. Também Oosterzee, *1 & 2 Timothy*, 9-10.

(Tt 1.5,13; 2.15). E, mais tarde, parece que Paulo o enviou em missão a Dalmácia (2Tm 4.10).[4]

O que chama a atenção é que a missão de Timóteo em Éfeso e a de Tito em Creta incluía, entre outras coisas, constituir presbíteros pela imposição de mãos (Tt 1.5; 1Tm 3.1-2; 5.22), cuidar para que os presbíteros recebessem justo salário (1Tm 5.17), julgar denúncias contra eles e aplicar-lhes disciplina (1Tm 5.19-20) e treinar homens que pudessem transmitir a outros a doutrina apostólica (2Tm 2.2). Não é de se estranhar, portanto, que alguns defendam que Timóteo e Tito estavam numa categoria superior a dos presbíteros e inferior aos apóstolos, servindo, portanto, como os seus legítimos sucessores. Alguns escritores do período pós-apostólico dizem que Timóteo se tornou o primeiro bispo de Éfeso e Tito, o primeiro bispo de Creta.[5]

Vejamos então alguns dos argumentos mais comuns para defender a sucessão apostólica por meio de bispos, tendo Timóteo e Tito como os primeiros de uma série ininterrupta até nossos dias.[6]

Iminência da morte de Paulo

Argumenta-se que seria perfeitamente natural para Paulo, sabendo que seu tempo de partida estava próximo, deixar Timóteo e Tito como presidentes das igrejas de Éfeso e Creta, para garantir a sua correta administração.[7] Deste ponto de vista, as Cartas Pastorais (1 e 2 Timóteo e Tito) seriam como uma espécie de manual eclesiástico, um legado de Paulo para eles, como bispos. Como Lutero afirmou: "S. Paulo escreve esta carta [1 Timóteo] como um modelo para todos os Bispos, o que eles devem ensinar, e como eles devem governar a igreja cristã em todas as circunstâncias".[8]

---

4 Oosterzee, *1 & 2 Timothy*, 53.

5 Eusébio diz na sua *História Eclesiástica* (3.11) que Timóteo, bispo de Éfeso, morreu martirizado ali.

6 Seria pretensão tentar esgotar aqui os argumentos contra e a favor da sucessão apostólica por meio de bispos, uma discussão que dura desde o tempo da Reforma até nossos dias, e que tem gerado uma vasta literatura. Meu alvo é apenas mostrar os argumentos de ambos os lados e porque eu creio que os argumentos contra a sucessão apostólica por meio de bispos são mais convincentes.

7 Como defende Jamieson, *Commentary*, na Introdução às Pastorais.

8 Citado por Oosterzee, *1 & 2 Timothy*, 11.

Todavia, não há qualquer indicação de que Paulo estava pressionado pela iminência de sua morte quando escreveu 1Timóteo e Tito, as duas cartas mais importantes para esta questão da sucessão apostólica. Na verdade, ele estava fazendo planos para passar o inverno em Nicópolis (Tt 3.12). É somente em 2Timóteo – que tem pouca relevância para este assunto – que ele manifesta claramente a consciência de que seu tempo havia chegado (2Tm 4.6-8). O envio de Timóteo e Tito para Éfeso e Creta, respectivamente, se deu pelas necessidades emergenciais daquelas igrejas, como veremos. Por isso, as Epístolas Pastorais devem ser vistas como orientações de Paulo a Timóteo e Tito, com o objetivo de ajudá-los a corrigir emergencialmente problemas de doutrina e prática nas igrejas de Éfeso e Creta.[9]

Este ponto fica evidente de duas passagens em 1Timóteo:

> Escrevo-te estas coisas, *esperando ir ver-te em breve*; para que, *se eu tardar*, fiques ciente de como se deve proceder na casa de Deus, que é a igreja do Deus vivo, coluna e baluarte da verdade (1Tm 3.14-15).
>
> *Até a minha chegada*, aplica-te à leitura, à exortação, ao ensino (1Tm 4.13).

Duas coisas ficam claras destas palavras de Paulo. Primeira, que a função de Timóteo era temporária, até a chegada dele. Segundo, que ele deveria agir de acordo com as instruções que Paulo estava dando. Em outras palavras, Timóteo não representa um novo tipo de ofício, entre apóstolo e presbítero. Ele era, por assim dizer, um enviado de Paulo para atender a uma situação emergencial de uma igreja, enquanto o próprio Paulo não chegasse.

Há outro aspecto de 1Timóteo a ser levado em conta, e que, por inferência, pode ser aplicado a Tito. De acordo com Calvino, 1Timóteo parece ter sido escrita "mais por causa dos outros do que por causa de

---

9 Cf. Lea, *1, 2 Timothy, Titus*, 49–50.

Timóteo". Para Calvino, há muitas coisas na carta que seriam supérfluas se a intenção de Paulo fosse destiná-la somente a Timóteo. O que parece, segundo Calvino, é que esta carta tinha como alvo ser pública e servir de autorização para Timóteo fazer o seu trabalho. Diante do confronto com homens teimosos que se levantaram contra Timóteo em Éfeso, era preciso que "alguém maior que Timóteo se interpusesse". Desta forma, ao escrever a carta dando orientações a Timóteo, Paulo pretendeu, ao mesmo tempo, "instruir outros usando o nome de Timóteo".[10]

Assim, longe de serem manuais eclesiásticos com instruções para os bispos que haveriam de lhe suceder, Paulo escreve 1Timoteo e Tito para orientar seus dois enviados especiais quanto ao que fazer em Éfeso e Creta, nas circunstâncias em que se encontravam. É claro que estas instruções, mesmo partindo de circunstâncias locais, contêm princípios universais para guiar as igrejas e seus presbíteros.

A ordenação de Timóteo

É argumentado que Timóteo havia sido ordenado pelo próprio Paulo, com imposição de mãos, como seu representante e eventual substituto (2Tm 1.6). Por este motivo, ele veio a se tornar o primeiro bispo de Éfeso, depois da morte dos apóstolos.[11] O mesmo teria acontecido com Tito, que se tornou bispo de Creta.

Assim, diz-se, o fato de que Timóteo e Tito foram expressamente ordenados pelo apóstolo Paulo para cuidar de assuntos das igrejas, fez com que, mais tarde, o ofício deles se elevasse acima daquele dos presbíteros. De acordo com Oosterzee, "não pode haver dúvida de que, com a ordenação de Timóteo e Tito, uma nova ordem superior estava se tornando a regra geral das igrejas, e isto com a permissão, senão pela própria ordenança, dos Apóstolos". Segundo ele, o fato de que não há objeção alguma ao surgimento dos bispos diocesanos na literatu-

---

10 John Calvin and William Pringle, *Commentaries on the Epistles to Timothy, Titus, and Philemon* (Bellingham, WA: Logos Bible Software, 2010), 13.
11 Cf. Oosterzee, *1 & 2 Timothy*, 9–10.

ra pós-apostólica indica que o direito dos bispos foi reconhecido por todos.[12] Todavia, ainda que este ponto fosse inteiramente verdadeiro, sua importância é secundária, pois é sabido que os pais da igreja nem sempre foram fiéis ao ensinamento dos apóstolos. Oscar Cullmann, por exemplo, no capítulo sobre "tradição", em seu conhecido livro sobre a igreja primitiva, considera o ensino dos apóstolos como divinamente autorizado, mas considera a tradição eclesiástica, começando no século II como altamente não confiável. Para ele, somente o Novo Testamento é o depósito puro da tradição apostólica.[13] O que nos serve de regra de fé e prática é o ensino dos apóstolos no Novo Testamento e não as opiniões dos cristãos no período pós-apostólico, ainda que estas sejam importantes e valiosas para nós.

Lembremos ainda que não há qualquer menção no Novo Testamento de que Tito havia sido ordenado por Paulo. Quanto a Timóteo, Paulo menciona que o presbitério, isto é, o colegiado de presbíteros, havia imposto as mãos sobre ele, e que ele, Paulo, provavelmente estava presente na ocasião e tomou parte do evento: "Não te faças negligente para com o dom que há em ti, o qual te foi concedido mediante profecia, com a *imposição das mãos do presbitério... te admoesto que reavives o dom de Deus que há em ti pela imposição das minhas mãos*" (1Tm 4.14; 2Tm 1.6, ênfase minha). A imposição de mãos sobre Timóteo da parte do presbitério e de Paulo, ocorrida provavelmente num mesmo evento, certamente foi para separá-lo para a obra que Deus o havia chamado e manifestado através de profecias, um procedimento similar ao que aconteceu com o próprio Paulo, quando foi separado para a obra missionária com imposição de mãos (At 13.1-3). Portanto, não há nada nestas passagens que apoie a ideia de que Paulo, sozinho e na sua condição de apóstolo, havia consagrado e ordenado Timóteo como bispo.

Aqui teremos de discordar da opinião de Calvino, que considera que Timóteo e Tito eram "evangelistas", um ofício intermediário entre apóstolo e presbítero, que também era partilhado por outros como Lucas

---

12 Ibid., 37.
13 Cf. Oscar Cullmann, *The Early Church* (Philadelphia: Westminster Press, 1956), 59-99.

e os setenta, ofício este que era temporário como o de apóstolo e profeta.[14] Parece-nos que falta evidência bíblica conclusiva de que "evangelista" fosse um ofício na igreja apostólica. O termo ocorre na lista de Efésios 4.11, onde Paulo menciona cinco tipos de pessoas que Deus deu à igreja para sua edificação. Já vimos, em nossa análise desta passagem, que não podemos classificar estas cinco pessoas em uma única categoria, como sendo dons, ministérios, ofícios ou funções, devido à enorme disparidade entre elas quanto à autoridade, revelação recebida, mobilidade, etc. Portanto, não é claro que se trata de cinco ofícios e nem de cinco dons. O que traz essas cinco categorias juntas é o fato de que todas elas expressam ministérios que edificam a igreja mediante a Palavra.

A orientação de Paulo a Timóteo para fazer a obra de um evangelista (2Tm 4.5) não significa que Timóteo ocupava um ofício com este nome. Se evangelista fosse um ofício, o candidato mais provável seria Filipe, que é expressamente chamado de "o evangelista". Contudo, sabemos que seu ofício era, na verdade, de diácono (At 6.1-6). Ele é chamado de "evangelista" porque, mesmo sendo diácono, evangelizou as regiões da Judeia e de Samaria. Ele é o único no livro de Atos cuja atividade é descrita como "evangelizar" (cf. At 8.12,25,40). E era isto que Timóteo deveria fazer enquanto em Éfeso, não somente cuidar das necessidades da igreja, mas também anunciar a palavra de Deus na cidade, evangelizando os moradores de Éfeso.[15]

Penso que Lange está correto quando entende que Timóteo e Tito eram evangelistas no sentido de enviados de Paulo com uma missão especial. "Não se pode provar com certeza, destas epístolas, que eles [Timóteo e Tito] eram mais que apenas evangelistas."[16] Conforme Lea e Hayne, "Paulo lhes deu plena autoridade, mas eles eram seus delegados em tarefa especial. Eles não eram pastores com residência permanente".[17]

---

14 Cf. Calvin, *Institutas*, IV.iii.4. Da mesma opinião é Matthew Henry, (*Commentary*, 2350).

15 Lucas é o único que usa "evangelizar" também para descrever o ministério de Jesus de pregar o Evangelho, Lc 4.18; 20.1.

16 Lange, *1 & 2 Timothy*, 37.

17 Lea, *1, 2 Timothy, Titus*, 49–50.

Poderes para ordenar presbíteros

Outro argumento comumente usado em defesa do episcopado de Timóteo e Tito é que ambos exerceram o mesmo poder de constituir presbíteros que Paulo tinha, quando ordenou presbíteros nas igrejas da Galácia (cf. Atos 14.23).[18] De acordo com os que defendem esta ideia, a doutrina da sucessão apostólica dos bispos fica clara do fato que Paulo se apresenta como apóstolo de Jesus Cristo (1Tm 1.1; 2Tm 1.1; Tt 1.1), que ele delega autoridade a seu filho na fé, Timóteo, para ordenar presbíteros e diáconos pela imposição de mãos (1Tm 3; 5.22; Tt 1.5; 2Tm 2.2).[19]

Contudo, escolher e ordenar diáconos era algo que já havia sido feito antes de Paulo (cf. At 6.1-6; At 11.30). E, antes de escrever a Timóteo, ele já havia estabelecido presbíteros nas igrejas que fundava (At 14.23). A igreja de Éfeso já tinha presbíteros muito antes de Timóteo aparecer por lá, presbíteros que foram certamente nomeados debaixo da orientação de Paulo (At 20.17). Portanto, não se pode dizer que Timóteo foi enviado a Éfeso para eleger presbíteros, mas para assegurar que a escolha e nomeação de novos presbíteros fosse feita de acordo com os requerimentos que o cargo exigia (1Tm 3.1-7).[20] Em seguida, Timóteo deveria ordenar os escolhidos como presbíteros (1Tm 5.22). Cabia-lhe receber denúncias contra os maus presbíteros e após averiguação, repreendê-los na presença de todos (1Tm 5.19-20), e isto não sem a participação dos demais.

Tito recebeu a comissão de "constituir presbíteros" em cada cidade da ilha de Creta onde houvesse igrejas (Tt 1.5), e isto dificilmente seria feito por nomeação direta dele. Ele certamente seguiria o modelo de escolha de oficiais consagrado pelos doze, para as igrejas, na escolha dos sete diáconos (At 6.1-6), e por Paulo, na escolha dos presbíteros para as igrejas da Galácia (At 14.23), a saber, eleição feita pelas igrejas e ordenação feita pelos apóstolos ou seu representante, como era o caso de Tito. De acor-

---

18 Jamieson, *Commentary*, na Introdução às Pastorais.
19 Cf. Spence-Jones, *Galatians*, 7.
20 O que sugere que os falsos mestres que estavam por lá tinham sido – ou eram ainda – presbíteros da igreja que haviam aderido a falsos ensinamentos e estavam causando transtornos na igreja.

do com Calvino, em seu comentário nas cartas pastorais, "Paulo não lhe deu [a Tito] permissão para fazer isso sozinho, e colocar sobre as igrejas aqueles que ele julgasse em condições de serem bispos; ele apenas o orienta a presidir, como moderador, as eleições, o que seria muito necessário".[21] Nas *Institutas*, Calvino desenvolve este tema mais detalhadamente. Seu argumento principal é que desde o início, a escolha de oficiais para a igreja nunca foi feita pela nomeação de uma única pessoa. Portanto, Paulo não estaria orientando os dois a nomear presbíteros para as igrejas conforme escolha pessoal deles.[22] De fato, Matias e José foram primeiramente indicados pelos discípulos de Jesus aos apóstolos como candidatos para substituir Judas, e depois houve um processo de escolha mediante o lançar sortes. Matias foi escolhido, não por nomeação de Pedro, mas por este processo em que houve a participação dos irmãos (At 1.23-26). Os diáconos foram eleitos pela igreja e ordenados pelos apóstolos. Todos eles lhes impuseram as mãos (At 6.1-6). Paulo e Barnabé estabeleceram presbíteros que foram escolhidos pelas igrejas (At 14.23). Estes primeiros eventos estabelecem o padrão. Nossa conclusão, portanto, é que Timóteo e Tito tinham sido autorizados por Paulo a orientar as igrejas na escolha de presbíteros e diáconos, e não para instalar nestes ofícios quem eles queriam.

Distinção entre bispos e presbíteros

Outra tentativa de provar a sucessão apostólica por meio de bispos é mostrar que já nos escritos apostólicos se percebe uma distinção entre bispos e presbíteros, com estes primeiros sendo elevados a uma posição superior. De acordo com tal perspectiva, apesar dos termos "bispos" e "presbíteros" designarem a mesma função no período apostólico, já se pode perceber uma distinção entre as duas funções, que permitiu, nos tempos pós-apostólicos, que o bispo se elevasse sobre os presbíteros.[23]

---

21 Cf. Calvin, *Timothy, Titus, and Philemon*, 290–291.
22 Calvin, *Institutas*, IV.iii.5.
23 No afã de provar este ponto, alguns chegam a ponto de defender, sem qualquer base exegética, que os presbíteros mencionados nas Pastorais não eram um ofício, mas sim pessoas idosas e experientes dentre as quais o bispo era para ser escolhido, como Marvin Vincent, citado por Wuest, *Wuest's Word Studies*, 1Tm 5.1.

Todavia, a evidência bíblica é claramente em favor de uma identificação plena do bispo com o presbítero. Conforme já mencionamos acima, no livro de Atos os termos "presbíteros" e "bispos" são usados para se referir ao mesmo grupo de homens, que foram encarregados pelo apóstolo Paulo de pastorear a igreja de Éfeso:

> De Mileto, [Paulo] mandou a Éfeso chamar os *presbíteros* da igreja... Atendei por vós e por todo o rebanho sobre o qual o Espírito Santo vos constituiu *bispos*, para pastoreardes a igreja de Deus, a qual ele comprou com o seu próprio sangue (At 20.17,28).

Na carta a Tito, Paulo usa os dois termos para indicar a mesma pessoa, que deveria ser constituída por Tito na liderança da igreja:

> Por esta causa, te deixei em Creta, para que pusesses em ordem as coisas restantes, bem como, em cada cidade, constituísses *presbíteros*, conforme te prescrevi... Porque é indispensável que o *bispo* seja irrepreensível como despenseiro de Deus... (Tt 1.5-7).

Na carta aos filipenses, Paulo menciona apenas os bispos e diáconos da igreja em sua saudação. A falta de menção específica aos presbíteros sugere que são os mesmos bispos mencionados (Fp 1.1). Em 1 Timóteo, ele dá orientações para a escolha de bispos e diáconos sem mencionar presbíteros, o que novamente sugere que estes são os mesmos bispos (1Tm 3.1-2; 3.8). As qualidades requeridas para os bispos na carta a Timóteo são as mesmas requeridas para os presbíteros na carta a Tito (compare 1Tm 3.1-7 com Tt 1.5-9). Em sua primeira carta, Pedro se dirige "aos presbíteros que há entre vós" e, em seguida, se identifica como um deles. A omissão de uma menção aos bispos que porventura houvesse entre eles e a identificação de Pedro com presbíteros, em vez de bispos, é, no mínimo, estranha, a não ser que bispos e presbíteros fossem a mesma coisa (1Pe 5.1-2).

Mesmo Oosterzee, que defende a sucessão apostólica pelos bispos, admite que "os πρεσβύτεροι e ἐπίσκοποι ainda não estão separados [aqui nas

Pastorais] uns dos outros; ao contrário, eles são idênticos".[24] O famoso bispo anglicano, J. B. Lighfoot, num comentário de Filipenses, reconheceu que bispos e presbíteros eram a mesma coisa no período do Novo Testamento:

> É um fato geralmente reconhecido agora por teólogos de todo tipo de opiniões diferentes, que na linguagem do Novo Testamento o mesmo oficial na igreja é chamado, indiferentemente, de 'bispo' (ἐπίσκοπος) e "ancião" ou "presbítero" (πρεσβύτερος).[25]

De acordo com Carson, não se percebe no Novo Testamento que havia um único bispo em cada igreja ou de que um bispo supervisionava várias igrejas, um conceito que aparece somente no período pós-apostólico. Diz ele, "a ideia de um ofício autoritativo, como aquele do bispo que aparece na história posterior da igreja, não faz parte da doutrina do Novo Testamento".[26]

Ao tratar dos ofícios eclesiásticos das igrejas, Calvino declara: "Ao nomear indiscriminadamente de bispos, presbíteros e pastores os que governam as igrejas, eu faço isto com a autoridade das Escrituras, que usam estas palavras como sinônimas".[27] É esta a compreensão que adotamos: "bispo" e "presbítero" designam exatamente o mesmo ofício.

Treinamento de sucessores

Por último, argumenta-se que a sucessão apostólica através de bispos pode ser provada com 2 Timóteo 2.2: "O que de minha parte ouviste

---

24 Oosterzee, *1 & 2 Timothy*, 4. É instrutivo notar que os presbíteros de Éfeso haviam sido chamados de bispos por Paulo por ocasião de seu sermão de despedida deles, cf. At 20.28, "bispos... para pastoreardes o rebanho de Deus". Portanto, ao orientar Timóteo mais tarde quanto à escolha de novos bispos em Éfeso (1Tm 3.1), Paulo não tem outro ofício em mente a não ser o de presbítero.

25 J. B. Lighfoot, *Saint Paul's Epistle to the Philippians* (London: Macmillan and Co., Limited, 1913), 95. Esta declaração de Lightfoot causou bastante controvérsia à época porque presbiterianos usaram-na para negar a doutrina dos três ofícios (bispo, presbítero e diácono). É fato, todavia, que Lightfoot cria nos três ofícios. O que ele está dizendo aqui (parece que depois voltou atrás), é que no período apostólico não havia distinção entre bispo e presbítero, algo que só ocorreu posteriormente.

26 Carson, *New Bible Commentary*, 1298.

27 *Institutas*, IV.iii.8.

através de muitas testemunhas, isso mesmo transmite a homens fiéis e também idôneos para instruir a outros". Embora esta passagem seja usada com alguma cautela, ainda assim é vista por muitos como mais uma evidência da sucessão apostólica pelos bispos.

Todavia, nos parece claro que não se trata aqui de uma sucessão apostólica de bispos, começando com Timóteo. Para começar, não é claro que o próprio Timóteo fosse um bispo. Depois, as coisas que Timóteo tinha ouvido de Paulo, as quais o apóstolo faz referência, era a mensagem simples e pura do Evangelho que Timóteo tinha ouvido Paulo pregar tantas vezes em público. Não há aqui qualquer sugestão de que eram as instruções pessoais que Paulo lhe transmitiu por ocasião da cerimônia de sua ordenação a bispo diante de testemunhas formais, como querem alguns.[28]

Os "homens fiéis e idôneos" a quem Timóteo deveria instruir e treinar para passar adiante o ensinamento apostólico eram, primariamente, os membros da igreja de Éfeso que tivessem tais qualificações.[29] Contudo, é possível que seja uma referência aos presbíteros encarregados de preservar e transmitir a sã doutrina, os quais foram mencionados por Paulo em sua primeira carta a Timóteo (1Tm 3.1-7; 5.17).[30] "Paulo não está, aqui, mostrando qualquer interesse na tradição com o objetivo de enfatizar a tradição apostólica."[31] Conforme Spence-Jones, "não há nada na passagem [2Tm 2.2] que justifique a ideia de sucessão apostólica".[32]

A preocupação de Paulo na preservação dos ensinos apostólicos, que ele chama de "o bom depósito," se percebe também em 2Timóteo, quando ele exorta Timóteo a "manter o padrão das sãs palavras" que este tinha ouvido do apóstolo (2Tm 1.13-14). É a igreja do Deus vivo que é "coluna e baluarte da verdade" (1Tm 3.15).

---

28 Cf. a refutação deste conceito em Lange, *1&2 Timothy*, 93.
29 Ibid.
30 Lea, *1, 2 Timothy, Titus*, 201.
31 Ibid., 202.
32 Spence-Jones, *Galatians*, 27.

Esta orientação de Paulo a Timóteo, para transmitir a outros o que ele havia ouvido e recebido do apóstolo, reflete a maneira como a igreja apostólica se desenvolveu. De acordo com Carson, a passagem mostra que "homens especialmente selecionados, que eram fiéis e hábeis para ensinar, deveriam ser separados para a tarefa de transmitir o ensino". Paulo aqui está preocupado apenas em regulamentar este processo.[33] A sucessão apostólica se encontra, portanto, na manutenção e propagação do ensino apostólico, e não em pessoas.

Judas, o irmão de Tiago, que como ele participava do círculo apostólico, declarou no início de sua carta que sua intenção com a mesma era exortar seus leitores a preservar a doutrina dos apóstolos.

> Amados, quando empregava toda a diligência em escrever-vos acerca da nossa comum salvação, foi que me senti obrigado a corresponder-me convosco, *exortando-vos a batalhardes, diligentemente, pela fé que uma vez por todas foi entregue aos santos*. Pois certos indivíduos se introduziram com dissimulação, os quais, desde muito, foram antecipadamente pronunciados para esta condenação, homens ímpios, que transformam em libertinagem a graça de nosso Deus e negam o nosso único Soberano e Senhor, Jesus Cristo (Jd 3-4).

A fé que foi entregue "de uma vez por todas" aos santos é a doutrina dos apóstolos, o testemunho deles acerca da morte e ressurreição do Senhor Jesus Cristo e a interpretação do seu significado, e que, à época em que Judas escreveu, já tinha contornos bem definidos e era reconhecida em todas as igrejas. Judas sentia que ela estava sendo ameaçada pela ação de falsos mestres nestas igrejas. Ele exorta os cristãos a "batalharem" para preservar esta fé, incumbindo-os desta tarefa. A recepção, manutenção e transmissão da mensagem apostólica deveriam ser feitas pelas igrejas em geral. Conforme Roy Zuck, "a verdadeira sucessão apostólica é seguir o que os apóstolos ensinaram e passaram a outros".[34]

---

33 Carson, *New Bible Commentary*, 1306.
34 Roy B. Zuck, *A Biblical Theology of the New Testament*, electronic ed. (Chicago: Moody Press, 1994), 459.

Conclusão

Examinamos neste capítulo o argumento de que Timóteo e Tito foram os primeiros sucessores de Paulo, por ele ordenados, e através dos quais se faria a sucessão apostólica. Nosso entendimento é que Timóteo e Tito foram delegados e enviados por Paulo para tomar determinadas medidas, necessárias nas igrejas de Éfeso e Creta. Paralelamente ao envio de ambos, Paulo lhes envia cartas que deveriam ser também lidas pelas comunidades, nas quais fica claro que os dois estavam agindo sob a autoridade de Paulo, o qual pretendia resolver pessoalmente as pendências em futura visita.

A função desempenhada por Timóteo e Tito estava relacionada ao momento de transição entre o modelo apostólico e o modelo de colegiado de presbíteros. Timóteo é referido apenas como "o irmão Timóteo," "servo de Jesus Cristo," "ministro de Cristo" – nunca como bispo ou qualquer outro título que indicasse um grau de superioridade sobre os presbíteros. Assim era também com Tito. Nossa conclusão é que o conceito de sucessão apostólica por meio de bispos, numa série que pode ser traçada aos apóstolos, não encontra qualquer fundamentação nos escritos dos próprios apóstolos.

Capítulo 10

Os Escritos Apostólicos

Vimos nos capítulos anteriores que os apóstolos designaram presbíteros para edificarem a igreja sobre o fundamento que eles lançaram, homens que fossem fiéis e idôneos, escolhidos pelas igrejas e que tivessem qualificações morais, espirituais e de ensino. A estes homens foi confiada a continuação da obra iniciada pelos apóstolos. Como continuadores, não era necessário que tivessem visto o Senhor ressurreto, que tivessem sido chamados diretamente por ele e nem que fizessem sinais e prodígios e produzissem Escritura.

No presente capítulo iremos um passo além, e verificaremos que, ao mesmo tempo em que estabeleceram presbíteros, os apóstolos consignaram por escrito a doutrina cristã em evangelhos, cartas e outros gêneros literários. O objetivo deles era não somente suprir a sua ausência das muitas igrejas mediante epístolas que funcionassem como substitutos deles, mas também preservar, de maneira mais eficiente e segura do que a tradição oral, os seus ensinamentos e os ensinos de Jesus Cristo. Caberia aos presbíteros preservar estes escritos e usá-los como base do trabalho de pastorear as igrejas sob sua responsabilidade. Desta forma, a voz dos apóstolos seria ouvida por todas as gerações futuras, como se estivessem falando em pessoa.

Assim, a preservação da doutrina dos apóstolos e a consequente manutenção da apostolicidade da igreja cristã se fez por meio dos escritos deles, e não através de uma série pessoal de sucessores. De acordo com Louis Berkhof, "é somente através da palavra deles [dos apóstolos] que os crentes de todas as eras têm comunhão com Jesus Cristo. Portanto, eles são os apóstolos da igreja de hoje tanto quanto foram os apóstolos da igreja primitiva."[1]

As cartas como substitutos da presença apostólica

Tem sido observado por estudiosos de diferentes tradições teológicas que as cartas dos apóstolos funcionavam como substitutos da sua presença. Robert Funk argumenta que as cartas de Paulo eram uma de suas estratégias para manter o poder e a autoridade de sua presença apostólica nas igrejas por ele fundadas, funcionando desta forma como substitutos da presença real do apóstolo. Esta estratégia era empregada de maneira mais forte quando falsos mestres ameaçavam estas igrejas com seus ensinos e Paulo não podia estar presente para enfrentá-los.[2] Oscar Cullmann argumenta que a quantidade de material litúrgico nas cartas de Paulo se devia ao fato de que ele, enquanto as escrevia, tinha em mente as igrejas reunidas para o culto. Suas cartas eram para ser lidas nestes cultos, como se o próprio Paulo ali estivesse presente.[3] De acordo com Lovejoy, as cartas de Paulo não foram escritas por ele no ímpeto de manter contato com suas igrejas. Na maioria dos casos, foi a sua ausência que criou a necessidade de correspondência por escrito. "Suas cartas serviam como um substituto apostólico para falar diretamente aos problemas e situações dentro das igrejas."[4]

---

1 L. Berkhof, *Systematic Theology* (Grand Rapids, MI: Wm. B. Eerdmans publishing co., 1938), 585.
2 Robert W. Funk, "The Apostolic Parousia: Form and Significance" em *Christian History and Interpretation: Studies Presented to John Knox*, ed. William Farmer (Cambridge: Cambridge University Press, 1967), 249-268.
3 Oscar Cullmann, *Early Christian Worship* (Westminster Press: Philadelphia, 1953), 24.
4 Grant I. Lovejoy, *Biblical Hermeneutics: A Comprehensive Introduction to Interpreting Scripture* (B&H Publishing Group, 2002), 333.

Na realidade, encontramos nos próprios escritos dos apóstolos, evidências de que eles consideravam o que tinham escrito equivalente à sua própria presença. Paulo escreveu 1Coríntios para preencher sua ausência na igreja de Corinto, a qual ele planejava suprir em breve (1Co 4.14-21). Ao terminar a carta, ele demanda dos profetas e dos "espirituais" que se submetam ao que ele escreveu, como se ele próprio estivesse ali dando os mandamentos do Senhor (1Co 14.37). O toque pessoal, que era a assinatura de próprio punho, reforça este ponto (1Co 16.21; cf. Gl 6.11). A sua segunda carta aos coríntios estava ligada à sua visita futura à cidade, e deveria funcionar como um substituto de sua presença até sua chegada (2Co 2.3). Da mesma forma, a carta que ele escreveu a Timóteo: "Escrevo-te estas coisas, esperando ir ver-te em breve; para que, *se eu tardar*, fiques ciente de como se deve proceder na casa de Deus, que é a igreja do Deus vivo, coluna e baluarte da verdade" (1Tm 3.14-15). Quando acusado pelos coríntios de escrever cartas fortes como subterfúgio para fugir do confronto pessoal, Paulo responde: "...o que somos na palavra por cartas, estando ausentes, tal seremos em atos, quando presentes" (2Co 10.11). Mais adiante, nesta mesma carta, ele diz: "Portanto, escrevo estas coisas, estando ausente, para que, estando presente, não venha a usar de rigor segundo a autoridade que o Senhor me conferiu para edificação e não para destruir" (2Co 13.10). Outra vez se percebe o entrelaçamento entre a carta e a presença do apóstolo.

É relevante reproduzir aqui as palavras do apóstolo Pedro com relação à preservação do seu legado após a sua morte. Na sua segunda epístola, ele faz menção de que tem consciência da proximidade de sua morte e que se esforçará para que os cristãos conservem a lembrança do Evangelho que ele e os demais apóstolos pregaram. E de que forma? Não apontando um sucessor para conservar este Evangelho como um guardião, mas registrando este Evangelho nas páginas sagradas da Escritura, razão pela qual estava escrevendo aquela epístola:

> Por esta razão, sempre estarei pronto para trazer-vos lembrados acerca destas coisas...de minha parte, esforçar-me-ei, diligentemente, por fazer que, a todo tempo, mesmo depois da minha partida, conserveis lembrança de tudo.

> Porque não vos demos a conhecer o poder e a vinda de nosso Senhor Jesus Cristo seguindo fábulas engenhosamente inventadas, mas nós mesmos fomos testemunhas oculares da sua majestade (2Pe 1.12-16).

O esforço que Pedro fez para que, depois de sua partida deste mundo, os cristãos conservassem a lembrança do seu testemunho ocular da glória de Cristo, conforme sua declaração acima, resultou neste testemunho registrado nas cartas que escreveu, e que ele considerava suficientes para manter os cristãos relembrados de tudo que ele e os demais apóstolos ensinaram. Não há a menor noção de um substituto pessoal, alguém que tomasse seu lugar como apóstolo de Jesus Cristo à frente da Igreja para transmitir a seus sucessores apostólicos o tesouro da fé cristã. As suas cartas fariam o papel de sua presença. Sempre que lidas, a voz de Pedro seria ouvida, pelos séculos por vir.

No prefácio da sua primeira carta, o apóstolo João se apresenta como testemunha ocular da vida e obra de Jesus Cristo, como alguém que viu, ouviu e tocou no "Verbo da vida" (1Jo 1.1-2). O plural indica que ele está falando em nome dos apóstolos de Jesus Cristo, os únicos que poderiam reivindicar estas coisas. Em seguida, ele declara o motivo de ter escrito aquela carta: "...o que temos visto e ouvido anunciamos também a vós outros, para que vós, igualmente, mantenhais comunhão conosco" (1Jo 1.3). Nas palavras de Abraham Kuyper, "o propósito desta declaração apostólica é *conectar os membros da igreja com o apostolado*".[5] E isto vale não somente para os crentes a quem aquela carta foi inicialmente escrita, mas para todos, de todas as épocas e lugares, que a recebem e leem. Ainda conforme Kuyper, nossa comunhão com os apóstolos se dá pelos seus escritos, que são como se os apóstolos ainda falassem hoje. "Roma erra ao fazer de seus bispos sucessores dos apóstolos e por ensinar que comunhão com os apóstolos depende da comunhão com Roma."[6]

---

5 Kuyper, *The Work of the Holy Spirit*, 141.
6 Ibid., 141-142.

Numa outra carta que João escreveu à igreja de Gaio, o apóstolo tinha esperança de resolver um problema relacionado com o acolhimento de missionários que ele havia enviado. A carta não deu resultado e João planejava uma visita para resolver o assunto (3Jo 9-10). Se a carta não funcionava, a única alternativa era uma visita pessoal e não outra carta, mostrando que as cartas, de fato, eram para ser recebidas como se o apóstolo estivesse falando pessoalmente.

Se as cartas dos apóstolos funcionavam como substitutos de sua presença e tinham como alvo mediar a presença apostólica aos leitores, separados deles não somente no espaço, mas também no tempo, é nelas que encontraremos, hoje, os apóstolos de Jesus Cristo, como se nos falassem pessoalmente.

O cânon do Novo Testamento

A coleção dos escritos apostólicos – isto quer dizer, aqueles produzidos pelos apóstolos e por pessoas associadas a eles, homens apostólicos como Lucas, Marcos, Tiago, Judas, etc. – representa o legado deles para as igrejas de todas as épocas. De acordo com Oscar Cullmann, "pode-se dizer que o conceito de 'cânon' resultou diretamente daquele de apóstolo. O apóstolo tem, na igreja, uma função única, que não se repete mais: ele é testemunha *ocular*. Por conseguinte, acreditava-se que somente os escritos que tinham como autor um apóstolo ou discípulo de apóstolo poderiam garantir a pureza do testemunho cristão".[7]

A palavra "epístola", ἐπιστολή, que é usada no Novo Testamento para designar a comunicação feita pelos apóstolos às igrejas (cf. At 15.30; Rm 16.22; 1Co 5.9; 2Co 10.9-11; etc.) era usada para correspondências oficiais e autoritativas (cf. At 9.2; 22.5; 23.25,33), e, no caso daquelas enviadas pelos apóstolos às igrejas, esta autoridade é realçada pela maneira como eles se apresentam no prefácio, como apóstolos de Cristo e ministros de Deus.[8]

---

[7] Oscar Cullmann, *Formação do Novo Testamento* (São Leopoldo, RS: Editora Sinodal, 11a. edição, 2001), 90-91. Itálicos do autor.

[8] Cf. ἐπιστολή em Gerhard Kittel, Geoffrey W. Bromiley, and Gerhard Friedrich, eds., *Theological Dictionary of the New Testament* (Grand Rapids, MI: Eerdmans, 1964–), 593–594.

Nos vinte e sete livros que compõem o Novo Testamento, ouvimos hoje o testemunho apostólico, tal como foi dado no século I. De acordo com A. F. Walls, a comissão que os apóstolos receberam, de dar testemunho do Cristo ressurreto e de sua obra completa, estava enraizada numa experiência única, que não se pode repetir hoje. O ofício deles não poderia ser repetido ou transmitido. Isso fica claro quando providenciaram a liderança para as igrejas estabelecidas, pois não há o menor traço de que eles transmitiram alguma função apostólica para esta liderança. Diz Walls: "E esta transmissão não era necessária. O testemunho apostólico foi mantido na obra permanente dos apóstolos, e se tornou normativa para as épocas posteriores em sua forma escrita no Novo Testamento".[9]

De acordo com Philip Schaff,

> Nestes escritos inspirados [do Novo Testamento] nós temos, não um equivalente, mas um substituto confiável para a presença pessoal e a instrução oral de Cristo e seus apóstolos. A palavra escrita difere da falada somente na forma; a substância é a mesma e tem, portanto, a mesma autoridade e poder vivificante para nós, como teve para os primeiros que a ouviram.[10]

Herman Ridderbos, identifica a origem do cânon do Novo Testamento na fé em Jesus Cristo e na delegação de autoridade, que ele deu aos seus apóstolos, para fundar a igreja:

> A autoridade de Deus não está limitada, de forma alguma, às suas obras poderosas por meio de Jesus Cristo, mas ... também se estende à proclamação, por palavras e escritos, daqueles que haviam sido autoritativamente designados como portadores e canais da revelação

---

9 A. F. Walls, "Apostle," em Wood, *New Bible Dictionary*, 59–60. Para uma discussão da importância da origem apostólica de um livro ou tradição oral para o reconhecimento do cânon, veja Riemer Roukema, "La tradition apostolique et le canon du Nouveau Testament," em A. Hilhorst, ed., *The Apostolic Age in Patristic Thought* (Boston: Brill, 2004), 86-103.

10 Philip Schaff and David Schley Schaff, *History of the Christian Church*, vol. 1 (New York: Charles Scribner's Sons, 1910), 570–573.

divina. A tradição escrita estabelecida pelos apóstolos, em analogia aos escritos do Antigo Testamento, adquire, desta forma, a importância de ser o fundamento e o padrão da futura igreja.[11]

Abraham Kuyper dedicou uma seção inteira de seu livro sobre o Espírito Santo sobre os escritos apostólicos. Ele afirma que produzir o Novo Testamento foi a obra mais importante que os apóstolos e seus associados fizeram em sua vida, mais do que os sinais e prodígios e as pregações que proferiram. Paulo alcançou muito mais vidas e influenciou muito mais a igreja no mundo todo com sua carta aos Romanos do que com as pregações que fez em vida, e os milagres que executou. É por meio de seus escritos que os apóstolos continuam a falar em nossos dias e é nesse sentido que a igreja é apostólica: ela se baseia e se guia pelos escritos deles, os quais são usados pelo Espírito Santo hoje para a realização da vontade de Deus.[12]

Conclusão

A estratégia dos apóstolos de Cristo para a preservação dos seus ensinamentos foi, além de estabelecer presbíteros nas igrejas, escrever e registrar seus ensinamentos. Eles não confiaram a fé, que uma vez por todas foi entregue aos santos, à tradição oral e nem à transmissão pessoal, boca a boca.

Devido ao caráter único dos apóstolos, como testemunhas oculares da ressurreição de Cristo, seus escritos, igualmente, têm um caráter único. O Novo Testamento é o registro infalível e inerrante do testemunho deles acerca de Jesus Cristo e da interpretação que nos deram de sua vida e obra.

Desta forma, a palavra dos apóstolos nos chega hoje. Depois de mortos, ainda falam. E sua voz, cheia de autoridade, guia a Igreja de Cristo através dos séculos. O Espírito de Deus nos fala diretamente através desta

---

11 Herman Ridderbos, *The Authority of the New Testament Scriptures* (Grand Rapids: Baker, 1963), 27.
12 Cf. Kuyper, *The Work of the Holy Spirit*, 146-151. Veja também Jones, "Are There Apostles Today?", 116; e ainda Clark, "Apostleship," 368, que comenta: "Paulo via o ministério continuado dos apóstolos para equipar os santos ocorrendo através de seus escritos, os quais têm sido reconhecidos como Escritura."

palavra escrita, que ele mesmo inspirou, preservando os apóstolos e demais autores do Novo Testamento de erros e interpretações equivocadas.

Bastam-nos as Escrituras do Antigo e do Novo Testamento. Elas servem de base para o trabalho dos presbíteros como líderes das igrejas locais. Não precisamos de sucessores dos apóstolos, como bispos ou papas. E nem de apóstolos modernos.

Capítulo 11

Movimentos Precursores de Restauração Apostólica

Até agora vimos que a estratégia dos apóstolos para a continuidade da igreja de Cristo foi instalar presbíteros que a edificassem sobre o fundamento que eles lançaram, que era o próprio Cristo. Além do pastoreio do rebanho que lhes foi confiado, o trabalho destes presbíteros seria preservar e ensinar a doutrina apostólica registrada nos escritos que os apóstolos, e pessoas associadas a eles, haviam produzido, e que viriam mais tarde a compor o Novo Testamento. Estes escritos funcionavam como mediadores da presença dos apóstolos para os crentes de todos os lugares e de todas as épocas.

Todavia, logo depois da morte dos doze apóstolos de Cristo e de Paulo, apareceram dois tipos de movimentos na igreja cristã reivindicando uma associação particular e exclusiva com eles. O primeiro foi o surgimento de mestres heréticos dentro da igreja cristã defendendo a *restauração* do ofício de apóstolo ou reivindicando sua legítima representação para conferir autoridade aos seus ensinos falsos. O outro movimento, que surgiu em parte como uma reação a este, defendeu o conceito de *sucessão* apostólica por meio de bispos.¹

Não iremos nos deter para examinar em detalhes este último movimento, pois cremos que os modernos apóstolos neopentecostais não se classificam nele. Eles não reivindicam, como os católicos romanos, serem sucessores dos apóstolos através de uma longa linhagem ininterrupta que tem origem nos doze ou em Paulo. Eles também não se associam aos anglicanos, cujos bispos reivindicam retroceder historicamente aos primeiros bispos ordenados pelos apóstolos. Os "apóstolos" modernos se assemelham muito mais ao primeiro grupo, daqueles mestres heréticos que denunciaram a corrupção da igreja e se apresentaram como seus salvadores, trazendo, supostamente, o conhecimento verdadeiro da mensagem de Jesus e dos apóstolos, e reivindicando portar o ofício de apóstolos de Jesus Cristo.

Isto não quer dizer que o conceito da sucessão apostólica é menos pernicioso que a reivindicação daqueles grupos heréticos. A igreja pós-apostólica, gradativamente, elevou bispos a uma categoria superior a dos presbíteros e os considerou como sucessores dos apóstolos, mesmo sem o devido fundamento no Novo Testamento.² Eventualmente, o bispo de Roma se elevou acima dos demais, o que acabou no primado do bispo de Roma e eventual papado, causando o grande cisma em 1054 entre a igreja ocidental, com sede em Roma, e a oriental, com sede em Constantinopla, que não reconheceu a primazia do bispo de Roma. As duas igrejas se excomungaram mutuamente e cada uma delas reivindicou a verdadeira sucessão apostólica. As excomunhões foram retiradas em 1966, mas cada uma delas continua, até hoje, a reivindicar a legítima sucessão apostólica para si.

A grande pergunta é se a política eclesiástica dos chamados "pais da igreja" e a estratégia deles de elevar o ofício de bispo, como sucessor dos apóstolos, acima do ofício de presbítero, estava de acordo com o que

---

1 É importante observar que os episcopais declaram que o conceito episcopal de sucessão por meio de bispos é diferente do conceito católico romano de sucessão apostólica por meio dos papas, cf. Donald W. B. Robinson, "Apostleship and apostolic succession" em *Reformed Theological Review*, 13/2 (1954), 33-42.

2 Veja um resumo do uso do termo "apóstolos" nos escritos chamados "Pais Apostólicos" em Clark, "Apostleship", 378-382; Giles, "Apostles before and after Paul", 250-251.

encontramos nos escritos apostólicos. Mais importante ainda, será que a decisão de confiar a tradição apostólica a uma sucessão de bispos também estava de acordo com o que os apóstolos nos ensinam no Novo Testamento? Para nós, a regra de fé e prática não são os escritos dos pais da igreja e sim os escritos apostólicos. E, reconhecidamente, os "pais da igreja" se desviaram em vários pontos daquilo que os apóstolos ensinaram.

Argumenta-se que o conceito da sucessão apostólica foi uma necessidade imposta pelas circunstâncias do período pós-apostólico. Apareceram muitos apelando para a tradição apostólica para validar seus ensinos. O gnóstico Basilides dizia ter tradições secretas vindas do próprio Pedro. Valentino, outro gnóstico, dizia que seu ensino vinha de Teudas, um discípulo de Paulo. Ptolomeu, outro falso mestre, se colocava em sucessão direta aos apóstolos. De todos estes, os mais extremados foram Marcião e Mani, como veremos adiante. Foi no contexto de defender a doutrina apostólica e preservar seus ensinamentos que os "pais da igreja" enfatizaram que os primeiros bispos haviam sido nomeados e doutrinados pelos apóstolos e, portanto, preservaram o ensino autêntico deles. Estes seriam não somente os preservadores da tradição apostólica como também aqueles com autoridade para nomear seus sucessores.[3] Contrariamente, os protestantes em geral, a partir da Reforma do século XVI, argumentam que o verdadeiro ensino dos apóstolos sempre esteve preservado em seus escritos inspirados e infalíveis e não numa sucessão de bispos falíveis e, como é historicamente do conhecimento de todos, sujeitos aos erros mais absurdos na doutrina e na prática. Nunca foi a intenção dos apóstolos ordenar bispos como seus sucessores, numa série histórica ininterrupta, como o meio de preservar a Igreja de Cristo.[4]

---

3 Cf. Myers, *Eerdmans Bible Dictionary*, 1015; Ann K. Warren, "Apostlic Sucession", in *Dictionary of Middle Ages*. Ed. Joseph R. Strayer, vol. 1 (New York: Charles Scribner, 1982). A descrição e defesa clássica desta posição é a do bispo anglicano Joseph Barber Lightfoot, *Epistle of St. Paul to the Galatians: with introductions, notes, and dissertations* (Grand Rapids: Zondervan Pub. House, 1957).

4 Para um excelente e confiável resumo sobre a origem e desenvolvimento do conceito de sucessão apostólica através de bispos, já no período dos "pais da igreja", indico o artigo πρέσβυς, em Kittel, *Theological Dictionary of the New Testament*, especialmente a seção E, "The 'Elders' in the Post-Apostolic Fathers and the Early Church", pgs. 672-680. Ali encontramos uma análise nas obras de Clemente, Hermas, Irineu, Inácio, Policarpo, Papias e outros do uso dos termos presbítero e bispo e sua gradual diferenciação, que deu origem ao conceito da sucessão de bispos a partir dos apóstolos e eventualmente no papado romano e na sucessão de

Vamos nos concentrar naqueles movimentos, geralmente encabeçados por heréticos, que consideravam o ofício de apóstolo essencial para a restauração da igreja cristã às suas origens. É aqui que iremos encontrar os precursores do movimento da "nova reforma apostólica".

Os apóstolos gnósticos

O gnosticismo foi a mais perigosa das heresias que ameaçou o cristianismo nascente. Ele exerceu sua influência mais forte durante os primeiros três séculos da era cristã, afetando até o judaísmo e grupos de judeus-cristãos. Ele representou uma ameaça para a igreja maior do que as perseguições do império romano.[5]

"Gnosticismo" vem de γνῶσις (gnosis), palavra grega que significa conhecimento. Entretanto, na história antiga era uma palavra carregada de conteúdo religioso, pois apontava para um conhecimento secreto (γνῶσις) sobre a salvação da alma. Ensinava que o homem é um espírito encarcerado na matéria, e precisava de conhecimento para saber como chegou a esta situação e como poderia escapar dela.

Bem cedo, a igreja se encontrou com representantes destas ideias. Em Samaria, Simão, o Mago, se apresentava como uma manifestação de poderes divinos. Gostou da pregação de Filipe e se fez batizar. Mas, quando o feiticeiro ofereceu dinheiro para adquirir outro poder "mágico", foi desmascarado por Pedro (At 8.10,21). Assim, também, o apóstolo Paulo alertou em 62 d.C. os Colossenses contra o perigo destas filosofias pagãs (Cl 2.8,18-23). Depois, em Éfeso (90 d.C.), o apóstolo João teve de combater um certo Cerinto, que afirmava que Cristo era um "éon" que havia descido sobre o homem Jesus. João o combateu firmemente: quem nega que Cristo veio em carne está divulgando ensinos do anticristo (1Jo 1.1-3; 2.22; 4.2,3; 1Tm 6.10).

---

bispos da igreja oriental.
5 Esta seção sobre o gnosticismo se baseia no *excursus* de Frans Leonard Schalkwijk sobre o gnosticismo, no meu livro *Comentário em 1 João* (São Paulo: Cultura Cristã, 2005). Para mais informações sobre o gnosticismo veja Elwell, *Tyndale Bible Dictionary*, 535–536; J.W.D., "Gnosticism", em Wood, *New Bible Dictionary*, 415–417.

Mais perigosos eram os ensinamentos de Basílides e de Valentino. Basílides trabalhava em Alexandria, centro do helenismo e consequentemente do pensamento gnóstico. Em 24 comentários, fez uma reinterpretação radical do ensino bíblico. Para ele, Jesus somente podia ser um homem comum. Não é a própria Bíblia que afirma que, na hora do batismo, o Espírito Santo desceu sobre Jesus? Aquele foi o "éon" mais sublime, Cristo, que desceu sobre o homem Jesus, e ficou sobre ele até a cruz, pois não foi Jesus que bradou: "Meu Deus, porque me abandonaste?" O seu ensino, que seguia o do outro mestre gnóstico Cerinto, ganhou muitos adeptos no Egito, onde sempre havia grande influência gnóstica. Era tão divulgado que, em 1945, foi localizada uma biblioteca gnóstica no sul do Egito, em Nag Hamadi (atual Chenoboskion), contendo entre outras obras gnósticas "O Evangelho da Verdade", a "Pistis-Sofia" e as "Odes de Salomão".

Em Roma havia outro "gnóstico cristão", Valentino. Basílides havia "solucionado" o problema do segredo cristológico negando que Jesus era espiritual; agora Valentino foi para o outro lado, negando que Jesus era realmente humano. A matéria, por definição, era pecado, conforme Valentino ensinava; então, Jesus não podia ter um corpo humano como nós; deve ter sido um corpo etérico, eônico. Parecia um corpo, mas não era real. Este ensino se chamou "docetismo", do grego *dokeo*, "aparentar, parecer". Jesus parecia um homem, mas não o era em realidade.

Os principais teólogos dos primeiros séculos eram combatentes desta tentativa de tecer um sincretismo entre o Evangelho e este pensamento pagão, transformando o cristianismo numa filosofia de uma religião mística, soltando-a de fatos históricos e reinterpretando-os como mitos. O que mais nos interessa, por enquanto, nestes movimentos gnósticos, é que alguns de seus líderes se apresentavam como apóstolos, quer por autointitulação, quer por designação de seus seguidores. Considerando que o gnosticismo, em sua forma mais elaborada, se deu do século II em diante, é natural que tenha tirado este título do cristianismo, que o antecedeu.[6] A atitude dos gnósticos para com os apóstolos de Jesus Cristo era

---

6 Ao contrário do que afirma Schmithals, *The Office of Apostle*, que defende a primazia do gnosticismo e que a igreja cristã obteve deles seu conceito de pluralidade de apóstolos. Schmithals é representante da escola

geralmente crítica, por não terem entendido os ensinamentos do Mestre. Na "Carta de Pedro a Filipe", documento gnóstico do final do século II ou início do século III, os doze apóstolos são representados como ignorantes do verdadeiro sentido dos ensinamentos de Jesus.[7]

De acordo com Schmithals, o termo "apóstolo" ocorre constantemente nos escritos gnósticos existentes.[8] Simão, o Mago, que aparece nos escritos gnósticos como um emissário de Deus, é chamado em termos similares ao de um apóstolo.[9] De acordo com Eusébio, Menander, outro líder gnóstico, declarava ter sido "enviado" dos eons invisíveis para trazer salvação aos homens. Os apóstolos de Cristo, supostamente falando nas *Constituições Apostólicas* (documento falsamente atribuído a eles), dizem que depois que os apóstolos de Cristo saíram pregando o Evangelho aos gentios, "o diabo operou no meio do povo para levantar falsos apóstolos, para corromper a Palavra; e enviaram, então, um tal Cleobius, que se ajuntou a Simão, o Mago".[10] Evidentemente, Simão, o Mago, e Cleobius eram considerados apóstolos gnósticos. Schmithals menciona ainda que Cerinto também era chamado de "falso apóstolo" na história de Eusébio.[11] Ele prossegue dizendo que o título usado por estas figuras era uma expressão técnica para descrever aquele emissário celestial único, aquele redentor divino único. Muitos destes "redentores" vagavam por todo lugar como missionários, o que permitia que o título de apóstolo, por vezes designasse apenas esta função.[12]

O que nos interessa aqui é mostrar que os gnósticos, muito cedo, estavam reivindicando para si e seus líderes o mesmo título dos doze

---

de Rudolph Bultmann, que entendia que o Novo Testamento era basicamente um documento nascido no gnosticismo e por ele profundamente influenciado.

7   Cf. Gerard P. Luttikhuizen, "Witnesses and Mediators of Christ's Gnostic Teachings," em A. Hilhorst, ed., *The Apostolic Age in Patristic Thought* (Boston: Brill, 2004), 104-114.
8   Schmithals, *The Office of Apostle*, 147.
9   Ibid., 159.
10 *Constituições Apostólicas*, VI.8. Sobre este documento, veja "Apostolic Canons," Cross, *Oxford Dictionary*, 90.
11 Eusébius, *Hist. Eccles.* III.26.2.
12 Schmithals, *The Office of Apostle*, 173.

apóstolos de Cristo e do apóstolo Paulo, para dar autoridade e credibilidade aos seus ensinamentos falsos. O título de apóstolo era o preferido, e não o de presbítero, bispo ou diácono, porque era o ofício mais elevado da igreja cristã e porque os apóstolos tinham estado em contato direto com Jesus Cristo. De entre os mestres gnósticos, destacamos especialmente Marcião e Mani.

Marcião

Marcião apareceu no século II como mestre cristão, defendendo o docetismo, ensino que negava a encarnação real de Cristo.[13] Ele foi excomungado da igreja cristã em 144 d.C., por heresia, mas seu movimento ainda continuou até meados do século IV, especialmente no Oriente. Ele começou a ensinar suas ideias por volta de 140 d.C., em Roma, e atraiu muitos seguidores, provocando muita polêmica e reação de mestres cristãos como Irineu, Tertuliano, Dionísio de Corinto, Teófilo, e mesmo Orígenes. O ponto central de Marcião era que somente o apóstolo Paulo havia entendido quem era realmente o Deus de Jesus Cristo, um Deus de amor, em contraste ao Deus do Antigo Testamento, que era irascível, cruel e vingativo. Os doze apóstolos de Cristo, por causa dos resquícios de seu judaísmo, não conseguiram perceber que o Deus de Jesus Cristo era o oposto do Deus do Antigo Testamento e que este Deus de amor tinha como alvo derrubar o "demiurgo," nome que Marcião deu ao Deus das escrituras judaicas.[14]

Tertuliano (160-225 a.D.), um hábil teólogo e mestre cristão, escreveu uma extensa refutação das ideias de Marcião e reagiu da seguinte maneira ao ensino dele de que os apóstolos de Cristo não haviam compreendido corretamente a mensagem do Mestre:

---

13 Cf. Tertuliano, *Adversus Marcionem*, iii.8. Os escritos de Marcião se perderam, sobrando apenas partes reproduzidas nas obras de seus adversários, sendo que ele é mais citado por Tertuliano. Para um resumo sobre Marcião, veja R.E. Webber, "Marcion", ed. J.D. Douglas and Philip W. Comfort, *Who's Who in Christian History* (Wheaton, IL: Tyndale House, 1992), 453; ainda, Philip Schaff and David Schley Schaff, *History of the Christian Church*, vol. 2 (New York: Charles Scribner's Sons, 1910), 486ss; Cross, *Oxford Dictionary*, 1040. Esta última obra traz uma extensa bibliografia de estudos acadêmicos sobre Marcião.

14 Veja especialmente Tertuliano, *Adversus Marcionem*, iv.3.

> Eles [Marcião e seus seguidores] geralmente nos dizem que os apóstolos não sabiam de todas as coisas: mas, aqui, eles são impelidos pela mesma loucura, pois se voltam exatamente para o ponto contrário, e declaram que os apóstolos certamente sabiam de todas as coisas, mas que eles não passaram todas elas a todas as pessoas. Em ambos os casos, eles expõem Cristo à vergonha, por enviar apóstolos que eram ou ignorantes demais ou ingênuos demais.[15]

Marcião compôs um cânon de escritos que ele julgava inspirados, composto de dez cartas de Paulo (menos as Pastorais) e uma versão mutilada de Lucas, que tinha sido companheiro de Paulo.[16] Desta forma, ele se colocou como o único intérprete verdadeiro de Paulo, e, mesmo que não tenha reivindicado ser seu sucessor, certamente se apresentava como aquele que havia chegado para restaurar a verdade dos apóstolos. Irineu, em sua obra *Contra Heresias*, curiosamente menciona um herético de Roma, de nome Cerdo, o qual, segundo ele, "ocupou o nono lugar na sucessão episcopal a partir dos apóstolos". Em seguida diz que Marcião "o sucedeu e desenvolveu sua doutrina".[17]

Tudo isso, especialmente a associação exclusiva com o ensino verdadeiro do apóstolo Paulo, obrigou os teólogos cristãos da época a reagir. Além de responderem com um cânon mais completo das Escrituras do Novo Testamento, (como Irineu, por exemplo) e com a elaboração das chamadas "regras de fé" - sumários da sã doutrina que tinha origem nos apóstolos (a mais conhecida é o *Credo Apostólico*), apelaram para a tradição e sucessão apostólicas mediante os bispos, como meio pelo qual a verdade teria sido entregue, preservada e transmitida na igreja.[18] Entendemos que esta última estratégia era equivocada, como a história posteriormente revelou. Mas, o que nos importa no momento é destacar

---

15 Tertuliano, "The Prescription Against Heretics", in *The Ante-Nicene Fathers: Latin Christianity: Its Founder, Tertullian*, ed. Alexander Roberts, James Donaldson, and A. Cleveland Coxe, trans. Peter Holmes, vol. 3 (Buffalo, NY: Christian Literature Company, 1885), 253.
16 Cf. Irineu, *Contra Heresias*, 1.17.2.
17 Irineu, *Contra Heresias*, 1.26.1-2.
18 Irineu foi o primeiro a desenvolver este último ponto, veja *Contra Heresias*, 3.3.1.

que a cobiça pelo título e ofício de apóstolo é tão antiga quanto os primeiros hereges da Cristandade.

Mani

Semelhante a Marcião em suas pretensões, o filósofo, astrônomo e artista, Mani ou Maniqueu (216-277 d.C.) fundou o "maniqueísmo," um tipo de gnosticismo dualista sincrético, com elementos do cristianismo, zoroastrismo, judaísmo, budismo e hinduísmo. Para ele, havia duas forças opostas em Deus, luz e matéria, o bem e o mal, em constante conflito no presente mundo, aprisionando a humanidade. Sua filosofia era marcada pelo esforço por vencer as trevas e o mal pelo conhecimento deste dualismo e pela preservação da chama de luz que havia em todo ser humano. No juízo final, luz e trevas serão finalmente separados, para sempre. Mani formou seu sistema teológico a partir da seita judaico-cristã em que foi criado e da qual se separou para iniciar sua própria religião. As ideias de Mani se espalharam rapidamente pelo mundo da sua época e chegaram a influenciar pessoas como Agostinho, que antes de sua conversão seguiu o maniqueísmo por cerca de nove anos.[19]

Mani se apresentava como o *"paracletos"* (Consolador) que Jesus havia prometido enviar a seus discípulos (Jo 14.16,26; 15.26; 16.1,7). Não somente isto, mas também como o mediador último da revelação prometida a Jesus, Abraão, Zoroastro e Buda. De acordo com as fontes existentes sobre ele, aos dezenove anos e mais tarde, outra vez, aos vinte e quatro, uma nova religião foi revelada a ele da parte de Deus. Ele se proclamou como o último e mais elevado profeta de Deus e o próprio *"paracletos"* prometido por Cristo.[20] As obras de Mani foram preservadas parcialmente.[21] Sua principal obra, *Epistola Fundamenti*, começa com as seguintes palavras: "Mani, o *apóstolo* de Jesus Cristo, pela providência de

---

[19] Sobre Mani, veja Myers, *Eerdmans Bible Dictionary*, 686; também, Cross, *Oxford Dictionary*, 1033 e a extensa bibliografia sobre Mani ao final do verbete.
[20] Cf. Schaff, *History of the Christian Church*, vol. 2, 501.
[21] Cf. Cross, *Oxford Dictionary*, 133, para uma lista das fontes sobre Mani e suas ideias.

Deus Pai. Estas são as palavras da salvação provindas da fonte eterna e viva". Ele também prefacia uma carta a seu discípulo Marcelo em termos similares: "Maniqueu, um *apóstolo* de Jesus Cristo, e todos os santos que estão comigo, e as virgens, a Marcelo, meu amado filho: graça, misericórdia e paz sejam contigo, da parte de Deus Pai e de nosso Senhor Jesus Cristo".[22] Seus discípulos o consideravam como Deus vindo à terra: "Um *apóstolo* veio do Paraíso da luz, com um nome digno, o Ilustre, Deus, Mari Mani".[23] Numa suposta autobiografia de Mani, temos a narrativa de sua chamada: "Naquele ano do reinado do rei Ardaschir, o '*paracletos*' vivente veio sobre mim e me falou. Ele me revelou o mistério que havia sido ocultado dos mundos e das gerações... ele me ensinou o mistério da árvore do conhecimento da qual Adão comeu, pelo qual seus olhos foram abertos, e o mistério dos *apóstolos* que foram enviados ao mundo".[24]

À semelhança de Marcião, Mani ensinava também que os apóstolos originais de Cristo haviam pervertido os ensinamentos dele debaixo da influência do judaísmo. Mani, como o *paracletos* prometido, tinha vindo para restaurar estes ensinamentos.[25]

É aparente, portanto, que Mani se via não somente como mais um apóstolo de Jesus Cristo, mas como o verdadeiro e último deles. A maneira como ele se apresenta, "apóstolo de Jesus Cristo," sugere que ele imita o apóstolo Paulo na introdução de suas cartas.

Mani organizou sua religião numa hierarquia estrita. A igreja maniqueísta era liderada por doze apóstolos, dos quais Mani e seus sucessores eram a cabeça. Depois, vinham setenta e dois bispos e, debaixo deles, presbíteros, diáconos e evangelistas.[26] Eusébio, o historiador, se refere a ele desta forma: "Ele buscou se passar por Cristo, e, estando inchado de orgulho em sua loucura, proclamou-se o *paracletos*, o próprio Espírito

---

22 Cf. Albert H. Newman, "Introductory Essay on the Manichæan Heresy", in *A Select Library of the Nicene and Post-Nicene Fathers of the Christian Church, First Series: St. Augustin: The Writings Against the Manichaeans and Against the Donatists*, ed. Philip Schaff, vol. 4 (Buffalo, NY: Christian Literature Company, 1887), 24.
23 Cf. Schmithals, *The Office of Apostle*, 138.
24 Ibid., 149.
25 Schaff, *History of the Christian Church*, vol. 2, 505.
26 Ibid., 507.

Santo; e, mais tarde, como Cristo, escolheu doze discípulos como parceiros de sua nova doutrina".[27]

Em resumo, na literatura maniqueísta o advento de Mani é visto como o fim da era apostólica, pois ele era o apóstolo da última geração. Como Jesus Cristo, ele designou doze apóstolos e setenta e dois bispos itinerantes. Mani se considerava o apóstolo de Jesus Cristo *par excellence*, sendo ao mesmo tempo o *paracletos* prometido.[28]

Apesar das ideias de Marcião e Mani terem sido rejeitadas e consideradas como heréticas, elas sobreviveram em alguns grupos, por muito tempo. Entre estes grupos destacamos os "Paulícios", no século VII.[29] Eles floresceram especialmente na igreja oriental, no império bizantino, alcançando o ápice no século XIII, em plena Idade Média. Existe dúvida quanto à origem do nome deles. A posição mais aceita é que se deriva do apóstolo Paulo, o apóstolo predileto deles, à semelhança de Marcião. O fundador da seita foi Constantino, um seguidor das ideias de Marcião, que morava na Síria e era, aparentemente, um maniqueísta. Apesar de seus seguidores terem sido perseguidos e martirizados, a seita se espalhou e cresceu, e envolveu-se em conflitos sangrentos, até desaparecer em meados do século XII.

Os paulícios seguiam basicamente as ideias de Marcião. Eram dualistas, adorando o deus bom do Novo Testamento, enquanto que os católicos e outros cristãos adoravam o deus mau do Antigo. Consideravam o corpo a prisão da alma e eram docéticos na cristologia. Rejeitavam o Antigo Testamento e as cartas de Pedro, o qual, segundo eles, era um falso apóstolo por ter pregado o judaísmo e se tornado inimigo de Paulo. Embora a princípio tenham adotado um cânon mais amplo, mais tarde

---

27 Eusebius of Caesaria, "The Church History of Eusebius", in *A Select Library of the Nicene and Post-Nicene Fathers of the Christian Church, Second Series: Eusebius: Church History, Life of Constantine the Great, and Oration in Praise of Constantine*, ed. Philip Schaff and Henry Wace, trans. Arthur Cushman McGiffert, vol. 1 (New York: Christian Literature Company, 1890), 317.

28 Veja o elucidativo artigo de Johannes van Oort, "The paraclete Mani as the Apostle of Jesus Crist and the Origins of a new Church", em A. Hilhorst, ed., *The Apostolic Age in Patristic Thought* (Boston: Brill, 2004), 139-157.

29 Sobre os "Paulícios" veja Philip Schaff and David Schley Schaff, *History of the Christian Church*, vol. 4 (New York: Charles Scribner's Sons, 1910), 573–578; Cross, *Oxford Dictionary*, 1251–1252.

ficaram basicamente com o cânon marcionita. Eles rejeitaram as práticas católicas que começavam a ser adotadas e que eram contrárias ao ensino claro do Novo Testamento, como as relíquias, adoração dos santos e de Maria, o sinal da cruz. No meio, contudo, rejeitavam também o que era bom, como o batismo e a Ceia. O que nos interessa, especialmente, era que este grupo dissidente, que pregava a necessidade de reforma da igreja, organizou-se originalmente em quatro níveis de apóstolos, profetas, itinerantes e copistas, dos quais somente os dois últimos permaneceram. A honra de "apóstolos" ficou para os fundadores.

Dos exemplos de Marcião, Mani e de alguns grupos que se inspiraram neles, como os paulícios, se percebe que era essencial para os movimentos heréticos reivindicar autoridade apostólica, quer sob a forma de linhagem histórica, quer como representantes exclusivos dos apóstolos ou da sua doutrina, ou ainda, como aqueles que receberam revelações exclusivas e além daquelas dadas aos apóstolos de Cristo e a Paulo. E não somente isto, era crucial para eles organizar seus movimentos no formato de organizações apostólicas. É impossível não perceber a semelhança que existe entre as reivindicações, alegações e ensinos dos modernos apóstolos neopentecostais com estes movimentos heréticos antigos.

Edward Irving

As pretensões de grupos heterodoxos de restaurarem a verdadeira doutrina apostólica ou de se alinharem com o verdadeiro ensino apostólico, em busca de reconhecimento e legitimação, continuou através da história da igreja. O Islamismo, por exemplo, é, talvez, o mais importante de todos estes na Idade Média, com seu fundador, Maomé, reivindicando ser o profeta ou apóstolo de Deus (Alá).[30]

Todavia, queremos avançar para mais perto de nossa própria época, para o século XIX, quando Edward Irving (1792–1834) iniciou seu mi-

---

30 Cf. Schaff, *History of the Christian Church*, vol. 4, 183–188. No Alcorão, Maomé é constantemente chamado de "rasul Allah," "apóstolo de Deus", cf. Schmithals, *The Office of Apostle*, 194-197.

nistério.³¹ Irving era um ministro da igreja presbiteriana da Escócia. Ele começou como auxiliar do respeitado Rev. Thomas Chalmers, em Glasgow, Escócia, e, pouco tempo depois, aceitou o convite para pastorear uma igreja escocesa em Londres, a Capela Caledônia. Eloquente pregador, não demorou a se tornar popular e conhecido, atraindo multidões com suas pregações veementes contra o pecado e os males sociais da sua época. Sua popularidade era tão grande que tiveram de abrir uma igreja maior para acomodar os ouvintes, a Igreja Nacional Escocesa.

Infelizmente, Irving começou a adotar ideias estranhas e doutrinas polêmicas que o colocaram no centro de diversas controvérsias com ministros das demais igrejas reformadas de Londres. Na área de escatologia, ele estava convencido que o fim do mundo estava próximo e chegou a marcar o retorno de Cristo para 1868. Ele acreditava que, antes disto, haveria de acontecer um avivamento espiritual de grandes proporções entre os judeus, com a restauração de Israel e o retorno pessoal de Cristo, seguido do milênio literal na terra. Na área de cristologia, Irving passou a defender que Cristo tinha assumido uma natureza humana pecaminosa e que havia sido preservado de pecar pelo poder do Espírito Santo.

Sob a influência de A. J. Scott, um de seus assistentes, Irving passou a acreditar que os dons espirituais mencionados no Novo Testamento, línguas, profecia e curas, bem como o ofício de apóstolo e de profeta, estavam para ser restaurados antes da vinda de Cristo. De acordo com Martin Lloyd-Jones, "Irving declarava que a Igreja ainda era apostólica, que apóstolos e profetas não haviam cessado no período inicial, mas que era necessário que ainda houvesse apóstolos e profetas, que tivessem revelações, declarações proféticas e que falassem em línguas".³²

Em outubro de 1831, membros da igreja de Irving começaram a falar em línguas, profetizar e a exercitar dons de curar nos cultos, dando início

---

31 Para a biografia de Edward Irving veja T. G. Grass, "Irving, Edward", ed. Timothy Larsen et al., *Biographical Dictionary of Evangelicals* (Leicester, England; Downers Grove, IL: InterVarsity Press, 2003), 326–328. Veja também Alderi Souza de Matos, "Edward Irving: Precursor do Movimento Carismático na Igreja Reformada" em *Fides Reformata* 1/2 (1996). Cf. especialmente Arnold Dallimore, *Forerunner of the Charismatic Movement: The Life of Edward Irving* (Chicago: Moody, 1983).

32 David Martyn Lloyd-Jones, *The Church and the Last Things* (Wheaton, IL: Crossway Books, 1998), 138.

a uma grande controvérsia. O conselho de sua igreja se colocou contra ele e exigiu que ele proibisse estas manifestações durante os cultos. Irving se recusou e o conselho, então, apelou para o Presbitério de Londres, que determinou que Irving saísse do pastorado da igreja. Ele saiu acompanhado de 800 membros e fundou uma igreja independente em Neumann Street, noutra parte de Londres. Na nova igreja, Irving continuou esperando a restauração do ministério apostólico e a permitir que os profetas e as línguas se manifestassem durante os cultos, inclusive interrompendo a sua pregação. Irving adoeceu e morreu de tuberculose em 1834, com 42 anos de idade. Conforme Alderi Matos, "nos seus últimos seis meses de vida, Irving estava convencido de que seria curado da enfermidade que o acometera; porém, a cura não veio e ele deixou de tomar precauções que talvez tivessem evitado sua morte trágica e prematura".[33] No ano anterior, o Presbitério de Londres o havia julgado por heresia e deposto do pastorado presbiteriano.

Apesar das grandes diferenças teológicas entre Irving e os heréticos Marcião e Maniqueu, não podemos deixar de observar o mesmo desejo pela restauração do ministério apostólico como o caminho para purificar e restaurar a igreja naquilo que entendiam ser a verdade. Irving não assumiu nenhuma prerrogativa apostólica para si mesmo, mas seus ensinos sobre a restauração deste ofício acabou influenciando a sua igreja, que veio a adotar o ofício de apóstolo. Ele pode ser considerado não somente como o precursor do movimento pentecostal, que só viria a ocorrer cerca de 70 anos mais tarde, mas também como um dos que contribuíram para a popularidade da ideia da necessidade da restauração do ministério apostólico como forma de reavivar e revitalizar a igreja de Cristo, antes de sua vinda.

Irvingitas: a Igreja Católica Apostólica

Em 1849, a igreja de Irving adotou o nome de Igreja Católica Apostólica, seguindo basicamente a visão dele quanto à restauração do ministério dos apóstolos, embora rejeitasse os elementos carismáticos de seu trabalho, como línguas e profecias. Esta igreja, também conhe-

---

33 Matos, "Edward Irving".

cida como "os irvingitas", reivindicava que Deus estava restaurando em seu povo os ministérios de apóstolos, profetas, evangelistas, pastores e mestres (Ef 4.11), para purificar, unir e preparar a igreja para a vinda de Cristo.[34] E talvez aqui encontremos a origem da ideia, hoje tão comum nos meios apostólicos neopentecostais, da necessidade da restauração do ministério quíntuplo de Efésios 4.11. Os irvingitas estabeleceram doze apóstolos, sendo o primeiro J. B. Cardale, em 1832. Em 1835, todos os doze já haviam sido estabelecidos e passaram a se reunir em concílios. Estes apóstolos começaram a sair pelo mundo a pregar as doutrinas da igreja irvingitas em vários países. O ponto central da mensagem deles, à semelhança de Marcião, Mani e Irving, era que a Igreja cristã havia se desviado das suas origens, e que a restauração dela ao seu estado original era a condição para que Cristo voltasse. A restauração do ministério dos apóstolos era essencial para que a restauração da igreja acontecesse.

Além da mensagem restauracionista, estes apóstolos da Igreja Católica Apostólica ensinavam uma mistura de catolicismo romano, da igreja ortodoxa grega e do anglicanismo. Eles eram chamados de "anjos", se vestiam de túnicas e usavam incenso, além de práticas como unção com óleo, água benta, etc. Com a morte, em 1901, do último apóstolo, o qual, esperavam, ficaria vivo até a segunda vinda de Cristo, a igreja foi se esvaindo e hoje praticamente não mais existe.

Abraham Kuyper viveu na época em que estes apóstolos estavam em plena atividade pela Europa, e dedicou uma seção de seu famoso livro sobre o Espírito Santo, chamada de "Apóstolos Hoje?", a examinar as pretensões dos apóstolos irvingitas. Ele declara que, se os irvingitas tivessem usado o nome de apóstolo no sentido de homens levantados por Deus para levar avante sua obra, como os reformadores, por exemplo, não haveria problemas. Mas, o fato era que, eles se julgavam apóstolos como os doze e Paulo, tendo a mesma relação especial que aqueles tinham para com a igreja de Cristo. Kuyper conclui que os tais eram falsos apóstolos, se passando por ministros de Cristo.[35]

---

34 Sobre a Igreja Católica Apostólica, veja Cross, *Oxford Dictionary*, 308–309.
35 Kuyper, *The Work of the Holy Spirit*, 160.

Igreja Nova Apostólica

O movimento de restauração do ofício de apóstolo continuou mesmo após a falência da Igreja Católica Apostólica, numa divisão que aconteceu na Alemanha, depois de uma polêmica sobre a ordenação de apóstolos. Um grupo havia saído da Igreja Católica Apostólica, liderado pelo profeta Geyer para formar outra igreja que se chamou Igreja Nova Apostólica em janeiro de 1863. Esta igreja chegou ao Brasil em 1928, na cidade de São Paulo, primeiramente entre imigrantes alemães.

Diversas outras divisões ocorreram nesta igreja, sempre em torno da questão da nomeação de apóstolos. Entre 1895 e 1897, a igreja criou o cargo de "apóstolo chefe" como sucessor do apóstolo Pedro. Este era quem consagrava outros apóstolos. Debaixo dele vinham apóstolos distritais e apóstolos. Para esta igreja, o ministério apostólico é necessário para a salvação. Os apóstolos são os únicos que podem transmitir o dom do Espírito Santo. Eles realizam os três sacramentos da igreja, que são batismo, selagem e Ceia. Esta igreja se considera a legítima sucessora da igreja apostólica do Novo Testamento. Ela tem centenas de templos no Brasil.[36]

Além de movimentos marginais dentro da Cristandade, seitas, como a Igreja dos Santos dos Últimos Dias – mórmons – também perceberam a necessidade de apelar para a restauração do apostolado para legitimar seus ensinos. Joseph Smith, o fundador do mormonismo, organizou em 1835 o quórum de doze apóstolos para governar a igreja mórmon, liderados por um apóstolo sênior, sistema que existe entre eles até o dia de hoje.[37]

O movimento neopentecostal moderno da restauração do ofício de apóstolo, chamado de "nova reforma apostólica" nada mais é, em nosso parecer, que outro destes movimentos de restauração apostólica que aqui e acolá apareceram na longa história da igreja cristã, denunciando a apostasia da igreja (por vezes, estando corretos em suas críticas) e se apresentando como os legítimos intérpretes dos apóstolos de Cristo e mesmo seus sucessores.

---

36 Cf. http://www.nak.org/about-the-nac/ - acessado em 17/10/2013.
37 Veja "Mormonism," Daniel G. Reid et al., *Dictionary of Christianity in America* (Downers Grove, IL: InterVarsity Press, 1990); veja também Cross, *Oxford Dictionary*, 1122–1123.

Restaurando a igreja sem novos apóstolos

É preciso observar a razão levantada por estes grupos para a necessidade da restauração do ofício de apóstolo de Cristo na igreja, ou para o surgimento de apóstolos similares aos doze e Paulo em seus dias. Marcião, Mani, Maomé, Irving, a Igreja Católica Apostólica, os mórmons e outros grupos que não foram aqui mencionados, todos eles justificaram suas reivindicações alegando a corrupção da mensagem original de Jesus Cristo, quer pelos próprios apóstolos, quer pelos seguidores dos apóstolos e pela igreja cristã posteriormente. Todos eles clamaram por um retorno ao ensino verdadeiro de Cristo e todos se apresentaram como aqueles através de quem esta verdade, que estava oculta ou que fora corrompida, se manifestaria de maneira final e plena. Para tal, era necessário o ressurgimento de apóstolos, semelhantes aos de Cristo, através dos quais Deus traria esta verdade e a restauração da sua igreja. Assim, Marcião condenou os apóstolos de Cristo, à exceção de Paulo, por terem distorcido a mensagem do Senhor e se apresentou como o *paracletos*, numa linhagem de sucessão na qual ele seria o décimo depois dos apóstolos. Maniqueu, igualmente, declarou que os apóstolos haviam corrompido a mensagem de Cristo, e se apresentou como apóstolo de Jesus Cristo, trazendo as verdadeiras palavras de salvação. Edward Irving declarou a apostasia da Igreja da Escócia e depois da igreja cristã em geral, e esperava que Deus trouxesse a sua restauração mediante o restabelecimento dos ofícios de apóstolos e profetas na igreja. A comunidade que se formou em torno dele, a Igreja Católica Apostólica, deu um passo adiante e ordenou doze apóstolos para governar a igreja, os quais saíram pelo mundo denunciando a corrupção e a apostasia da igreja e a iminente volta de Jesus Cristo. Da mesma forma, os mórmons.

Não desejo ser injusto com Irving, colocando-o ao lado de heréticos como Marcião, Mani e os mórmons. Embora tivesse opiniões controversas e estranhas, Irving estava longe de ser tão herético como estes. Ele é incluído aqui porque, à semelhança deles, acreditava na restauração do ofício apostólico como solução para a igreja corrompida e apóstata.[38]

---

38 Para uma visão apreciativa de Irving, sem, contudo, deixar de notar seus erros teológicos, veja Matos, "Edward Irving", já citado acima.

Obviamente, discordamos veementemente de Marcião, de Mani e de tantos quantos acusarem os apóstolos de Cristo de terem distorcido ou não entendido a mensagem do Senhor. Esta arrogância não pode ser tolerada e estes homens têm de ser considerados, como de fato foram, falsos profetas e ministros de Satanás. Todavia, isto não quer dizer que a igreja cristã, depois dos apóstolos, não possa ter caído em erros graves e sérios, a ponto de obscurecer e distorcer a mensagem simples do Evangelho. Na verdade, cremos que isto aconteceu e tem acontecido.

A própria Reforma do século XVI, foi um movimento que surgiu em busca da reforma espiritual, doutrinária, litúrgica e eclesiástica da igreja cristã, que durante a Idade Média havia se corrompido e apostatado da mensagem de Cristo e dos apóstolos. Neste sentido, podemos falar da semelhança que existe entre os Reformadores e Marcião, Mani e todos os demais movimentos que buscaram uma reforma na igreja. Isto não quer dizer que concordemos, de forma alguma, com Adolf Harnack, que chegou ao ponto de dizer que Marcião foi o precursor do protestantismo clássico.[39] Esta identificação é geralmente feita por liberais, como Harnack, e por católicos romanos, que buscam desqualificar os reformadores associando-os com estes movimentos heréticos. Aqui cabe a palavra dos historiadores Philip e David Schaff:

> Estas seitas têm sido falsamente representadas como precursoras do protestantismo; elas só podem ser consideradas assim exclusivamente em seus termos negativos, pois aquilo que positivamente afirmaram diverge amplamente não somente das afirmações dos evangélicos, como também da igreja católica e da igreja oriental. A Reforma veio do seio do catolicismo medieval, reteve as doutrinas que eram comuns e manteve a continuidade histórica.[40]

---

39 A. Harnack, *Marcion: Das Evangelium vom fremden Gott* (TU 45; 1921; 2nd edn., 1924; Eng. tr., Durham, NC [1990]).
40 Schaff, *History of the Christian Church*, vol. 4, 574.

Uma das grandes diferenças entre a Reforma e estes movimentos heréticos, inclusive os que vieram depois, como os irvingitas, a Igreja Católica Apostólica e o movimento neopentecostal de restauração apostólica, é que os reformadores do século XVI queriam uma reforma com base num retorno ao ensino dos apóstolos de Cristo, conforme estão nas Escrituras. Em que pese a importância histórica e teológica que Calvino, Lutero, Zuínglio, Melanchton e os demais tiveram, jamais pretenderam ser sucessores dos apóstolos e nem mesmo ter um *status* similar. A restauração e reforma da igreja aconteceria, não mediante a autoridade de novos apóstolos, mas pelo retorno ao ensino dos apóstolos originais. E foi esta Reforma que de fato trouxe a igreja cristã de volta às suas origens. Nenhum outro movimento de restauração ou reforma produziu resultados tão abençoadores e permanentes para a igreja cristã até os dias de hoje, como a Reforma do século XVI.

Todavia, é preciso aqui explicar uma declaração de Calvino em suas *Institutas*, que parece militar contra o que estamos dizendo. Ao tratar dos ministros cristãos, a eleição deles e seus ofícios, Calvino declara:

> Aqueles que presidem sobre o governo da Igreja, de acordo com a instituição de Cristo, são nomeados por Paulo, primeiro, *Apóstolos*; segundo, *Profetas*; terceiro, *Evangelistas*; quarto, *Pastores*; e, por fim, *Mestres* (Ef 4.11). Destes, somente os dois últimos têm um ofício ordinário na Igreja. *O Senhor levantou os outros três no início de seu reino, e ainda, ocasionalmente, os levanta quando a necessidade dos tempos o requer* (minha ênfase).

> Estas três funções [apóstolo, profeta e evangelista] não foram instituídas na Igreja para serem perpétuas, mas somente durante o tempo em que igrejas fossem formadas, onde antes não existiam, ou pelo menos onde existissem igrejas que ainda precisassem ser transferidas de Moisés para Cristo; *apesar de que não nego que depois, Deus, ocasionalmente, levantou Apóstolos, ou pelo menos, Evangelistas em lugar*

deles, como tem acontecido em nossos dias. Pois os tais foram necessários para resgatar a Igreja da revolta do anticristo [o papa]. Todavia, chamo este ofício de extraordinário porque ele não tem lugar nas igrejas propriamente constituídas (minha ênfase).[41]

Calvino, portanto, admite que Deus, ocasionalmente, pode levantar na Igreja apóstolos, profetas e evangelistas – ofícios que ele considera extraordinários e temporários - para atender às necessidades da época. Com base neste trecho das *Institutas*, alguns autores sugerem que Calvino estava intimando uma semelhança entre seu ministério e aquele dos apóstolos. Schaff, por exemplo, comentando esta passagem das *Institutas*, diz que "os Reformadores deveriam ser considerados como uma classe secundária de apóstolos, profetas e evangelistas".[42]

Notemos, todavia, que para Calvino os *ofícios* de apóstolo, profeta e evangelista haviam terminado. Eles eram temporários na igreja, necessários para sua fundação e estabelecimento. Para ele, o ofício de *pastor*, que era permanente, era o mesmo dos apóstolos, com exceção da extensão de sua atuação e da autoridade, pois os pastores exercem funções similares à dos apóstolos: pregar o Evangelho, batizar os convertidos e ministrar a Ceia. O título de "apóstolos", assim, conforme Calvino, deveria ser restrito apenas aos doze e a Paulo.[43]

Schaff, escrevendo sobre a chamada de Calvino, declara que "o ofício de reformador se aproxima daquele de um apóstolo. Existem fundadores da igreja universal, como Pedro e Paulo; assim, há fundadores de igrejas particulares, como Lutero, Zuínglio, Knox, Zinzendorf e Wesley; mas, nenhum dos Reformadores era infalível".[44] Ele tenta mostrar o paralelo

---

41 *Institutas* IV.iii.4; itálico adicionado para ênfase.

42 Philip Schaff and David Schley Schaff, *History of the Christian Church*, vol. 8 (New York: Charles Scribner's Sons, 1910), 476–477.

43 Cf. o que Calvino diz sobre isto em *Institutas*, IV.iii.5-6.

44 Schaff, *History of the Christian Church*, vol. 8, 313. Schaff acredita que Deus poderia levantar pessoas, à semelhança dos apóstolos, em ocasiões especiais: "Todos os três [apóstolos, profetas e evangelistas] são geralmente considerados como ofícios extraordinários e confinados à era apostólica; mas, de vez em quando, Deus levanta missionários extraordinários (como Patrício, Columba, Bonifácio, Ansgar), teólogos (como Agostinho, Anselmo, Tomás de Aquino, Lutero, Melanchton, Calvino) e reavivalistas (como Bernardo, Knox, Baxter, Wesley e Whitefield), que podem muito bem ser chamados de apóstolos e evangelistas de sua era e nação (p. 489).

que há entre os reformadores e os apóstolos. Todavia, a comparação parece forçada e precisa ser mais bem qualificada.

Acredito que Calvino jamais aceitaria o título de apóstolo. Contentou-se em ser ordenado, em 1536, ministro do Evangelho da igreja de Genebra, pela imposição de mãos de Farel e Viret, com a aprovação do povo, conforme o costume das igrejas reformadas que já existiam antes dele. Ao inferir um paralelo entre seu ministério e o dos apóstolos, e ao admitir que Deus pudesse levantar apóstolos ocasionalmente para reformar a Igreja, ele estava dizendo algo completamente diferente de Marcião, Mani, os irvingitas, os mórmons e os modernos apóstolos neopentecostais. Ele queria simplesmente se referir a homens que Deus levanta, através da história, e que, à semelhança dos apóstolos, embora não portando o ofício nem tendo as qualificações excepcionais, são usados por Deus para levar sua mensagem às nações ou para anunciar a necessidade de um retorno às Escrituras.[45] De acordo com Jones, estas pessoas foram usadas de maneira tão especial por Deus, que as pessoas perceberam que "havia algo apostólico nelas".[46]

É neste mesmo sentido que alguns missionários da antiguidade foram chamados, depois de sua morte, de "apóstolos", como por exemplo, Patrício, apóstolo da Irlanda (376-463), Bonifácio, apóstolo da Germânia (680-755), Atanásio, apóstolo da Hungria (954-1044), John Elliot, apóstolo aos índios americanos (1604-1690) ou Sadhu Sundar Singh, apóstolo da Índia (1889-1929), para mencionar alguns. Nenhum deles reivindicou o título de apóstolo e os que o deram, *post-mortem*, o fizeram no sentido de missionários desbravadores daquelas nações. A "nova reforma apostólica", com seus "apóstolos" neopentecostais, não usa o termo "apóstolo" neste sentido. O apostolado que desejam reaver é o dos doze e de Paulo, e não dos missionários e pioneiros dos tempos antigos.

---

45 Cf. por exemplo, Donald Dent, *The Ongoing Role of Apostles in Missions* (CrossBooks, 2009), 21-22. Ele entende que Calvino estava se referindo aos missionários a terras distantes.
46 Jones, "Are There Apostles Today?", 116. Ele inclui aqui os Reformadores.

Aparentemente, Calvino, se referiu a Lutero como "um apóstolo," eleito pelo próprio Deus para isto.[47] E ao que parece, Lutero, ocasionalmente, se referia a si mesmo como um profeta e apóstolo de Jesus Cristo. Todavia, o estudo de Robert Kolb demonstra que Lutero empregava estes títulos não no sentido de profetas como Isaías ou Jeremias, e nem no sentido de apóstolos como Paulo e os doze, mas como alguém que Deus estava usando para transmitir a sua Palavra à sua geração.[48]

Creio que a Igreja de Cristo por vezes se corrompe e se afasta, em maior ou menor intensidade, da verdade do Evangelho. Creio que existe uma necessidade constante de reforma e reavivamento. Contudo, não encontro base bíblica ou histórica para afirmar que somente mediante o ministério de apóstolos, como os doze e Paulo, reforma e reavivamento poderão acontecer. A prova disto é a Reforma do século XVI e o fracasso retumbante dos movimentos marcionita, maniqueísta, irvingita e mormonista para reformar o Cristianismo. Como, igualmente, tem fracassado o movimento neopentecostal da nova reforma apostólica.

Quais as reais motivações?

A história da igreja traz vários exemplos de homens que se levantaram denunciando os erros dos apóstolos de Cristo e de seus seguidores, reivindicando possuir a verdade e arrogando-se como apóstolos de Cristo ou possuindo um *status* similar. Dentre eles, mencionamos Marcião, Maniqueu, os irvingitas, os mórmons e outros.

O que eles têm em comum, além dos ensinamentos estranhos ao Cristianismo histórico, é a ideia de que a restauração e a reforma da Igreja cristã devem ser levadas a efeito por apóstolos, tais quais os doze e Paulo. No meu entender, a busca deste título, embora justificada por um aparente fim nobre, que é o restabelecimento da verdade do Evangelho, sempre esteve contaminada por motivações próprias do coração humano corrompido. Creio que Wayne Grudem resumiu muito bem este ponto em sua *Systematic Theology*:

---

[47] Cf. http://www.spindleworks.com/library/deddens/mission_ref.htm, acessado 01/11/2013.
[48] Robert Kolb, *Martin Luther as Prophet, Teacher, and Hero: Images of the Reformer 1520-1560* (Michigan: Baker Books, 1999), 31.

Nenhum dos principais líderes da história da Igreja – nem Atanásio ou Agostinho, nem Lutero ou Calvino, nem Wesley ou Whitefield – assumiu para si o título de "apóstolo" ou se deixou chamar de apóstolo. Se alguém nos tempos modernos deseja tomar o título "apóstolo" para si mesmo, imediatamente levanta suspeita de que pode estar sendo motivado por um orgulho inapropriado e desejos de autoexaltação, junto com uma ambição excessiva e um desejo por mais autoridade na igreja do que qualquer outra pessoa poderia ter de direito.[49]

Alguns destes movimentos, como os irvingitas, declararam que a restauração do ofício de apóstolo na igreja seria feita pelo Senhor para preparar a sua vinda, uma reivindicação muito parecida com a dos defensores da "nova reforma apostólica". Contudo, como bem observa Kuyper,

> O Novo Testamento frequentemente menciona os eventos e sinais que precederão o retorno do Senhor. Eles são registrados em tais detalhes que muitos acham possível predizer a data em que isto acontecerá. Ainda assim, entre todas estas profecias, não encontramos o menor sinal de um apostolado posterior.[50]

Assim, concluímos que o atual movimento neopentecostal de restauração do apostolado é apenas mais um entre grupos que se levantaram ao longo da história da igreja, buscando o poder e a autoridade que eram próprios somente dos doze e de Paulo, para servir aos seus propósitos.

Conclusão

Nesta segunda parte do livro, examinamos o método que os próprios apóstolos estabeleceram para garantir a continuidade da igreja cristã, por eles estabelecida sobre o fundamento que é Jesus Cristo.

---
49 Grudem, *Systematic Theology*, 911.
50 Kuyper, *The Work of the Holy Spirit*, 158.

Eles diligentemente estabeleceram presbíteros (bispos) nas igrejas fundadas, homens escolhidos pela igreja e que tinham as qualificações morais, espirituais e de ensino necessárias. A eles foi confiado o pastoreio do rebanho, o ensino, a pregação, a organização e a expansão das igrejas cristãs. Não foi transmitida a nenhum deles qualquer prerrogativa apostólica, embora devessem continuar o trabalho de pregação, batismo e celebração da Ceia do Senhor.

Enquanto os apóstolos estavam vivos, enviaram delegados apostólicos em missões especiais, quando não podiam momentaneamente, estar presentes. Timóteo e Tito são os exemplos mais claros destes homens. Eles representavam Paulo e receberam dele poderes para realizar tarefas específicas e provisórias na sua ausência. Não há nada nas cartas que Paulo lhes escreveu que sugira que eles eram bispos que exerciam autoridade sobre os presbíteros, inaugurando um terceiro ofício além do ofício de presbítero e diácono. A distinção entre bispos e presbíteros que veio a ocorrer na igreja pós-apostólica, e a consequente elevação do bispo à categoria de sucessor dos apóstolos, não encontra fundamento nos escritos neotestamentários, representando um desvio da eclesiologia bíblica. Os apóstolos deixaram seu legado por escrito, naquilo que recebemos como o cânon do Novo Testamento, que substitui a presença deles para os crentes de todas as épocas e lugares, eliminando assim a necessidade de uma série ininterrupta de apóstolos, tendo início com os doze e Paulo até os nossos dias. Apesar destas providências, logo após o período apostólico surgiram homens pretendendo ser legítimos sucessores do ofício e trabalho dos apóstolos de Cristo, como os gnósticos, Marcião, Maniqueu e os paulícios, de um lado, e os bispos ortodoxos e os papas romanos de outro. Após a Reforma protestante, os irvingitas disseminaram a ideia de que Deus haveria de restaurar o governo apostólico em sua igreja, preparando-a para a segunda vinda de Cristo e, desta forma, acendendo o apetite pelo apostolado dentro do protestantismo.

Historicamente, aceita-se o surgimento de homens cujo ministério se assemelha com o dos apóstolos, como por exemplo, os grandes missionários que desbravaram países inteiros para o Evangelho, os grande teólogos que se levantaram para preservar a doutrina dos apóstolos, e os reformadores, que trouxeram a igreja de volta à fé apostólica. Todavia, nenhum deles se chamou apóstolo ou reivindicou este titulo. Outros lhes concederam esta honraria, e mesmo assim, geralmente após estarem mortos.

Portanto, não encontramos qualquer fundamento exegético para a doutrina da sucessão apostólica por meio de bispos, e nem para a existência em nossos dias de apóstolos como os doze e Paulo, como querem os defensores do movimento de restauração apostólica, chamada de "nova reforma apostólica". É a estes últimos que dedicamos, agora, a nossa atenção.

Parte 3

Uma Análise do Movimento de Restauração Apostólica

Introdução

A questão "onde encontrar a verdade hoje?" diante de tantas diferentes e contraditórias correntes dentro da Cristandade está diretamente relacionada com os apóstolos e a sucessão apostólica, como corretamente explicou John Stott:

> Quase surdos pela babel de vozes na igreja contemporânea, como decidiremos a quem seguir? A resposta é: devemos testar todas estas vozes pelo ensino dos apóstolos de Jesus Cristo. "Paz e misericórdia" virão sobre a igreja quando ela "andar conforme esta regra" (Gl 6.16). De fato, este é o único tipo de sucessão apostólica que podemos aceitar – não uma linhagem de bispos se estendendo no passado até os apóstolos e reivindicando ser seus sucessores (pois os apóstolos foram únicos, quer na autorização quanto na inspiração, e não têm sucessores), mas lealdade à doutrina apostólica do Novo Testamento. A doutrina dos apóstolos, agora preservada permanentemente no Novo Testamento, deve regular as crenças e práticas das igrejas de

cada geração. Esta é a razão pela qual a Bíblia está acima da Igreja e não vice-versa. Os autores apostólicos do Novo Testamento foram comissionados por Cristo, não por uma igreja, e escreveram com a autoridade de Cristo, não com a autoridade da Igreja.[1]

Stott estava reagindo aos apelos da sua própria denominação anglicana à sucessão apostólica de seus bispos. Contudo, se ele estivesse vivo hoje e fosse se pronunciar sobre o movimento da nova reforma apostólica ligada aos apóstolos neopentecostais, provavelmente não diria nada muito diferente: os apóstolos da Igreja sempre foram os mesmos, aqueles que Cristo chamou e instituiu no século I. Eles continuam nos falando pelos seus escritos. Sua doutrina nos inspira e guia. É neste sentido, e neste somente, que a Igreja Cristã é Apostólica.

Todavia, na história recente da igreja cristã, não poucos têm defendido a necessidade da continuação do *ministério* apostólico para as igrejas de todas as épocas, mesmo que já tenhamos os *escritos* apostólicos. É necessário, contudo, fazer algumas distinções importantes entre os defensores desta necessidade, pois nem todos concordam quanto ao que seria o ministério apostólico necessário e disponível para hoje.

Primeiro, há os que defendem a existência de apóstolos hoje no sentido de *missionários*, pioneiros enviados pelas igrejas para pregar o Evangelho em terras distantes e plantar novas igrejas em terrenos inóspitos.[2] Acredito que poucos iriam objetar, biblicamente, ao emprego técnico de "apóstolo" com esta conotação para tais irmãos. Neste sentido, Ronaldo Lidório, missionário presbiteriano brasileiro que foi pregar o Evangelho na tribo Konkomba em Gana, na África, poderia ser descrito como um apóstolo. Este é um dos sentidos em que a palavra "apóstolo" é usada no Novo Testamento, conforme já vimos aqui. Pessoas como Si-

---

1 John Stott, *The Message of Galatians* em The Bible Speaks Today Series (Downers Grove: Intervarsity, 1968), 186.
2 Como, por exemplo, Kirk, "Apostleship", 249-264; Giles, "Apostles Before and After Paul", 241-256; Jones, "Are There Apostles Today?", 16-25; Robinson, "Apostleship and Apostolic Succession", 33-42; Larry Caldwell, *Sent Out! Reclaiming the Spiritual Gift of Apostleship for Missionaries and Churches Today* (Pasadena, William Carey Library, 1992).

las e Timóteo (1Ts 2.7), Barnabé e o próprio Paulo (At 14.14), e talvez Andrônico e Júnias (Rm 16.7) foram chamados de "apóstolos" com esta conotação, como enviados de igrejas para o trabalho missionário. Contudo, o nome ficou muito associado aos doze e a Paulo, no decorrer da história da igreja cristã, o que inevitavelmente produz confusão quando é empregado para outras pessoas em outras épocas.

Segundo, entre os que defendem a atualidade do ministério apostólico, há os que consideram que ele faz parte dos chamados *cinco ministérios* de Efésios 4.11, que são permanentes na igreja, e que os apóstolos são os primeiros por serem mais importantes e essenciais (1Co 12.28, "primeiramente, apóstolos").[3] Esta primazia do apostolado é entendida não em termos temporais – os apóstolos vão na frente e plantam as igrejas – mas no sentido eclesiástico de autoridade e liderança, de superioridade sobre os demais ministérios e dons. Dentre estes, especialmente os que estão relacionados com a chamada "Nova Reforma Apostólica", declaram que os apóstolos modernos têm o mesmo ofício, ministério, dons e poder e autoridade dos doze e de Paulo. Outros, dentro deste movimento, preferem se perceber na mesma categoria de Paulo, que iniciou uma segunda geração de apóstolos depois dos doze, que dura até nossos dias, ou então, mais modestamente, na categoria de apóstolos depois de Paulo. Ainda assim, o conceito de apóstolo aqui é de alguém que exerce a autoridade maior na igreja, o ofício mais elevado, ao que devem se submeter todos os demais ministérios, cargos e ofícios, bem como os crentes em geral. O alvo desta Parte III é analisar as reivindicações destes que defendem a necessidade constante do ministério apostólico, como autoridade, liderança, visão, para a igreja de nossa época, e que se consideram apóstolos como os doze e Paulo.

---

3 Como John Noble, *The Ministry of the Apostle* (Dallas, TX: Lighthouse Library International, 1975), 1-8 e vários outros que serão citados em seguida.

Capítulo 12

Os Pioneiros do Movimento de Restauração Apostólica

Como vimos, a primeira igreja protestante a instalar apóstolos em sua liderança foi aquela iniciada pelo pastor presbiteriano Edward Irving, a Igreja Católica Apostólica, em meados do século XIX, antes do início do movimento pentecostal. Todavia, foi somente após o surgimento do pentecostalismo, em 1906, nos Estados Unidos, que a busca pelo ministério e ofício de apóstolo cresceu e se espalhou pelo mundo. Podemos dizer que o movimento de restauração apostólica moderno é um fenômeno de origem pentecostal, embora hoje não se restrinja ao campo pentecostal exclusivamente.

Após o surgimento do pentecostalismo, começaram a aparecer as chamadas "igrejas apostólicas" nos Estados Unidos e em outras partes do mundo. A reivindicação pentecostal de que Deus estava restaurando todos os dons espirituais mencionados no Novo Testamento, incluía não somente línguas, profecias e milagres, mas também o dom do apostolado. Obviamente, este dom não era entendido como o dom de ser um evangelista ou missionário, mas como o próprio ofício de apóstolo, como os doze e Paulo, com toda a primazia e autoridade nas igrejas que aqueles tiveram. Esta reivindicação da restauração de todos os dons do Novo Testamento faz com que muitos pentecostais vejam o movimento pentecostal como superior, inclusive, à Reforma protestante. De acordo com Frederick D. Brunner,

> Os Pentecostais frequentemente se referem ao seu movimento como um sucessor digno ou mesmo superior da Reforma Protestante do século dezesseis e do Avivamento evangélico da Inglaterra no século dezoito, e quase sempre, como uma reprodução do movimento apostólico do século primeiro.[1]

É preciso deixar claro que nem todos os pentecostais aceitaram a restauração do ofício de apóstolo. As Assembléias de Deus, por exemplo, mesmo aceitando todos os demais dons mencionados no Novo Testamento, recusaram-se a admitir que o ofício de apóstolo estivesse sendo restaurado na Igreja. Todavia, muitas vertentes pentecostais enveredaram por este caminho, reconhecendo aqueles que se apresentavam como apóstolos de Jesus Cristo em seus dias. Alguns exemplos das primeiras igrejas pentecostais apostólicas:

> *Igreja da Fé Apostólica* – primeira igreja pentecostal do Reino Unido, fundada em 1908, por William Oliver Hutchinson após uma suposta visão de anjos.[2]

Veremos a partir daqui que, invariavelmente, os líderes pentecostais que passaram a se considerar apóstolos apresentavam como credencial do seu chamado para o apostolado uma visão ou aparição de Cristo ou de anjos, ou profecias a seu respeito.

---

1 Frederick Dale Bruner, *A Theology of the Holy Spirit* (Grand Rapids: Eerdmans, 1970), 27.
2 Veja o site da igreja, http://rootafc.com/history.html (acessado em 8/11/2013). Veja também http://www.apostolic-church.org/index.php/about-us/history (acessado em 14/11/2013).

Igreja Apostólica Zion – originada na África do Sul em 1908, com um grupo multi-racial de pentecostais com ênfase em línguas, curas, visões e exorcismo. Multiplicou-se rapidamente, dando origem a outras igrejas do gênero, como a *Zimbawe Zion Christian Church*, fundada por Samuel Mutendi, a *African Apostolic Church*, fundada por um africano que era metodista, John Maranke. Em 1932 Maranke ouviu uma voz que lhe dizia que ele era João Batista, e que deveria ir ao mundo pregar e converter as pessoas. A poligamia é bastante comum nestas igrejas, além do sincretismo com as religiões africanas.[3]

Igreja Apostólica – igreja pentecostal fundada em 1916 no Reino Unido, por Daniel Williams, que havia sido ordenado apóstolo em 1913 em Londres, por outros apóstolos da Igreja da Fé Apostólica, de William Hutchinson.[4]

Iglesia La Luz del Mundo – Fundada no México, conta com perto de dois milhões de membros. Considera-se como a verdadeira igreja fundada por Jesus Cristo. Foi fundada em 1926 pelo mexicano Eusebio Joaquín González, que diz ter tido uma visão em que Deus ordenou que ele restaurasse a igreja primitiva. Esta igreja nega a Trindade e ensina que a Bíblia só pode ser interpretada pelos apóstolos da igreja, ao qual atribuem o poder de abençoar materialmente e de ter onisciência.[5]

---

3   Muitas delas são sincretistas, reunindo elementos cristãos com elementos das religiões africanas, além de permitirem a poligamia, inclusive pelos líderes. Cf., por exemplo, a igreja apostólica de John Maranke, no Congo, Benetta Jules-Rosette, *African Apostles: Ritual and Conversion in the Church of John Maranke* (Ithaca and London: Cornell University Press, 1975). De acordo com a autora, existem cerca de seis mil grupos cristãos independentes na África subsaariana (sul do continente) (p. 21). Veja ainda, Dana L. Robert e M. L. Daneel, "Worship among Apostles and Zionists in Southern Africa" em Charles E. Farhadian, ed. *Christian Worship Worldwide: Expanding Horizons, Deepening Practices* (Grand Rapids: Eerdmans, 2007), 43-70. Este estudo enfoca um dos maiores grupos apostólicos da África subsaariana, a Zimbawe Zion Christian Church, ou zionistas, com maior concentração no Zimbabwe e África do Sul.

4   http://en.wikipedia.org/wiki/Apostolic_Church_(denomination) (acessado em 8/11/2013).

5   http://es.wikipedia.org/wiki/Iglesia_La_Luz_del_Mundo (acessado em 5/11/2013).

> *Igreja Apostólica de Cristo* – fundada em 1940, na Nigéria, pelo apóstolo nigeriano Joseph Ayo Babalola, depois de ter trabalhado como pastor numa missão pentecostal na Nigéria. É considerado o precursor do movimento de igrejas independentes na Nigéria, boa parte delas adotando o ministério apostólico. Hoje há dezenas de igrejas apostólicas na África.[6]

Nestas igrejas, o cargo de apóstolo era visto como pioneiro e desbravador, associado à realização de sinais e prodígios e exercendo a autoridade maior dentro da instituição eclesiástica criada pelo apóstolo. A grande diferença entre estes apóstolos e os apóstolos da Nova Reforma Apostólica, que surgiu há cerca de duas décadas, é o caráter escatológico que este último movimento atribui ao ressurgimento do ofício de apóstolo. De acordo com a Nova Reforma Apostólica a restauração dos apóstolos na igreja é necessária para preparar a igreja para a vinda de Cristo, para reformá-la, levantá-la, amadurecê-la para a colheita final.

Neste capítulo examinaremos as ideias de alguns dos principais defensores da necessidade da restauração do ministério apostólico em nossos dias, os quais foram, por assim dizer, pioneiros deste movimento. Podemos nos referir a este movimento como a Nova Reforma Apostólica, movimento este que se constitui na defesa mais bem articulada e organizada em favor da restauração do apostolado em meio à cristandade protestante em nossos dias. Estou consciente de que existem muitos outros nomes e instituições. As restrições de tempo e espaço nos obrigam, contudo, a analisar uns poucos que, contudo, são representativos do movimento em sua amplitude. Nosso foco principal será, portanto, o movimento da Nova Reforma Apostólica.

As "novas igrejas"

Este movimento apareceu na Inglaterra nos anos 1960, embora suas raízes antecedam esta época. Inicialmente, era um movimento de "igrejas

---

6 http://en.wikipedia.org/wiki/Joseph_Ayo_Babalola (acessado em 8/11/2013).

nas casas" dentro do movimento carismático inglês. O movimento carismático pregava a necessidade da restauração de todos os dons espirituais do Novo Testamento e na transformação individual dos crentes. Artur Wallis e David Lillie, líderes do movimento de igrejas nas casas, contudo, sentiram a necessidade de restaurar a estrutura original da igreja cristã apostólica, com apóstolos e profetas para liderarem a mesma. Somente assim a igreja poderia ser restaurada às suas origens. O movimento cresceu e se dividiu diversas vezes, dando origem a redes apostólicas diversas, que congregavam igrejas entre si. Entre os seus líderes mais destacados estão Keri Jones, Terry Virgo, Gerald Coates, Roger Foster e John Noble.

De acordo com John Noble, a redescoberta do ministério apostólico e profético era essencial para preparar a igreja para o retorno de Jesus Cristo e para impulsionar o grande movimento evangelístico que haveria de preceder a *parousia*. O papel dos apóstolos "era se mover no meio das igrejas, subjugando as forças do mal, promovendo a unidade das igrejas, preparar e liberar um exército sob Deus, o qual haverá de realizar os propósitos de Deus nestes tempos do fim".[7] As ideias de Noble influenciaram grandemente os principais proponentes da Nova Reforma Apostólica, além de outros movimentos paralelos.

Para Noble, o desaparecimento do ministério dos apóstolos e profetas no início do século II precipitou a igreja cristã num período de trevas, levando ao surgimento do cristianismo formal e ao papado. A falta do ministério apostólico na igreja causou, no decorrer dos séculos, um vácuo de autoridade que levou a graves consequências, como divisões, falta de milagres, mundanismo, apatia e outros males. Os bispos e presbíteros assumiram o lugar dos apóstolos dando origem a uma administração centralizada que culminou no papado. De acordo com Noble, estes bispos não eram as pessoas certas para guiar a igreja e, como resultado, ela entrou em declínio. Ele alega que o plano de Deus é restaurar os apóstolos na estrutura da igreja, para que ela, por sua vez, seja restaurada e preparada para a vinda do Senhor.[8]

---

7 Noble, *Apostle*, 1.
8 Ibid., 2-3 e 4.

Na Reforma protestante, continua Noble, Deus começou a restaurar a sua Igreja à verdade. Naquele período, grandes verdades foram redescobertas, como justificação pela fé, santidade, responsabilidade social, o sacerdócio universal dos crentes. Depois, veio a redescoberta do batismo com o Espírito (movimento pentecostal) e, mais tarde, a verdade referente ao corpo de Cristo e a estrutura da Igreja (o movimento de restauração do ministério apostólico). Este restabelecimento dos apóstolos na Igreja de Cristo, defende Noble, segue o padrão *aparecer-desaparecer* inaugurado por Cristo. Ele foi o primeiro a desaparecer e será o último a voltar. Os apóstolos foram os segundos a desaparecer, e serão os antepenúltimos a serem restaurados.[9]

Estes apóstolos, de acordo com Noble, são os "apóstolos do Espírito", que foram separados pelo Espírito, depois de Pentecostes, para continuar a obra iniciada pelos "apóstolos do Cordeiro" (os doze) de alcançar o mundo com o Evangelho.[10] Ele dá a entender, desta forma, que os apóstolos que estão sendo restaurados agora pertencem a esta categoria de "apóstolos do Espírito", na qual se inclui Paulo, Tiago, Barnabé, Silas, Timóteo. Para Noble, o erro da igreja cristã de elevar Paulo à categoria de "último apóstolo" impediu a igreja de reconhecer que Deus estava chamando pessoas normais para exercer o apostolado hoje. Ele também menciona que a incredulidade impediu o aparecimento deste ministério. Tanto a Igreja Católica com o papado, como o protestantismo com o conceito de que qualquer um pode ser eleito para governar a igreja, distorceram a visão bíblica de que o governo da igreja era para ser exercido mediante apóstolos chamados diretamente por Deus, e não por homens.[11] Sem apóstolos, o trabalho da igreja é vão, porque lhe falta o fundamento e a capacidade para resistir a Satanás. O cumprimento da grande comissão (Mateus 24.14-18) é impossível sem a presença de apóstolos.[12] Noble

---

9 Ibid.
10 Ibid. 3.
11 Noble dá a entender que um apóstolo é chamado por Deus de maneira direta através de profecia, processo bastante similar ao acontecido na igreja apostólica irvingita, cf. Noble, *Apostle*, 1,2,4,5.
12 Ibid., 4-5.

ainda insiste que as marcas do apostolado atual incluem a realização de sinais e prodígios, e fala de maneira a deixar entender que os modernos apóstolos estão no mesmo nível de Paulo.[13]

Em resumo, Noble defende que o apóstolo é o primeiro em autoridade na igreja, aquele que, à semelhança dos apóstolos como Paulo e os doze, faz sinais e prodígios, estabelece o fundamento da igreja, enfrenta as forças do mal, subjuga Satanás, ordena presbíteros, dá cobertura espiritual aos pastores e igrejas, lidera e motiva as igrejas e, desta forma, prepara o corpo de Cristo para o retorno do Senhor. Em outras palavras, a restauração dos apóstolos está ligada de maneira vital aos últimos dias e ao retorno de Jesus Cristo.

John Stott, que foi contemporâneo de John Noble, faz uma crítica a estas ideias dele dizendo que Noble, em sua exposição, perdeu "as verdades vitalmente importantes: (1) de que os apóstolos originais, como testemunhas do Cristo histórico ressurreto, obviamente não podem ter sucessor algum e que (2) a autoridade deles é conservada hoje no Novo Testamento, que é essencialmente 'a sucessão apostólica'".[14] Além das críticas pertinentes de Stott, faremos outras nos próximos capítulos.[15]

---

13 Ibid., 7,8.
14 John Stott, *A Mensagem de Efésios* em A Bíblia Fala Hoje (São Paulo: ABU Editora, 1986), 115.
15 Veja também as críticas pertinentes de Abraham Kuyper na versão em português de seu livro, *A Obra do Espírito Santo*, 185-189.

Capítulo 13

C. Peter Wagner

O americano Charles Peter Wagner, nascido em 1930, doutor em missiologia, é considerado como o principal mentor do movimento da "Nova Reforma Apostólica". Ele porta o título de "apóstolo" desde 1998. Ele era um ministro ordenado da igreja congregacional quando foi como missionário à Colômbia. Em sua autobiografia, Wagner diz ter descoberto seu chamado apostólico na década de 1970 e sugere que foi Bill Hamon quem o comissionou como apóstolo.[1]

Wagner foi aluno do famoso Donald A. McGavran, a quem sucedeu como professor titular da matéria *crescimento de igrejas* no Seminário Teológico de Fuller, onde ensinou por 30 anos. Wagner se tornou conhecido mundialmente como um dos principais defensores do movimento de crescimento de igrejas nas décadas de 1970-1980. Depois, engajou-se como defensor e principal escritor a favor do movimento de batalha espiritual nas décadas de 1980-1990 e, mais recentemente, apareceu como

---

1 C. Peter Wagner, *Wrestling with Aligators, Prophets and Theologians: lessons from a lifetime in the church – a memoir* (Ventura, CA: Regal Books, 2011).

líder da Nova Reforma Apostólica, nas décadas 1990-2000. Até 2010, foi apóstolo presidente da *Coalizão Internacional de Apóstolos*, que dá "cobertura espiritual" a mais de quinhentos apóstolos pelo mundo. Atualmente, lidera o *Wagner Leadership Institute*, onde treina lideranças no modelo apostólico de igreja. Seu discurso principal é o avanço em todo mundo do modelo apostólico de governo de igreja e da sociedade.

A *Coalizão Internacional de Apóstolos* criada por Wagner cobrava, até 2011, uma taxa que variava entre U$ 69,00 e U$ 650,00 para os que queriam afiliação como apóstolo. Vinson Synan, um historiador pentecostal que fornece esta informação, diz que na época se recusou a aceitar o convite de Wagner para se tornar apóstolo, primeiro porque não tinha dinheiro suficiente para ser um apóstolo e, segundo, porque tinha sérias dúvidas quanto ao movimento.[2]

Ao que parece, Peter Wagner primeiramente reconheceu seu chamado "apostólico" em 1995, mediante duas profetisas que declararam que ele tinha recebido uma unção apostólica. Mais tarde, em 1998, houve outra palavra profética confirmando a unção, numa conferência em Dallas, ocasião que ele considera como sua ordenação profética como apóstolo.[3] De acordo com John MacArthur,

> Tendo decidido que ainda existem apóstolos na igreja hoje – baseado em algumas "profecias" modernas e no consenso de alguns participantes de um painel no *Simpósio Nacional sobre a Igreja Pós--Denominacional* em 1996, no Seminário de Fuller – Wagner, desde então, embarcou na missão de ver o ofício apostólico plenamente abraçado pela igreja contemporânea.[4]

Uma das razões para o otimismo de Wagner com respeito ao futuro deste movimento são os números que ele apresenta, aparentemente en-

---

[2] Vinson Synan, *An Eyewitness Remembers the Century of the Spirit* (Grand Rapids: Chosen Books, 2011), 183-184.
[3] Citado por John MacArthur, *Strange Fire: The Danger of Offending the Holy Spirit with Counterfeit Worship* (Nashville, Tennessee: Thomas Nelson Books, 2013), 86-87.
[4] Ibid., 86.

dossados em algumas estatísticas respeitadas. Ele cita especificamente o trabalho do reconhecido David Barrett em seu favor:

> David Barrett, um dos nossos pesquisadores mais respeitados, e autor da enorme *Enciclopédia Mundial do Cristianismo*, dividiu o Cristianismo mundial em cinco "megablocos". O maior é o Catolicismo Romano, com mais de um bilhão de membros. Entretanto, dos quatro megablocos não católicos, a Nova Reforma Apostólica (que Barrett chama de neo-apostólicos, independentes ou posdenominacionais) é o maior, com mais de 432 milhões de aderentes, comparado ao número menor para os megablocos dos protestantes/evangélicos, ortodoxos e anglicanos. Estes neo-apostólico eram somente 3% do Cristianismo não católico em 1900, mas a projeção é que eles compreenderão quase 50% em 2025. A Nova Reforma Apostólica não somente é atualmente o maior dos quatro megablocos não católicos, mas, significantemente, é o único dos cinco megablocos que está crescendo mais rápido do que o Islamismo.[5]

Em seu artigo na revista *Charisma News* ele insiste que,

> A Nova Reforma Apostólica abarca o maior segmento não católico do Cristianismo mundial. É também o segmento que está crescendo mais rápido, mais rápido que o crescimento populacional e mais rápido do que o Islamismo. O Cristianismo está explodindo agora no Sul Global, que inclui a Africa subsaariana, a América Latina e grandes partes da Ásia. A maioria das igrejas no Sul Global, mesmo incluindo aquelas que pertencem a uma denominação, se encaixariam confortavelmente no paradigma da Nova Reforma Apostólica.[6]

---

5 C. Peter Wagner, *Dominion! How Kingdom Action Can Change the Word* (Michigan: Chosen Books, 2008), 23.
6 C. Peter Wagner, "The New Apostolic Reformation is not a Cult," http://www.charismanews.com/opinion/31851-the-new-apostolic-reformation-is-not-a-cult, acessado em 12/11/2013.

Todavia, segundo a *World Christian Encyclopedia*, cuja última edição é de 2001, e a outra obra de Barret, chamada *World Christian Trends* ("Tendências do Cristianismo Mundial"),[7] somente duas referências às igrejas apostólicas são feitas. Na primeira, Barrett menciona evangélicos neo-apostólicos e evangélicos apostólicos como um segmento de um bloco maior de "Evangélicos Independentes", que somam 27 milhões. Outros segmentos deste bloco são pós-evangélicos, não denominacionais, evangélicos negros, pós denominacionalistas, terceira onda, pós-protestantes, etc.[8] Portanto, afirmar, como Wagner faz, que todo o bloco de "evangélicos independentes" segue alguma forma de estrutura apostólica é, no mínimo, desonesto. A outra referência aparece num diagrama sobre o Cristianismo Global. Barrett enquadra "redes apostólicas definidas" no grupo de "pós-denominacionais". Este grupo representa 65% dos evangélicos no mundo, e as redes apostólicas representam apenas 2% deste bloco. Não houve variação em relação a 1970, quando as redes apostólicas representavam também 2% dos pós-denominacionais.[9] Pode ser que Wagner estava se referindo a outras obras de Barrett. Nas que foram citadas, não é como ele afirma.

Metamorfose ambulante

As ideias de Peter Wagner sobre a Nova Reforma Apostólica podem ser encontradas em seus vários livros sobre o assunto.[10] Há uma síntese bastante útil sobre este movimento, do qual ele é o principal pro-

---

7   David B. Barrett e Todd M. Johnson, *World Christian Trends AD 30 – AD 2200* (Pasadena, CA: William Carey Library, 2001).

8   Ibid., 27, Diagrama 11.

9   Ibid., 33, Diagrama 17.

10   Como por exemplo, C. Peter Wagner, ed. *The New Apostolic Churches* (California: Regal, 1998); C. Peter Wagner, *Churchquake; How the New Apostolic Reformation is Shaking the Church as We Know It* (Ventura, CA: Regal Books, 1999); C. Peter Wagner, *Wrestling with Aligators, Prophets and Theologians: lessons from a lifetime in the church – a memoir* (Ventura, CA: Regal Books, 2011); C. Peter Wagner, *Dominion! How Kingdom Action Can Change the Word* (Michigan: Chosen Books, 2008); C. Peter Wagner, ed. *Freedom from the Religious Spirit: Understanding How Deceptive Religious Forces Try To Destroy God's Plan and Purpose for His Church* (Ventura, CA: Regal Books, 2005); C. Peter Wagner, *Confronting the Powers: How the New Testament Church Experienced the Power of Strategic-Level Spiritual Warfare* (Ventura, CA: Regal Books, 2006); C. Peter Wagner, *Apostles and Prophets, the Foundation of the Church* (Ventura, CA: Regal Books, 2000).

ponente, no capítulo "A nova reforma apostólica", de sua autoria, no livro por ele editado, *The New Apostolic Churches*.[11] Nesta obra, Wagner descreve a evolução de suas conclusões quanto às causas do crescimento de igrejas. Debaixo da influência de seu mentor, McGavran, nos anos 1970-1980, Wagner defendeu o que ele hoje chama de princípios *técnicos* de crescimento. Depois, observando o crescimento das igrejas pentecostais, ele passou a defender os princípios *espirituais* de crescimento, desta feita sob a influência do já falecido John Wimber, fundador da denominação *Vineyard Fellowship*. E agora, Wagner está no que chama de a terceira pesquisa, que é "a Nova Reforma apostólica".[12] Aqui, ele vai defender que o crescimento da igreja nos últimos tempos dependerá da aceitação do sistema apostólico de governo por todos os cristãos.

Para justificar estas mudanças tão dramáticas em suas crenças quanto ao que faz a igreja crescer, Wagner apela para a parábola de Jesus sobre a necessidade de odres novos para neles se colocar vinho novo (Mt 9.17). Ele diz que Deus sempre prepara odres novos – que são as estruturas – para neles colocar seu vinho novo – o crescimento. E isto ele vem fazendo constantemente ao longo da história da igreja. Para Wagner, "Jesus nem sempre edifica a igreja da mesma maneira".[13] Fazendo a aplicação deste princípio, Wagner declara que Deus está fazendo uma mudança radical na sua igreja, tão radical quanto a Reforma protestante, que é a "Nova Reforma Apostólica".[14] Ele diz que começou a perceber esta mudança, que estava sendo feita por Deus, em 1993, ao pesquisar o que as igrejas que estavam crescendo tinham em comum. Analisando as igrejas africanas independentes, as casas-igrejas chinesas, o movimento latino-americano de igrejas populares e as igrejas americanas carismáticas independentes, ele concluiu que o principal fator do crescimento delas era a sua estrutura apostólica de governo.[15]

---

11 Wagner, *New Apostolic Churches*, 13-25.
12 Ibid., 14.
13 Ibid., 15
14 Ibid., 18.
15 Ibid., 16-18.

É mais provável que estas mudanças constantes em Wagner sejam resultado do seu pragmatismo conhecido. Desde suas primeiras obras, Wagner deixou claro que, em crescimento de igrejas, "o fim justifica os meios". Em um de seus livros, escrito em 1976, quando ele juntamente com John Wimber defendia sinais e prodígios como a chave para o crescimento das igrejas, ele declarou:

> Devemos ver claramente que o fim JUSTIFICA os meios. O que mais poderia justificar? Se o método que eu estou usando alcança o alvo que tenho em vista, é um método bom, por este motivo. Se, por outro lado, meu alvo não é alcançado por um determinado método, como vou poder justificar o seu uso?[16]

Um pragmático não se guia por princípios, mas é orientado para resultados. Portanto, sente-se à vontade para mudar, adaptar-se e adotar o que entender que vai promover a obtenção de seus objetivos. Entendo que é o caso aqui. Wagner está sendo o pragmático de sempre ao mudar mais uma vez quanto aos fatores de crescimento das igrejas e se adaptar a eles. Quando percebeu que igrejas com apóstolos estavam aparecendo em vários lugares e que estavam crescendo, passou a endossar o movimento e a chamar-se de apóstolo.

Messianismo escatológico

O ponto central da Nova Reforma Apostólica pode ser descrito como messianismo escatológico. Para seus adeptos, trata-se do último mover de Deus na história, preparando a sua Igreja para a vinda de Jesus Cristo. Desde meados da década de 1990, Wagner e seus associados começaram a proclamar este último passo de Deus. Num congresso chamado *National Symposium on the Post-Denominational Church* ("Simpósio Nacional sobre a Igreja Pós-Denominacional") realizado no Seminário

---

16 C. Peter Wagner, *Your Church Can Grow* (Wipf & Stockers Publishers, 2001; 1a. edição 1976), 137 (ênfase no original).

de Fuller, em maio de 1996, sob os auspícios de Wagner, Bill Hamon, um dos seus principais associados, interpretou o evento como "profeticamente orquestrado pelo Espírito de Deus para cumprir os propósitos progressivos de Deus de levar a sua Igreja ao seu destino final e último".[17]

Num panfleto enviado por Wagner a centenas de pastores, com a divulgação de suas conferências no ano 2000 em Brisbane, na Austrália, lê-se:

> A Nova Reforma Apostólica é uma obra extraordinária do Espírito Santo que está mudando o formato da Cristandade em todo o mundo. Certamente é um novo dia! A Igreja está mudando. Novos nomes! Novos métodos! Novas expressões de culto! O Senhor está estabelecendo os fundamentos da Igreja para o novo milênio. Estes fundamentos estão edificados sobre profetas e apóstolos. Apóstolos executam e estabelecem o plano de Deus na terra.[18]

Ele ainda declara:

> Eu acredito que o governo da Igreja finalmente está entrando em vigor, e que isto é o que a Escritura ensina em Efésios 2, que o fundamento da Igreja são os apóstolos e os profetas... eu não sei se é coincidência ou não, mas isto está acontecendo exatamente quando estamos entrando no novo milênio.[19]

Bill Hamon, um dos principais associados de Peter Wagner, faz a seguinte declaração: "A criação inteira está esperando pela Igreja da última geração. A terra e toda a criação estão esperando pela manifestação dos apóstolos e profetas de Deus dos últimos dias e uma igreja plenamente restaurada".[20]

---

17 http://www.discernment-ministries.com/Articles/streams.htm (acessado 01/11/2013)

18 O panfleto está assinado por Peter Wagner e Ben Gray, "Brochure for Brisbane 2000", citado no site http://members.ozemail.com.au/~rseaborn/bandwagon.

19 Entrevista cedida à CBN em 3 de janeiro de 2000.

20 Bill Hamon, *Apostles, Prophets and the Coming Moves of God* (Destiny Imagine: Shippensburg, PA, 1997), 235.

Aqui, percebemos uma das principais diferenças entre a Nova Reforma Apostólica e outros movimentos apostólicos do passado, que é o elemento escatológico. Wagner e seus associados ligam a implantação de um sistema de governo apostólico nas igrejas e na sociedade (como veremos mais adiante) aos últimos tempos, à fase final da história, que antecede a *parousia* e, na verdade, como condição para que ela ocorra. Apóstolos das igrejas africanas e do movimento de igrejas nas casas, na China, não incorporam este elemento escatológico no seu conceito de apostolado. No Brasil, por exemplo, Valdemiro Santiago, que foi consagrado apóstolo em 2006 pelo bispo Josivaldo Batista e outros bispos da própria denominação que ele mesmo fundou (Igreja Mundial do Poder de Deus), usa o título para projetar-se entre os fiéis e como explicação para os seus supostos poderes miraculosos para efetuar curas. Outros que se chamam apóstolos igualmente não associam o título com a chegada da última geração da Igreja.

A segunda era apostólica – maior que a primeira

Mas, para Wagner, desde 2001, Deus inaugurou o que ele chama de "segunda era apostólica". Numa conferência em San José, na Califórnia, em 2004, ele declarou:

> Temos de entender que a Igreja tem um governo estabelecido por Deus. Estamos em 2004. Estamos vivendo agora na segunda era apostólica. A segunda era apostólica começou em 2001... é o ano que marca a segunda era apostólica, o que significa que, por anos, o governo da igreja não estava no seu devido lugar, desde o século primeiro, por aí.[21]

Wagner declara que a mais surpreendente característica desta nova estrutura "é a reafirmação não somente do *dom* de apóstolo que encontramos no Novo Testamento, mas também do *ofício* de apóstolo". E, em

---

21 C. Peter Wagner, palestra proferida no congresso "Arise Prophetic Conference", em San Jose, California, em 10/10/2004.

seguida, coloca o "apóstolo" John Kelly, que o sucedeu na presidência da *Coalizão Internacional de Apóstolos* no mesmo nível do apóstolo Paulo.[22] Em um de seus principais livros sobre o assunto, Wagner faz esta declaração surpreendente:

> A década de 1990 viu o início do reconhecimento do dom e do ofício de apóstolo na igreja de hoje. É verdade, muitos líderes cristãos ainda não acreditam que agora nós temos apóstolos legítimos no mesmo nível de Pedro ou Paulo ou João, mas uma massa crítica da Igreja concorda que os apóstolos estão, na verdade, aqui. Por exemplo, enquanto escrevo estas coisas, a *International Coalizion of Apostles* que eu presido inclui outros quinhentos membros, que mutuamente se reconhecem e afirmam como apóstolos legítimos.[23]

Esta "segunda era apostólica", de acordo com Wagner e seus seguidores, será superior à primeira, quando os doze e Paulo, e outros chamados apóstolos no Novo Testamento, estavam em atividade. De acordo com Bill Hamon, associado de Wagner, "a igreja da última geração terá uma Reforma Apostólica que será tão grandiosa como o Movimento Apostólico da primeira geração".[24] Ele faz uma interpretação alegórica de Ageu 2.9, "A glória desta última casa será maior do que a da primeira," para provar que a igreja no final dos tempos será mais gloriosa do que aquela de Atos.[25] Ainda de acordo com Hamon, neste período,

> Haverá uma demonstração grandiosa do poder de Deus sobre os elementos, pessoas levantadas de entre os mortos, controle sobrenatural de catástrofes naturais, palavras proféticas miraculosas e manifestações miraculosas incessantes, sinais e maravilhas, até que todos terão

---

22 Ibid., 20.
23 *Dominion! How Kingdom Action Can Change the Word*, 11.
24 Hamon, *Apostles*, 10. Wagner prefacia este livro de Hamon sobre apóstolos e profetas, e o recomenda fortemente em seu livro *Apostles and Prophets*, 20.
25 Hamon, *Apostles*, 2.

de reconhecer que não há outro deus como Jesus Cristo, o Deus dos deuses e Senhor dos senhores.[26]

Fica a pergunta, onde encontramos na escatologia do Senhor Jesus e dos apóstolos qualquer indicação desta restauração apostólica grandiosa precedendo a vinda do Senhor? Procuramos em vão, no sermão escatológico de Jesus, no livro de Apocalipse e nas seções escatológicas das cartas dos apóstolos por qualquer indicação desse período.

Reinvenção do Cristianismo

Para Wagner e demais defensores da Nova Reforma Apostólica, a restauração da estrutura de governo apostólico, tendo como fundamento da igreja apóstolos e profetas, representará uma mudança profunda na Igreja cristã. No convite para suas conferências em Brisbane, Wagner declara entusiasticamente que "A Nova Reforma Apostólica é uma obra extraordinária do Espírito Santo que está mudando a forma da Cristandade em todo o mundo". Ele declarou, em 2004, na palestra em San Diego, "eu acho que vai levar até o ano 2010 para que isto aconteça, e é um processo longo, esta *mudança de paradigma*, mas vai acontecer, por que é isto que o Espírito está dizendo às igrejas. Eu posso declarar isto apostolicamente. O Espírito está dizendo isto às igrejas, portanto, vai acontecer".[27]

Esta mudança de paradigma defendida por Wagner inclui não somente uma alteração radical no sistema de governo das igrejas, que passarão de democracia para uma teocracia encabeçada por apóstolos iguais aos do período apostólico, mas atinge também a maneira de ser destas novas igrejas. Em seu livro *The New Apostolic Churches*, Wagner comenta algumas destas mudanças:

1) *Um novo foco de ministério* – enquanto o Cristianismo tradicional foca no passado e na herança de seus fundadores, as igrejas neo-apos-

---

26 Ibid., 271.
27 C. Peter Wagner, palestra proferida no congresso "Arise Prophetic Conference", em San Jose, California, em 10/10/2004. Itálicos meus.

tólicas "olham para o futuro e são guiadas pela visão",²⁸ que, como ficará claro mais adiante, é fornecida profeticamente pelos apóstolos. Embora Wagner passe rapidamente por este ponto, ele é crucial para entendermos uma das principais características deste movimento. Ele se baseia e se guia pelas visões e profecias dos apóstolos e não pela doutrina, teologia ou exegese, como o Cristianismo tradicional faz.

2) *Um novo estilo de adoração* – Wagner descreve o estilo de culto das igrejas neo-apostólicas como sendo "contemporâneo" e contendo elementos como longos períodos de louvor e adoração, em que as pessoas se portam como querem, o que inclui ajoelhar-se, ficar sentado ou em pé, ficar prostrado no chão, bater palmas, dar as mãos, usar tamborins, dançar ou simplesmente ficar andando de um lado para outro. Coisas como órgãos, corais, togas, partituras, hinários – tudo isto é parte do velho e ficou para trás.²⁹

3) *Novas formas de oração* – dentro das coisas novas que Deus está dando à sua igreja, diz Wagner, estão "novas formas de oração", que são oração conjunta, oração em línguas, orar cantando, etc. Fora do ambiente de culto, expressões como marcha de louvor, caminhada de oração, jornada ou expedição de oração a outros países. Nenhuma palavra, todavia, sobre as restrições de Paulo quanto às línguas sem interpretação no culto público (1Co 14.27-28).³⁰

4) *Um novo financiamento* – segundo Wagner, as igrejas neo-apostólicas experimentam relativamente poucos problemas financeiros porque o dízimo é esperado e ensinado sem apologias, a ponto de quem não for dizimista ser questionado sobre a genuinidade de sua vida como cristão. Também se enfatiza o conceito do plantar para receber, os dízimos e ofertas sendo considerados como sementes que produzirão frutos para as famílias e os indivíduos. Aqui fica claro o compromisso das igrejas neo-apostólicas com a teologia da prosperidade.³¹

---

28 Ibid., 21-22.
29 Ibid., 22.
30 Ibid., 22.
31 Ibid., 23-24.

5) *Um novo alcance* – Wagner declara que a Nova Reforma Apostólica tem um grande impacto e alcance na área de missões e na área social, inclusive dando exemplos deste último ponto. O que chama a atenção, contudo, é que ele parece ignorar a contribuição inestimável das denominações históricas para estas duas áreas, não só no passado, mas ainda no presente, como se missões e ação fossem algo novo que Deus está revelando à sua igreja somente nestas décadas do movimento da nova reforma apostólica.[32]

6) *Uma nova orientação de poder* – nas igrejas neo-apostólicas, diz Wagner, o Espírito Santo é convidado a vir ao seu meio e trazer poder sobrenatural, o que significa ministérios de cura, libertação de demônios, guerra espiritual, profecia, cair no Espírito, mapeamento espiritual, atos proféticos e intercessão agonizante.[33] Não nos é dito onde o Espírito Santo nos mostra, pelas Escrituras, que estas coisas são a manifestação do seu poder, como cair no Espírito, mapeamento espiritual ou oração agonizante. Elas, na verdade, são resultado de visões proféticas dos apóstolos, trazendo maneiras extrabíblicas de se adorar a Deus.

Wagner conclui seus comentários dizendo que "quanto mais estudo a Nova Reforma Apostólica nestes últimos anos, mais convencido fico de que temos uma grande transformação do Cristianismo em nossas mãos... estamos testemunhando uma reinvenção do Cristianismo mundial".[34] Em outras palavras, o alvo nem um pouco modesto de Wagner e dos apóstolos da Nova Reforma Apostólica é a completa transformação do Cristianismo que vem sendo praticado desde a Reforma.[35]

Wagner corretamente diz que Deus pode usar estruturas eclesiásticas diferentes em épocas e lugares diferentes, sem que haja compromisso com as verdades centrais e inegociáveis do Cristianismo. Em um artigo publicado na revista *Charisma News* online, ele declara que "a Nova Reforma Apostólica não é uma seita. Os seus afiliados creem no Credo

---

32 Ibid., 24.
33 Ibid., 25
34 Ibid., 25.
35 Cf. Donald Miller, *Reinventing American Protestantismo: Christianity in the New Millenium* (California: University of California Press, 1997), que apresenta uma tese similar.

apostólico e em todas as declarações padrões clássicas da doutrina cristã". E, mais adiante, ele diz que o movimento adere aos princípios centrais da Reforma: a autoridade da Escritura, justificação pela fé e o sacerdócio universal dos crentes. As mudanças são "apenas" nas áreas da qualidade de vida da igreja, o governo da igreja, o culto, a teologia da oração, os alvos missionais, a visão otimista do futuro – que ele admite se constituírem "uma grande mudança do protestantismo tradicional".[36] Contudo, como já ficou claro, Wagner deseja nada menos que a reinvenção do Cristianismo mundial.[37] E, com isto, ele ignora o legado das denominações históricas. No prefácio do livro *The New Apostolic Churches*, de Wagner, Elmer L. Towns declara:

> Estas igrejas [neo-apostólicas] não estão mudando os essenciais da doutrina da Bíblia, elas são tão comprometidas com os pontos fundamentais da fé como os originadores das denominações conservadoras passadas eram comprometidos com os pontos essenciais do Cristianismo. Elas estão meramente mudando os métodos de evangelismo, adoração, estudo bíblico e liderança.[38]

Fica evidente que para Towns, Wagner e todos os demais proponentes da Nova Reforma Apostólica, que coisas como "métodos de evangelismo, adoração, estudo bíblico e liderança" não fazem parte dos essenciais da fé cristã e que podem ser mudados, alterados, reinventados de acordo com a necessidade dos tempos. Contudo, como separar estas coisas dos essenciais da doutrina bíblica? Elas são expressões inseparavelmente ligadas àquilo que se crê acerca de Deus, de Cristo, da salvação, da igreja, do mundo e da escatologia. Não se pode mudar uma sem a outra. Se estas coisas não são essenciais, como Wagner pretende reinventar o Cristianismo mundial com alterações apenas nestas áreas?

---

36 C. Peter Wagner, "The New Apostolic Reformation is not a Cult", http://www.charismanews.com/opinion/31851-the-new-apostolic-reformation-is-not-a-cult, acessado em 12/11/2013.
37 Wagner, *The New Apostolic Churches*, 25.
38 Elmer L. Towns, "Foreword," em Wagner, *The New Apostolic Churches*, 9.

Assunto ignorado no passado

A questão a ser levantada é como algo tão grandioso como uma teocracia apostólica, que afeta tão radicalmente o Cristianismo, passou despercebido por séculos a fio? Se os apóstolos eram a vontade de Deus para todas as épocas, onde estão eles na história da igreja? Wagner responde: "Antes das décadas de 1980 e 1990, nós praticamente vínhamos ignorando os apóstolos e profetas".[39] "O governo [apostólico] da igreja não vem vigorando desde o século I".[40]

Estranhamente, Wagner apela para o apostolado na igreja católica e para a sucessão de bispos nas igrejas anglicanas como prova de que, durante a história da igreja, Deus tem continuado a levantar apóstolos para fundamentar o seu povo:

> Em certos segmentos da Igreja o ofício de apóstolo tem, de fato, sido reconhecido através dos dois últimos milênios. A Igreja Católica Romana, a Anglicana ou Episcopal e muitas outras denominações que têm de fato incorporado o nome "apostólica" em seus nomes, são exemplos que me vêm a mente agora. Entretanto, exatamente como aconteceu com os movimentos proféticos, a ênfase a estes movimentos apostólicos não têm penetrado a corrente principal daquilo que eu tenho chamado de "igrejas evangélicas que concedem vida", as quais estão agora na fronteira da expansão do Cristianismo. Isto começou a acontecer somente na década de 1990.[41]

Wagner parece ignorar deliberadamente o que "apostólico" significa nestas duas igrejas. A Igreja Romana não admite múltiplos apóstolos, somente um, o Papa, que é o único e legítimo sucessor de Pedro. Na Igreja Anglicana ou Episcopal, o "apostólico" significa apenas a sucessão de bispos, não de apóstolos. Trata-se de ignorância, ou, pior, engano deliberado.

---

39 Entrevista CBN em 03/01/2000.
40 Conferência em San Jose, Califórnia, 10-10-2004.
41 Wagner, *Apostles and Prophets*, 19-20.

Satanás e o espírito religioso

Mas Wagner tem uma explicação para esta falta de percepção da parte da Cristandade de que Deus sempre quis um governo apostólico em sua igreja e para a grande rejeição que as reivindicações da Nova Reforma Apostólica tem encontrado da parte de muitos pastores e líderes das igrejas cristãs. Ele alega que o principal obstáculo para que estes líderes reconheçam e abracem o movimento apostólico "é um compromisso que os pastores têm com a tradição", e continua: "Acredito que alguns estão presos a funções e formas religiosas que são ineficazes e acredito que, em muitos casos, é influência demoníaca".[42]

Wagner organizou um livro sobre este assunto em 2005. O título é *Freedom from the Religious Spirit* ("Libertação do Espírito Religioso"). O prefácio é de Chuck Pierce, um de seus associados mais conhecidos. Wagner escreve a introdução e o capítulo 1, cujo título é "O espírito religioso corporativo".[43] No prefácio, Chuck Pierce declara que os demônios da religião tentam impedir a manifestação daqueles dons espirituais que trazem revelação de Deus ao seu povo, os apóstolos e profetas. Estes espíritos malignos tentam resistir à ordem estabelecida por Deus para o governo de sua igreja, que é "primeiro, apóstolos, segundo, profetas". Na mesma linha, Wagner define na *Introdução* do livro que "espírito de religião" não é somente uma atitude religiosa, mas um espírito maligno, enviado por Satanás, que deve ser resistido e exorcizado. Este espírito maligno é um dos mais sagazes e astutos e tem tido sucesso em impedir que os líderes religiosos percebam o que está acontecendo ao seu redor. No capítulo primeiro, Wagner diz explicitamente que "por causa da falta de informações bíblicas explícitas sobre o espírito de religião, devemos depender, mais do que em outros assuntos, da busca de *revelações frescas da parte de Deus*" (minha ênfase). Mais adiante ele candidamente faz uma ressalva:

---

42 Citado em Orell Steinkapm, "The Apostles are Coming to Your City, Ready or Not" em *The Plumbline* 6/2 (2001).
43 Wagner, *Freedom from the Religious Spirit*.

Para pintar o quadro maior, usarei minha imaginação um pouco. Ao fazer isto, quero me identificar com Paulo, que disse a certa altura, "não tenho mandamento do Senhor; porém dou minha opinião, como tendo recebido do Senhor a misericórdia de ser fiel" (1Co 7.15). Os outros autores neste livro, e eu, certamente, não estamos escrevendo sobre o espírito de religião com a autoridade da revelação bíblica, entretanto, acreditamos que temos ouvido do Senhor claramente sobre o assunto.[44]

Temos de reconhecer a ousadia e a honestidade de Wagner. Ousadia, porque ele compara a sua opinião sobre este assunto com a opinião de Paulo sobre a questão de casamento. Estão no mesmo nível. E honestidade, porque ele sabe que aquilo que vai dizer sobre este assunto não tem fundamentação bíblica. Wagner e seus amigos não precisam de informações bíblicas, pois acreditam que Deus está dando revelações novas e frescas, que têm a mesma autoridade que as palavras de Paulo. E aqui está a revelação que Wagner recebeu: "O espírito de religião é um agente de Satanás designado para impedir que mudanças aconteçam e para manter o *status quo*, usando artifícios religiosos".[45]

Ainda com base em suas experiências e revelações, Wagner afirma que existem diferentes espíritos religiosos, e não somente um. Portanto, "espírito religioso" se refere a muitos e diferentes demônios agindo, na mesma direção e com o mesmo propósito. Da mesma forma que eles impedem os adeptos das religiões não cristãs a mudarem e serem salvos por Cristo, eles agem para manter o *status quo* no Cristianismo tradicional e impedir que as igrejas cristãs e seus líderes aceitem a mudança para o sistema apostólico de governo. Portanto, a resistência oferecida pelos líderes e cristãos comuns à Nova Reforma Apostólica é denunciada por Wagner como a ação deste agente de Satanás, que ele chama de "espírito corporativo de religião". Dentre as quatro características que Wagner nomeia, este espírito corporativo de religião "manipula os líderes para fazerem

---

44 Wagner, *Freedom from the Religious Spirit*, veja o capítulo todo "The Corporative Spirit of Religion".
45 Ibid.

oposição aos planos de Deus para os novos tempos e estações". Wagner fala abertamente que a oposição vinda dos líderes denominacionais, bem como a negativa deles em aceitar o sistema apostólico de governo é resultado da ação deste espírito maligno. Os demais capítulos do livro vão na mesma direção.⁴⁶

Wagner começou a falar neste espírito de religião em 2002, provavelmente como uma reação ao fato de que suas ideias e suas pretensões não estavam sendo aceitas como ele gostaria, e por ver que a Nova Reforma Apostólica estava recebendo mais rejeição do que ele imaginava. Era preciso achar uma explicação, e aqui está ela: toda oposição ao conceito de que Deus está levantando hoje apóstolos como os doze e Paulo é coisa do Demônio.

Conclusão

A mais recente publicação de Peter Wagner, durante o tempo de pesquisa do livro que o leitor tem agora em mãos, é *This Changes Everything: How God Can Transform Your Mind and Change Your Life* ("Isto Muda Tudo: Como Deus Pode Transformar Sua Mente e Mudar Sua Vida," 2013).⁴⁷ Nele, Wagner honestamente expõe todas as mudanças de ideias, doutrinas, pensamentos e conceitos que passou na sua vida, mudanças que ele chama de "mudanças de paradigma", provocadas pelo Espírito Santo. O alvo do livro, além de justificar a razão pela qual ele mudou de ideia tantas vezes ao longo de sua carreira, é convencer o leitor a se abrir para mudar de paradigma e aceitar a Nova Reforma Apostólica como sendo o mais novo plano de Deus para nossa época. Wagner relata pelo menos dez "mudanças de paradigmas" em sua carreira. Entre elas chama a nossa atenção os novos paradigmas que agora definem o seu pensamento, como por exemplo, a santidade wesleyana que é perfeccionista, a teologia

---

46 Exemplos de alguns dos capítulos: "Combatendo o Espírito de Religião" (Ricky Joyner); "Protegendo sua Alma do Espírito de Religião" (Tommi Femrite); "O Espírito de Religião na Igreja Local" (Chris Hayard); "O Espírito de Religião, o Grande Impostor" (Hank e Mirene Morris).

47 C. Peter Wagner, *This Changes Everything: How God Can Transform Your Mind and Change Your Life* (Ventura, CA: Regal Books, 2013).

Em diversas partes de seus escritos e palestras, Wagner tenta fornecer uma descrição dos principais pontos da Nova Reforma Apostólica.[4] Recentemente (2011), em reação às críticas de que a Nova Reforma Apostólica era uma seita, ele publicou na revista *Charisma News* sete conceitos que definiriam os pontos centrais do movimento, pelo menos em sua maneira de entender. Menciono aqui os seis primeiros, que são relevantes para nosso estudo.[5]

1. Governo apostólico

Wagner acredita que este é o ponto central do movimento e a mudança mais radical em relação ao protestantismo tradicional. O governo de Deus para a igreja é liderado por apóstolos, com os profetas vindo em seguida. Os modelos tradicionais de liderança, que ele chama de democracia, não representam o governo que Deus nos mostra na Bíblia. Este governo é exercido por apóstolos numa teocracia. Ele diz que toma literalmente o que Paulo disse em Efésios 4.11, que Cristo, na sua ascensão deu "apóstolos, profetas, evangelistas, pastores e mestres" para a edificação dos santos. Wagner interpreta a passagem como uma promessa de Deus de que sempre haveria apóstolos na igreja, e que, de acordo com 1Coríntios 12.28, que os apóstolos são os primeiros nesta "ordem divina" para a igreja.

Em seu livro "Dominion!", Wagner defende que existem hoje apóstolos como Pedro, Paulo e João, apelando para três passagens bíblicas. A primeira é Efésios 4.11, que ele apenas cita, comentando que a maioria das igrejas que seguem o movimento da Nova Reforma Apostólica aceita sem problemas a existência de todos os cinco ministérios ali mencionados e escarnece dos que dizem que a Bíblia é inspirada por Deus, mas não aceitam esta passagem como sendo verdadeira. A segunda passagem é Efésios 2.20, que diz que a igreja está edificada sobre o fundamento dos apóstolos e dos profetas, e que Jesus Cristo é a pedra fundamental. A

---

4 Cf. por exemplo, as nove características que ele dá em Wagner, *The New Apostolic Churches*, 18-25.

5 C. Peter Wagner, "The New Apostolic Reformation is not a Cult", http://www.charismanews.com/opinion/31851-the-new-apostolic-reformation-is-not-a-cult, acessado em 12/11/2013.

pedra permanece a mesma, diz Wagner, mas o fundamento são os apóstolos e profetas. Onde eles não existem, o fundamento deixa a desejar. E a terceira é 1Coríntios 12.28., passagem a partir da qual Wagner conclui que Deus estabeleceu uma hierarquia divina, encabeçada por apóstolos e profetas, e que os demais dons só funcionarão se estiverem relacionados de maneira própria com estes dois. Em seguida, Wagner descarta aquilo que ele chama de cessacionismo, a posição que defende que os apóstolos eram somente para a primeira era do Cristianismo. Ele diz que todos os cinco ofícios listados em Efésios 4.11 são para a edificação dos santos e necessários até a plena maturidade da igreja, a qual ainda não chegou. A conclusão dele é que ainda precisamos de apóstolos e profetas, bem como de outros ofícios fundacionais.[6] Já vimos, contudo, a falácia desta conclusão na análise destas passagens no Capítulo 5.

A mais radical das mudanças que Deus está fazendo agora na sua igreja em relação ao Cristianismo tradicional, diz Wagner, que é a "quantidade de poder espiritual delegado pelo Espírito Santo a indivíduos". Estes indivíduos são os novos apóstolos que estão sendo levantados em todo o mundo. Esta nova estrutura de autoridade, centralizada em indivíduos cheios de poder pelo Espírito Santo (teocracia), contrasta com a estrutura burocrática, legal, controladora e racional das denominações históricas (democracia).[7]

2. O ofício de profeta

Outra característica da Nova Reforma Apostólica, prossegue Wagner, é o reconhecimento do ofício de profeta em nossos dias. Wagner afirma que os profetas trazem novas revelações e que vêm em segundo lugar no governo teocrático, conforme 1Coríntios 12.28. Apóstolos e profetas têm de estar alinhados. A razão pela qual apóstolos e profetas deveriam estar ativos hoje, diz Wagner, é que "Deus não faz nada sem revelar seu segredo aos seus servos, os profetas" (Am 3.7) e "creia nos profetas de Deus e você haverá de prosperar" (2Cr 20.20).

---

6 Wagner, *Dominion!*. Veja todo o capítulo "Is this biblical?" ("Isto é bíblico?").
7 Wagner, *The New Apostolic Churches*, 21-22.

No pensamento de Wagner, os apóstolos e profetas são aqueles que recebem as visões da parte de Deus com relação às novas estratégias, nomes, modos de cultuar, que Deus está constantemente trazendo ao seu povo em nossos dias, o que, segundo ele gosta de chamar, são os "odres novos" (os "odres velhos" são as formas antigas das denominações tradicionais serem igreja). As revelações que estes profetas e apóstolos, recebem, fazem parte do ponto "revelações extrabíblicas".

3. Dominionismo

Wagner interpreta o pedido "venha o teu reino" do "Pai-Nosso" (Mt 6.10) como uma ordem de Deus aos cristãos para trazerem os valores do céu à terra, como justiça, prosperidade, paz, amor, nenhuma corrupção, doença ou crime, nenhuma miséria ou racismo. Ele acredita que é isto que a ordem dada a Adão e Eva no paraíso significa, "Sede fecundos, multiplicai-vos, enchei a terra e sujeitai-a; dominai sobre os peixes do mar, sobre as aves dos céus e sobre todo animal que rasteja pela terra" (Gn 1.28). Satanás, ensina Wagner, usurpou este direito e se tornou o "príncipe deste mundo" (Jo 14.30). Quando Jesus veio, ele trouxe o Reino de Deus e espera que seu povo tome todas as ações necessárias para empurrar para trás o reino de Satanás, que já dura muito tempo, e trazer a paz e a prosperidade do seu Reino aqui na terra. Wagner entende que aquilo que Jesus veio buscar e salvar (Lc 19.10) é "o domínio de Deus que foi perdido por Adão no jardim".[8]

O caminho para derrubar o governo de Satanás e trazer o Reino de Deus é estabelecendo o governo apostólico. Ele diz:

> O problema é que Satanás consegue tudo que quer em nossa sociedade porque ele tem um governo! E a única maneira de derrubar um governo é com outro governo. Não acontecerá de outra forma. Portanto, o governo da igreja [que é apostólico] tem que passar a vigorar na igreja estendida [que é a sociedade em geral].[9]

---

8 Na palestra "Dominionism," proferida em 2008 num evento chamado *The 2008 Starting of the New Year*, organizada por Churck Pierce.
9 C. Peter Wagner, Conferência em San Jose, Califórnia, 10-10-2004.

Wagner declarou em 2000 que estava aguardando que uma massa crítica de cristãos se levantasse e dominasse os sistemas políticos do mundo.[10] Mas este domínio somente aconteceria quando os "apóstolos de mercado" estivessem posicionados estrategicamente. Wagner declarou que a razão pela qual as marchas para Jesus, as caminhadas de oração, identificação e arrependimento não funcionaram desde que foram implantadas em 1990 – estas coisas tinham como alvo ganhar as cidades para Cristo – é que os "apóstolos de mercado" ainda não haviam sido instalados. "A transformação da sociedade não acontecerá até que tenhamos os apóstolos de mercado em seus lugares".[11]

Essa visão de Wagner, de que a Igreja debaixo do comando dos apóstolos haverá de tomar o controle do mundo antes da vinda de Cristo, segue as ideias de movimentos anteriores que acreditavam no paradigma de uma igreja apostólica restaurada, com poder e glória superiores à igreja de Atos. Estes movimentos têm sido chamados de "Later Rain," isto é, "chuva serôdia" (ARA), conforme Joel 2.23. São as últimas chuvas, que preparam e amadurecem os frutos, deixando-os prontos para a colheita. Nestes movimentos restauracionistas, a igreja da última geração ("chuva serôdia") será restaurada a um poder maior do que no período apostólico inicial ("chuva temporã"), que vai amadurecê-la para o encontro com Cristo.

Estes movimentos restauracionistas são tão antigos quanto os heréticos do século II, conforme já analisamos na Parte II deste livro. O dominionismo de Wagner não deve ser confundido com o reconstrucionismo ou a posição pós-milenista. Apesar de terem em comum a noção – segundo penso, equivocada – de que o Reino de Deus será estabelecido fisicamente na terra antes da vinda de Cristo, o dominionismo da Nova Reforma Apostólica afirma que isto se dará por meio do estabelecimento do governo apostólico sobre a igreja e sobre a sociedade por meios dos apóstolos de mercado. Este governo apostólico será marcado por uma efusão nunca antes experimentada do poder de Deus na forma de sinais,

---

10 Cf. W. Howard, *Despatch Magazine*, 12/1 (2000).
11 C. Peter Wagner, Conferência em San Jose, Califórnia, 10-10-2004. Nesta palestra ele desenvolve plenamente os argumentos em favor desta teoria estranha.

prodígios e maravilhas jamais vistas, e que deixam, em muito, o primeiro período apostólico para trás.

Estas ideias parecem ter primeiro aparecido na igreja cristã, depois da Reforma, com uma mística do século XVII chamada Jane Leade, na Inglaterra, a qual profetizou que Deus haveria de levantar nos últimos dias uma igreja de elite, que superaria tudo o que se havia visto antes. Esta igreja seria a encarnação de Cristo na terra, enquanto ele permaneceria no Céu até que esta igreja terminasse sua missão. As ideias dela criaram um movimento chamado "The Philadelphian Society", que publicou as profecias dela num documento chamado "Theosophical Transactions".[12]

Na década de 1900, o pregador pentecostal David Wesley Myland usou o termo "Later Rain" ("Chuva Serôdia") para descrever o avivamento pentecostal em seus dias. As chuvas "temporãs" faladas pelo profeta Joel foram o derramar do Espírito no dia de Pentecostes (Atos), e as chuvas "serôdias" eram uma referência ao Pentecostes da Rua Azuza, em que o poder pentecostal da igreja de Atos estava sendo derramado sobre a igreja.[13] O movimento "Later Rain" misturou diversas aberrações teológicas, inclusive o unitarismo e foi desacreditado, inclusive pelas Assembleias de Deus, que rejeitaram o movimento.

Todavia, essas ideias foram retomadas na década de 1930 por George Hawtin, e o movimento foi batizado de "New Order of Later Rain" ("A Nova Ordem das Chuvas Serôdias"). O conceito central continuava o mesmo, Deus deseja restabelecer a sua igreja com poder e autoridade igual ou superior à da igreja apostólica, mediante grandes sinais e prodígios, mas a igreja ainda não é santa o suficiente.[14]

Mas, foi George Warnock quem concebeu a ideia que se tornou central para a Nova Reforma Apostólica e que certamente influenciou Peter Wagner e seus associados. Em 1951, ele publicou o livro "A Festa dos Tabernáculos", onde interpreta esta festa de Israel como uma prefigura-

---

12 Veja http://www.passtheword.org./jane-lead/60-propositions.htm (acessado em 13/11/2013).
13 Veja David Wesley Myland, *The Later Rain Covenant* (Temple Press, 1910).
14 Veja http://www.wayoflife.org/index_files/761ff75c41e6d058966d8359e676d9e9-982.html (acessado em 13/11/2013).

ção da igreja gloriosa que haveria de se levantar na terra, antecedendo a vinda de Cristo.[15] Nele, Warnock diz que o caminho de Deus para a perfeição de sua igreja é a adoção dos cinco ministérios de Efésios 4.11, que ele chama de "os dons da ascensão". A ideia é que a igreja será renovada e restaurada mediante os ministérios de apóstolos e profetas, preparando-a para a vinda de Jesus. Ele foi além de Myland em sua interpretação alegórica de Joel 2.23, pois disse que Deus haveria de derramar as chuvas temporãs e serôdias ao mesmo tempo sobre a igreja dos últimos dias. Desta forma, a igreja final teria muito mais poder e glória do que a igreja de Atos, com sinais grandiosos feitos por apóstolos e profetas.

Bill Hamon, um dos associados mais próximos de Peter Wagner, e cujo livro "Apostles, Prophets and the Coming Moves of God" foi por ele endossado,[16] defende nesta obra praticamente todas as ideias do "Later Rain" e seus desdobramentos. Ele diz,

> A criação toda está esperando pela Igreja da última geração. A terra e toda a criação estão esperando pela manifestação dos apóstolos e profetas de Deus dos últimos dias e pela igreja plenamente restaurada. "A ardente expectativa da criação aguarda a revelação dos filhos de Deus" (Rm 8.19).[17]

Ainda, de acordo com Hamon, esta nova igreja apostólica terá maiores poderes do que a igreja apostólica de Atos:

> Os santos apóstolos e profetas da igreja de Deus têm um ministério de cooperação para realizar a queda poderosa da Grande Babilônia. A autoridade deles será muito maior do que qualquer coisa que já vimos em nossos dias... Como Moisés e Elias, os apóstolos e profetas de Deus prevalecerão sobre seus inimigos até o fim.[18]

---

15 O livro todo está disponível online, http://www.georgewarnock.com/feast-main.html (acessado em 13/11/2013).
16 Veja Hamon, *Apostles*.
17 Hamon, *Apostles*, 235.
18 Ibid., 139.

Os conceitos de Wagner sobre dominionismo, como é aparente, tem raízes nestes movimentos restauracionistas.[19] Elas incluem ainda o novo conceito de apóstolos de mercado e de transferência de riquezas dos ímpios para a igreja.

4. Teocracia

Wagner define o termo como "uma nação que é governada por representantes autorizados da igreja ou seu equivalente religioso funcional".[20] Ele nega categoricamente que ele e seus companheiros da Nova Reforma Apostólica estejam propondo um sistema destes, tendo em vista o fracasso de Constantino. O que ele entende por teocracia é ter pessoas com a mentalidade do Reino de Deus – leia-se "apóstolos de mercado" – naquilo que ele chama de "Sete Montanhas," que são as áreas de religião, família, educação, governo, mídia, artes e entretenimento e negócios. Estas pessoas usarão sua influência para criar um ambiente em que as bênçãos e a prosperidade do Reino possam permear todas as áreas da sociedade.

5. Revelações extrabíblicas

E aqui chegamos ao que nos parece ser o cerne desta fraude gigantesca. Wagner defende abertamente que Deus hoje continua a revelar seus planos e propósitos para a Igreja, mediante apóstolos e profetas. Ele rejeita o conceito de que tudo o que Deus quis revelar está registrado na Bíblia. De acordo com Wagner,

> Isto não pode ser verdade, pois não há nada na Bíblia que diga que ela tem 66 livros. Na verdade, Deus levou algumas centenas de anos para revelar à sua igreja quais os escritos que deveriam ser incluídos na Bíblia e quais não deveriam. Isto é revelação extrabíblica.[21]

---

19 Para mais detalhes sobre o movimento dominionista veja o best seller de James H. Rutz, *Megashift: Igniting Spiritual Power* (World Wide Publications, 2006). Veja também o artigo http://www.pavablog.com/2011/02/25/movimento-apostolico-preve-que-os-evangelicos-deverao-dominar-o-mundo-ate-2032/ (acessado em 13/11/2013).

20 Wagner, "The New Apostolic Reformation is Not a Cult".

21 Ibid.

Ele diz que podemos ouvir a voz de Deus e que a principal regra governando novas revelações de Deus é que elas não podem contradizer o que já está escrito na Bíblia. "Contudo, [estas novas revelações] podem suplementá-la". afirma ele.[22] Além de deliberadamente ignorar que o *cânon* do Novo Testamento não foi reconhecido por meio de revelações proféticas, Wagner audaciosamente afirma que as revelações dadas aos apóstolos e profetas modernos podem ser adicionadas a este *cânon* e complementá-lo.

Neste ponto encontramos o conceito fundamental para o sistema criado por Wagner. Embora ele eventualmente apele para as Escrituras para fundamentar alguma coisa, as estratégias centrais da Nova Reforma Apostólica são baseadas em revelações e profecias. Para ele, o Espírito está falando hoje às igrejas por meio de apóstolos e profetas, os quais ouvem a voz de Deus e recebem ordens diretas dadas pelo Altíssimo. São estes apóstolos que estão agora traçando o curso da Igreja, e não mais os escritos dos apóstolos originais de Cristo. Wagner declara: "Espiar a terra é essencial quando estivermos guerreando para ganhar uma cidade... os cristãos deveriam andar ou dirigir por todas as ruas e avenidas principais das suas cidades, orando e indo de encontro a fortalezas demoníacas em cada bairro".[23] Onde encontramos isto nas Escrituras? Coisas como "guerra espiritual no nível oculto", "mapeamento espiritual", "dons de espionagem profética", "instinto de caça espiritual para detectar as manipulações do inimigo", "apóstolos de mercado", "espírito de religião", etc., nenhuma delas tem qualquer fundamento bíblico. Contudo, são apresentadas como sendo as novas estratégias que Deus tem para seu povo na "segunda era apostólica". Wagner chega ao ponto de dizer que, pelo dom de profecia e de discernimento de espíritos, "podemos *saber* o que foi e o que não foi ligado nos céus".[24] Foi mediante uma revelação em 2001 que Deus supostamente disse a Wagner para começar a falar sobre apóstolos

---

22 Ibid.
23 C. Peter Wagner, *Engaging the Enemy: How to Fight and Defeat Territorial Spirits* (Ventura, CA: Regal Books, 1995), 98.
24 Wagner, *Confronting the Powers*, 155.

de mercado.²⁵ E ele profetizou em uma conferência em 2004 que, até 2010, esta visão de igreja no mercado e apóstolos no mercado estaria implantada – o que obviamente não aconteceu.²⁶ Nesta mesma conferência, ele declarou que, desde 1992, Deus vinha falando por meio de profetas e apóstolos que haveria uma grande transferência de riqueza dos ímpios para a igreja. "Estas profecias são palavra do Senhor", declara Wagner. "A autêntica palavra do Senhor é que enormes somas de dinheiro serão liberadas". Contudo, como até 2004 estas "profecias" não se cumpriram, Wagner passou a declarar que Deus lhe havia mostrado que a causa era que estava faltando ainda a implantação do modelo apostólico de governo na igreja e na sociedade.²⁷

6. Sinais e prodígios

Wagner ensina que toda vez que Jesus enviou seus discípulos a pregar, disse-lhes para curar doentes e expelir demônios. Deveríamos esperar a mesma coisa em nossos dias. Na visão da Nova Reforma Apostólica, a realização de sinais e prodígios grandiosos está ligada ao ministério de apóstolos nestes últimos dias. De acordo com Chuck Pierce, associado próximo de Wagner,

> Apóstolos têm autoridade sobre os dominadores demoníacos de uma região. Eles têm a habilidade de demonstrar poder sobrenatural que atrai uma região inteira ao nosso Deus que concede vida. Disso concluo que, se vamos fazer guerra espiritual plena em uma região, os generais daquela guerra têm que ser apóstolos.²⁸

Em novembro de 1999, numa conferência intitulada *World Congress of Intercession* ("Congresso Mundial de Intercessão") em Colorado

---

25 C. Peter Wagner, Conferência em San Jose, Califórnia, 10-10-2004.
26 Ibid.
27 Ibid.
28 Chuck Pierce, *The Future War of the Church: How We can Defeat Lawlessness and Bring God's Order to Earth* (Ventura, CA: Regal Books, 2001), 164.

Springs, Estados Unidos, publicou-se 12 profecias que haviam sido dadas por vários profetas sob os auspícios apostólicos de Peter Wagner.[29] A profecia 4 anuncia que

> Um novo movimento de sinais e prodígios está chegando, que é significativamente maior do que aquele que foi visto nos dias depois da Segunda Guerra Mundial, realizados pelos evangelistas de cura... Uma das características deste movimento será a ressurreição de mortos. Isto haverá de quebrar a esterilidade da Igreja e trará grandes frutos, de maneira que cidades inteiras se voltarão para Cristo e serão transformadas.[30]

Esta profecia e outras não se cumpriram. Mas, Wagner e seus associados foram cuidadosos em preparar a saída para a acusação de falsa profecia. Ao ler a relação das profecias, Wagner enfatizou que "profecia é condicional e demanda fervente intercessão".[31] Esta saída estratégica para evitar a acusação de falso profeta é adotada, da mesma forma, por apóstolos brasileiros, especialmente Neuza Itioka, como veremos mais adiante.

Conclusão

Há pontos positivos na proposta de Wagner. É inegável a crise em que se encontra o Cristianismo tradicional no mundo hoje, especialmente na Europa, onde as denominações históricas estão à beira da extinção, com seus templos sendo vendidos e igrejas centenárias sendo fechadas. Nos Estados Unidos, as denominações históricas estão experimentando um declínio continuado, embora lento, na frequência aos cultos. No Brasil, em que pese o vigor de algumas denominações históricas, o protestantismo tradicional não cresce na mesma proporção dos pentecostais

---

29 Cf. Wagner, *Apostles and Prophets*.
30 Veja a relação completa em http://www.deceptioninthechurch.com/wagnerquotes.html (acessado em 14/11/2013).
31 Wagner, *Apostles and Prophets* no capítulo "O Teste: Responsabilizados em Público".

e neopentecostais e é apenas uma questão de tempo até se tornarem irrelevantes estatisticamente. Não se pode ignorar estes fatos e o grande desafio que eles representam. Wagner e os defensores da Nova Reforma Apostólica funcionam como uma espécie de alerta, exatamente como no século II os hereges Marcião, Maniqueu, e os gnósticos funcionaram, obrigando a igreja pós-apostólica a se posicionar e reagir diante das suas reivindicações – por sinal, extraordinariamente semelhantes às mesmas feitas por seus correspondentes modernos.

Wagner também acerta quando diz que Deus pode usar estruturas eclesiásticas diferentes em épocas e lugares diferentes, sem que haja compromisso com as verdades centrais e inegociáveis do Cristianismo. Estou certo disto. Contudo, as mudanças que Wagner propõe são muito mais profundas do que uma mera adaptação eclesiástica às novas realidades. Como vimos, ele deseja nada menos que a reinvenção do Cristianismo mundial.[32]

Outro ponto perigoso na visão de Wagner é a falta de discernimento teológico ao colocar dentro da mesma sala grupos que se dizem cristãos, mas que, na realidade, negam alguns dos pontos centrais do Cristianismo histórico. Algumas das igrejas africanas apostólicas independentes são unicistas,[33] isto é, negam a divindade de Cristo e a Trindade. Outras, são sabatistas e boa parte delas permite a poligamia.[34] As igrejas populares da América Latina incluem, na grande maioria, aquelas que pregam a teologia da prosperidade, normalmente neopentecostais. O pragmatismo de Wagner e a sua indiferença para com a fidelidade aos ensinamentos bíblicos levam-no a propalar um tipo de ecumenismo que sacrifica a verdade em favor do crescimento numérico.

Nesta mesma linha, Wagner defende características deste novo "mover de Deus" na história, que não têm qualquer fundamentação bíblica. Onde encontraremos nas Escrituras as funções dos apóstolos modernos defendidas por ele? Ou a adoração e o tipo de oração e manifestação de poder

---

32 Wagner, *The New Apostolic Churches*, 25.
33 Cf. http://en.wikipedia.org/wiki/Oneness_Pentecostalism (acessado 9/11/2013).
34 Veja Daneel, "Worship among Apostles and Zionists in Southern Africa," 43-70

que ele reivindica? Em outras palavras, Wagner continua o mesmo desde os tempos em que passou a defender os métodos de batalha espiritual sem qualquer base bíblica para eles. Sob o manto de apostolicidade, Wagner e seus companheiros querem introduzir na Igreja de Cristo ideias e conceitos antibíblicos e perniciosos. A intenção nos parece óbvia o suficiente.

Por fim, não podemos deixar de mencionar, à guisa de conclusão crítica, a falta de prestação de contas no sistema apostólico moderno. Vinson Sunyan, um historiador defensor do pentecostalismo, que foi convidado por Peter Wagner para ser apóstolo e recusou, explica o motivo em seu livro:

> Desde o começo eu fiquei preocupado com qualquer movimento que reivindicasse a restauração dos ofícios apostólicos que exercem autoridade última e não questionada nas igrejas. O potencial para o abuso é enorme. Através da história da igreja, as tentativas de restaurar os apóstolos como um ofício têm sempre terminado em heresia ou causado uma dor incrível.[35]

O *Presbitério Geral do Concílio Geral das Assembleias de Deus*, dos Estados Unidos, numa declaração oficial feita em 2001 sobre a questão de apóstolos hoje, reconhece que não há mais apóstolos como os doze e Paulo, e assevera: "Pessoas sem caráter talvez se chamem de apóstolos para dominar e exercer controle sobre outros crentes, fugindo da necessidade de dar contas aos membros que estão debaixo de seus cuidados e aos anciãos espirituais de sua própria congregação".[36]

A quantidade de escândalos, falsas profecias, erros doutrinários e práticas financeiras duvidosas praticadas por "apóstolos" e que não são julgados e nem têm o despojamento deste título é muito grande. Pelo menos dois dos "apóstolos" mais conhecidos do Brasil estão envolvidos em escândalos financeiros, Estevam Hernandes e Valdemiro Santiago. A quem vão prestar contas na Igreja?

---

35 Synan, *An Eyewitness Remembers the Century of the Spirit*, 184.
36 http://ag.org/top/Beliefs/Position_Papers/Spanish_Position_Papers/02_Apostoles.pdf (acessado 22/11/2013).

Capítulo 15

Rony Chaves e sua Influência no Brasil

Depois de Peter Wagner, a pessoa que provavelmente mais influenciou o movimento apostólico no Brasil foi Rony Chaves, da Costa Rica. Ele passou a se chamar apóstolo de Jesus Cristo desde 1985. Ele é conhecido no Brasil, além de seus escritos, por ter sido o apóstolo que ungiu as brasileiras Valnice Milhomens (2001) e Neuza Itioka (2002) ao apostolado. É diretor da *Rede Apostólica de Ministerios Cristianos Unidos* e da *Coalición de Apóstoles Latinoamericanos*.

De acordo com as informações de seu site pessoal, depois de jejuar 50 dias, Chaves foi ordenado por Deus em 1999 a organizar a Rede de Cobertura Apostólica Nacional e Internacional. Chaves declara que "esta seria a nova estratégia revelada pelo Espírito Santo" para edificar o Reino de Deus nas nações e para levar uma "guerra espiritual estratégica, cheia de poder, unção e inteligência, contra nosso inimigo". Ele diz que, "somente unidos em redes apostólicas é que poderemos trazer o governo de Deus com poder à terra nos últimos dias".[1]

---
1 http://www.ronychaves.org/ramcu.aspx (acessado em 5/11/2013).

Os novos apóstolos

Chaves argumenta que os "cinco ministérios" de Efésios 4.11 são o plano eterno e imutável de Deus para a estrutura de sua igreja em todas as épocas.² Estes ministérios são dados por Deus e não pelos homens, que se limitam a reconhecê-los. A ordem hierárquica na igreja não é da própria igreja, mas *teocracia*, que Chaves entende como o governo de Deus diretamente através dos apóstolos: "O apóstolo é o representante direto do governo de Deus".³ Chaves declara que o ministério apostólico "é importante na Igreja para executar a Palavra de Deus e remover o governo das trevas. Deus está estabelecendo seu governo e sua ordem apostólica. Para isso os apóstolos são imprescindíveis. Sua unção é muito particular e necessária". E em seguida, ele enumera 26 funções do apóstolo que Deus está restabelecendo nas igrejas.

- O apóstolo e sua unção trazem revelação à Igreja (como nos primeiros tempos).
- Apóstolos "liberam" sobre a Igreja audácia, fé e visão.
- Trazem a reforma e a reconstrução da Igreja.
- Trazem o julgamento e a justiça de Deus à Igreja e às nações.
- Julgam os poderes do ocultismo.
- Trazem o fundamento principal à casa de Deus.
- Ministram a compaixão e a graça de Deus.
- Ministram a cobertura espiritual aos ministros, igrejas e territórios.
- Sua unção confirma, estabelece e fortalece os cristãos, os líderes e os ministros.
- A unção apostólica e os apóstolos estabelecem "doutrina" na Igreja.

---

2 Chaves, *Apuntes sobre el Ministerio Apostólico* (Avance Misionero Mundial Producciones, 2003), 2-5. Trata-se de uma apostila de estudo contendo o resumo de seus dois livros sobre o assunto, "Fundamentos del Ministerio Apostólico" e "La Restauración del Ministerio Profético".

3 Ibid., 65.

- Trazem, em amor, ordem e disciplina à Igreja.
- Operam na esfera dos cinco ministérios (movem-se em todos).
- Produzem o movimento missionário dentro das Igrejas.
- Confrontam o legalismo e os falsos sistemas religiosos dos homens.
- São reparadores de "brecha" na Igreja (cobrem sua nudez).
- Projetam a visão e a compreensão do que é o Corpo de Cristo.
- Trazem direção amadurecida à liderança.
- Por sua unção vem a "liberação" de dons, unção e ministérios.
- Trazem sinais e maravilhas para a Igreja e os povos.
- Ministram o "enchimento" do Espírito Santo.
- Trazem as estratégias na guerra espiritual e mobilizam a Igreja.
- Trazem a paciência e a fortaleza aos cristãos.
- Ministram o espírito de oração e o ministério da Palavra.
- Ministram liberalidade e habilidade na administração financeira.
- Trazem a paternidade de Deus a seu povo (autoestima, identidade e segurança).
- Os apóstolos são parte fundamental no estabelecimento do Reino de Deus.[4]

É claro, das funções descritas acima, que Chaves entende que os novos apóstolos de hoje exercem exatamente as mesmas funções que os doze apóstolos de Jesus Cristo e o apóstolo Paulo, tais como: trazer revelações, trazer o fundamento principal à igreja, estabelecer doutrinas, concessão de dons e ministérios, realização de sinais e prodígios, ministrar o enchimento do Espírito. Na verdade, há nesta lista funções que nem os apóstolos originais de Jesus Cristo exerceram, como produzir fé, trazer o julgamento de Deus às nações, cobertura espiritual de ministros, igrejas e territórios, ministrar o espírito de oração e trazer a paternidade de Deus ao seu povo.

De acordo com Chaves, um apóstolo é chamado diretamente por Deus, mediante o chamamento interno, produzindo convicção des-

---

4 Chaves, *Apuntes*, 6-7. Ele enumera outras características nas pp. 10-11.

te chamado, e a unção para realizar milagres, sinais e prodígios, como demonstração externa.⁵ Estes novos apóstolos, como já mencionamos, declaram ter sido chamados diretamente por Deus em visões ou revelações, da mesma forma que Deus chamou a Abraão e o apóstolo Paulo. O próprio Chaves declara que Jesus lhe apareceu e lhe chamou com voz audível ao apostolado, em 1985.⁶

Para Chaves, "Satanás tem enganado a Igreja de Cristo fazendo-a duvidar da existência e da operação fundamental destes dois ministérios [apóstolos e profetas], com o propósito de impedir a obra fundamental dos mesmos". Mas, graças a Deus, exclama Chaves, ele mandou o Espírito Santo para corrigir em nossos dias este erro grave, através de homens que ele levantou, e que serão perseguidos por causa de sua mensagem. E, é claro, Chaves está se referindo a si mesmo. Estes novos apóstolos vão preparar a Igreja, levando-a ao amadurecimento, para o encontro com Cristo. Para tanto, é importante que o apóstolo e seu ministério sejam amplamente reconhecidos hoje na igreja.⁷

Chaves, seguindo John Noble, acredita que os novos apóstolos são "apóstolos do Espírito", chamados pelo Espírito depois de Pentecostes:

> O Filho de Deus retornou ao Pai e enviou em seu lugar 'outro Consolador', o Espírito Santo, que na terra está nomeando outros homens para serem apóstolos. Estes apóstolos, repetimos, não podem ser somados aos nomeados pelo Filho em seu ministério terreno, mas, apesar de tudo, também são apóstolos pela vitória de Jesus Cristo.⁸

Apesar de Chaves tentar fazer uma separação entre os doze e os novos apóstolos, fica claro, pela relação das atividades destes elaborada por Chaves, que eles fazem a mesma coisa que os doze e muito mais. É

---

5 Ibid., 11-12.
6 Ibid., 77.
7 Ibid., 15-16.
8 Ibid., 21.

importante ainda notar que Paulo é enquadrado como um dos "apóstolos do Espírito" e, portanto, no mesmo nível dos novos apóstolos.⁹

Respondendo à pergunta se há apóstolos hoje, Chaves responde que os cinco ministérios de Efésios 4.11, especialmente o de apóstolo, foram dados para que a igreja alcançasse a maturidade. E, como isto não aconteceu ainda, segue-se que são necessários hoje como foram no início. Demonstrando desconhecimento da língua grega, afirma que "concedeu" em Efésios 4.11 na verdade "deve ser lido como 'concedeu, concede e continua concedendo,' segundo o grego".¹⁰ Todavia, "concedeu" é a tradução correta de ἔδωκεν, que está no tempo aoristo, o qual indica uma ação completa e já terminada, realizada de uma vez por todas. A passagem afirma, ao contrário, que Deus já concedeu aqueles ministérios à sua Igreja, por ocasião da ressurreição de Cristo. Paulo está falando nesta passagem de ministérios que foram presenteados, de uma vez por todas, pelo Cristo vitorioso ao seu povo, e não de uma cessão constante e contínua de homens com estes ministérios.

Restituição escatológica sob os novos apóstolos

Talvez o ponto mais fundamental na argumentação de Chaves e demais proponentes da Nova Reforma Apostólica seja a interpretação escatológica que ele faz da história da Igreja cristã usando Joel 2.25-27:

> Restituir-vos-ei os anos que foram consumidos pelo gafanhoto migrador, pelo destruidor e pelo cortador, o meu grande exército que enviei contra vós outros. Comereis abundantemente, e vos fartareis, e louvareis o nome do SENHOR, vosso Deus, que se houve maravilhosamente convosco; e o meu povo jamais será envergonhado. Sabereis que estou no meio de Israel e que eu sou o SENHOR, vosso Deus, e não há outro; e o meu povo jamais será envergonhado (Jl 2.25-27).

---

9 Ibid.
10 Ibid., 22.

Chaves argumenta que a profecia bíblica tem três estágios de cumprimento: (1) os leitores originais (os israelitas); (2) a igreja (o Israel espiritual) e (3) a geração vivendo nos últimos dias da história – que para ele é, indubitavelmente, o terceiro milênio, onde nos encontramos agora. A profecia de Joel tem a ver com três fases do plano de Deus, que são "restauração", "reforma apostólica" e "restituição". Mesmo que o profeta Joel diga que foi Deus quem mandou os gafanhotos como juízo contra o seu povo, Chaves diz que eles são demônios enviados por Satanás, que "consumiram" a verdade do ministério apostólico da igreja, de forma que ela se viu perdida e cega a partir do século II. "Satanás, como se fosse um devorador, enviou um processo destruidor para comer as raízes apostólicas e proféticas [da igreja]". Como resultado, desapareceu o ministério apostólico e profético, e, no lugar, instalou-se uma estrutura apóstata de poder babilônico romano da igreja, e os milagres cessaram.[11] Ele acrescenta,

> A Igreja Primitiva e os primeiros cristãos adotaram este modelo apostólico de governo e revolucionaram o mundo de sua época. Os Apóstolos e Profetas estabeleceram o fundamento e o inferno tremeu diante deles. Deus, ao ver levantada sua estrutura de governo apostólico, os honrou e encheu com sua glória. Quando morreu João, o apóstolo amado, o último dos denominados "apóstolos do Cordeiro", os apóstolos governantes da igreja foram sendo substituídos por administradores sem a função ou o chamado de apóstolo, e a vitória alcançada não pode se manter.[12]

Confrontado com a realidade de que a Igreja de Cristo já existe há dois milênios, e que na quase absoluta totalidade deste tempo não se usou este modelo apostólico e as redes apostólicas, Chaves diz que muitos funcionaram como apóstolos neste período, sem o título e sem o reconhecimento, como John Knox e Martinho Lutero. Estes homens

---

[11] Curiosamente, outros grupos dentro do movimento neo-apostólico, chamados de "o exército de Joel", entendem que o "exército de Deus", mencionado nesta passagem, são os cristãos da última geração, os quais literalmente travarão uma guerra contra as hostes do mal.

[12] Ibid., 49.

não conheciam a fundo o conceito de apostolado, por isto não puderam desenvolvê-lo plenamente. Ele dispara:

> Muitos apóstolos hoje, não usam o nome, o título de seu ofício ministerial. Isto só faz restringir e limitar o ministério. Quando não se usa o termo "Apóstolo," a unção não opera em toda a sua potência. A unção flui com mais poder ao se usar corretamente o título bíblico de "Apóstolo" para um homem chamado por Deus a este ministério. A Igreja tem tido homens que Deus queria que fossem apóstolos e que funcionassem como tais, mas eles não quiseram.[13]

Esta última frase é, no mínimo, curiosa. De acordo com os Evangelhos, todos aqueles a quem Jesus Cristo chamou para serem apóstolos, vieram e foram constituídos como tais. Nem mesmo o rebelde fariseu zeloso, Saulo de Tarso, resistiu ao chamado apostólico de Jesus Cristo. Será que o poder do Cristo ressurreto enfraqueceu com o passar do tempo, de maneira que foi impedido pela incredulidade humana de chamar eficazmente os apóstolos que porventura quisesse ao longo da história da igreja?

Chaves está convencido que Deus, agora, começou a "restituição", depois de séculos de trevas, restituição esta que vem em etapas. Primeiro, a reforma através de Lutero, que foi teológica e doutrinária, mas insuficiente. Depois, Deus restaurou as doutrinas da santidade e do Espírito Santo, com os movimentos de santidade oriundos em John Wesley e o posterior movimento pentecostal. Estes movimentos, todavia, são insuficientes e incompletos. Na década de 1990, Deus iniciou a fase dois de seu plano, que é a "Reforma Apostólica," ou a "Segunda Reforma Protestante", que será muito maior e terá muito maior impacto no mundo do que a primeira, pois preparará a igreja para a última fase, que é a "Restituição", em que Deus haverá de restituir à igreja sua forma original, como está no livro de Atos. O que inclui ondas e ondas de poder espiritual na forma de sinais e prodígios nunca vistos antes.

---

13 Ibid., 49-50.

Chaves vê a Nova Reforma Apostólica como uma reação ao pentecostalismo clássico, o qual rejeita a concepção de apóstolos modernos. O movimento de restauração do governo de apóstolos é, conforme ele afirma, a última onda do Espírito no processo de restauração: a primeira foi o pentecostalismo clássico, a segunda o movimento carismático e agora, a Nova Reforma Apostólica, que coincide com o neopentecostalismo. Aqui, é importante notar que a Nova Reforma Apostólica não se identifica com o movimento pentecostal clássico, mas com as chamadas igrejas neopentecostais. Chaves critica as grandes denominações pentecostais por estarem perdendo membros e apresenta o modelo apostólico como a solução. "A obra restauradora do Espírito Santo já está em sua etapa final. Esta restauração de apóstolos e profetas, e das verdades fundamentais da igreja primitiva, estão ocorrendo em todos os lugares da terra."[14] É impossível ler as coisas que Chaves escreve sem ficarmos impressionados com a megalomania do movimento e a arrogância de suas reivindicações e pretensões. A mesma coisa sentimos com as pretensões de Peter Wagner e de vários outros apóstolos no Brasil.

As Redes Apostólicas

Para Chaves, a resposta de Deus para o terceiro milênio e a apatia e irrelevância das denominações tradicionais e pentecostais são as redes apostólicas:

> Lamentavelmente a rejeição ao modelo apostólico originou no mundo evangélico uma estrutura ou organização religiosa que Satanás usou para atrapalhar o desenvolvimento da obra de Deus. Mas o

---

14 Chaves, *Apuntes*, 23-35. O modelo celular de igrejas, também conhecido como G-12, é defendido por Chaves como sendo o modelo celular das igrejas apostólicas, o que para ele representa um avanço e aprimoramento dos modelos celulares anteriores defendidos por Paul (David) Yonggi Cho, na Coréia, e César Castellanos, na Colômbia. É este o modelo de igreja que haverá de ser implantado em todo mundo pelos apóstolos para a fase da "Grande Colheita" de almas. Nenhuma evidência bíblica é dada para apoiar esta contenção, a não ser as experiências acontecidas em outras igrejas (*Apuntes*, 58-61).

Espírito Santo está movendo o seu povo para as Redes Apostólicas como resposta do novo milênio.[15]

Estas redes apostólicas são construídas de acordo com a hierarquia de Deus revelada em Efésios 4.11 e 1Coríntios 12.28: apóstolos vêm primeiro no topo da hierarquia; em seguida, os profetas e os evangelistas; e por fim, pastores e mestres.[16]

O conceito de "rede apostólica" é definido por Chaves a partir do exemplo das redes comerciais, de televisão, de rádio, etc., das quais, ele alega, a maior de todas é a igreja de Cristo. Uma rede aglutina, organiza, une e movimenta instituições organizadas debaixo dela. Foi assim, diz Chaves, que a igreja apostólica funcionou a princípio, neste modelo de rede, tendo sua sede em Jerusalém. Se seguirmos este modelo, teremos os mesmos resultados da igreja apostólica.[17]

Em resumo, uma rede apostólica é um agrupamento de igrejas e ministérios individuais que se unem voluntariamente debaixo da autoridade de um apóstolo. Este apóstolo guia, organiza, aconselha, dá legalidade, cobertura espiritual, ministra a visão e impulsiona o evangelismo destas igrejas e ministérios individuais. As redes apostólicas não se sujeitam a nenhuma outra organização, embora possam estar ligadas entre si em coalizões. Uma rede apostólica é autônoma e independente, e cria suas próprias regras e normas, que são oriundas do apóstolo. Os que voluntariamente se submetem à sua supervisão, devem se sujeitar às regras e credenciamentos da rede dirigida por ele, e dele buscam amparo e cobertura espiritual e se relacionam entre si para manter a unidade e o desenvolvimento do trabalho. Essa é basicamente a estrutura da rede, que tem papel crucial na escatologia neo-apostólica.

Pode parecer, então, que uma rede apostólica é similar ao que, de longa data, as igrejas históricas, como as presbiterianas, metodistas, luteranas e mesmo as batistas, entendem por presbitérios, sínodos e

---

15 Ibid., 36-38
16 Ibid.
17 Ibid., 36-38.

convenções, que são concílios que supervisionam, em maior ou menor medida, igrejas locais debaixo de sua jurisdição. Na verdade, a proposta da rede apostólica parece se aproximar mais do modelo da igreja católica, que tem uma estrutura hierarquizada verticalmente, de cima para baixo, no topo da qual se assenta um que se considera o sucessor dos apóstolos de Jesus Cristo e que não admite dissidência. Como diz Chaves, "infelizmente a rejeição do modelo apostólico originou no mundo evangélico uma estrutura e uma organização religiosa que Satanás tem usado para perturbar o desenvolvimento da obra de Deus. Mas, o Espírito Santo está movendo seu povo às redes apostólicas como resposta para o novo milênio".[18] Uma vez que se chega a este ponto, de considerar qualquer oposição como sendo obra de Satanás, um movimento entra num novo estágio, que é o de seita.

Os novos apóstolos e a guerra espiritual

Outro importante aspecto do pensamento de Chaves, que é compartilhado pelos demais defensores da Nova Reforma Apostólica, é o papel dos novos apóstolos na guerra espiritual contra os poderes de Satanás no novo milênio. Aqui, é importante notar que o movimento da Nova Reforma Apostólica é um desdobramento do movimento de batalha espiritual, nascido na década de 1960, e liderado exatamente pelas mesmas pessoas que hoje lideram a Nova Reforma Apostólica, como C. Peter Wagner. No Brasil, Neuza Itioka e Valnice Milhomens, duas das principais promotoras do movimento de batalha espiritual de três décadas atrás, hoje são apóstolas do movimento de Restauração Apostólica.[19] A lógica apresentada por eles é clara: era preciso achar uma resposta para o fato de que as reivindicações do movimento de batalha espiritual, quanto à vitória definitiva e imediata sobre os poderes satânicos, não havia ainda acontecido. E a resposta veio: é que faltavam os generais desta batalha, os líderes do exército de Deus, os

---

18 Ibid., 39.
19 Lopes, *O que Você Precisa Saber sobre Batalha Espiritual*. Neste livro ofereço uma análise detalhada dos ensinamentos de Peter Wagner, Neuza Itioka e outros líderes do movimento de batalha espiritual.

próprios apóstolos! É isto que Chaves insinua ao criticar os pentecostais clássicos por estarem estagnados e perdendo membros.

Chaves defende que estamos vivendo a culminação do tempo do derramamento do Espírito profetizado por Joel (2.28-32), dias "pós-carismáticos" e "pós-pentecostais", a onda última e final do Espírito Santo.[20] É o momento da maior de todas as guerras espirituais contra Satanás, na qual os apóstolos terão papel essencial e decisivo. Ele diz que recebeu uma revelação do Espírito para mudar a terminologia "guerra espiritual estratégica", que vigorou na década de 1990, para "guerra espiritual *profética* e estratégica", pois serão os profetas que trarão a direção divina para a batalha territorial. Fica claro que, embora Chaves faça uma distinção entre apóstolos e profetas, para ele o apóstolo é o profeta por excelência. O seu manual *Apuntes* (de 2003) traz uma profecia dele de que "nos próximos cinco anos" o Espírito Santo levantaria redes de apóstolos e profetas em todo o mundo para promover o "fluir apostólico" em toda parte. Estes cinco anos seriam determinantes para a colheita final. As profecias dos apóstolos determinarão as estratégias, que incluem criação de centros de estudos para treinamento de obreiros, plantação de novas igrejas, orientações para níveis mais profundos de guerra espiritual contra Satanás, técnicas de guerra profética, armas de guerra do novo milênio, mapeamento espiritual – não de demônios territoriais, mas dos territórios debaixo dos apóstolos – etc.[21] Para Chaves, dar fundamento apostólico é implantar o sistema dos cinco ministérios, estabelecer o princípio de governo teocrático – o apóstolo fala da parte de Deus e é para ser recebido sem contestação – e dirigir a batalha espiritual debaixo dos fundamentos apostólicos e proféticos, para que o povo saiba o que fazer.[22]

Continuando em seus argumentos, Chaves afirma que a implantação da estrutura apostólica é fundamental nesta guerra espiritual profética do novo milênio. Este governo apostólico anulará o governo de Satanás. Ha-

---

20 Ibid., 40-45.
21 Ibid., 45-46. Veja no site de Rony Chaves as profecias dele para 2013, http://mts.org.br/pastorais/guia--profetica-para-2013-apostolo-rony-chaves (acessado 5/11/2013).
22 Ibid., 48.

verá a "guerra de deuses", em que os profetas e apóstolos liderarão a guerra espiritual territorial e estratégica. Para que isto aconteça, é preciso desde já formar equipes apostólicas e conselhos nacionais de apóstolos para esta guerra espiritual territorial.[23] Quando se estabelece o governo apostólico em um território, quebra-se o poder de Satanás sobre aquela área. De acordo com Chaves, o governo satânico sobre os povos se baseia em "princípios babilônicos" que se opõe a Deus e aos seus desígnios. É um governo cuja plataforma é a rebelião, o controle e o ocultismo. É ilegal e usurpa os direitos dos povos por meio do pecado. A maneira de quebrar este governo satânico mundial é o estabelecimento do governo apostólico, por meio de apóstolos que vão às nações, estabelecem profetas e estes, pastores e mestres. Segue-se o estabelecimento dos cinco ministérios e das redes apostólicas. Desta forma, será anulado o poder satânico naquela região ou país.[24]

Cobertura espiritual apostólica

Sobre "cobertura espiritual", um conceito central no movimento da Nova Reforma Apostólica, Chaves explica que não se trata de ser membro de uma igreja ou de uma organização e delas receber apoio, sustento e proteção. Mas, diz ele,

> O que estou querendo dizer é que a cobertura espiritual de Deus para cada um de nós, ou seja, sua proteção, bênção, provisão, ministração e orientação espiritual, virá de forma plena quando ele nos colocar debaixo de apóstolos que tenham uma visão clara de sua obra... a cobertura ou proteção divina para seu povo virá através de ministros ungidos que nos levem a caminhar nas diretrizes do Altíssimo.[25]

Em outras palavras, estar "coberto" espiritualmente é estar debaixo da autoridade de um apóstolo e, de maneira submissa, sujeitar-se às suas

---

23 Ibid.
24 Ibid., 51.
25 Ibid., 54.

orientações, pois ele fala da parte do próprio Deus. Quem está debaixo da cobertura de um apóstolo será abençoado e protegido, e será guiado nos caminhos de Deus. Uma das "provas" bíblicas que Chaves apresenta é 1Coríntios 11.10, "deve a mulher, por causa dos anjos, trazer véu na cabeça, como sinal de autoridade". Para ele, a "mulher" ali é a igreja, o "véu" é a cobertura apostólica, e os "anjos" são os demônios. A sua interpretação, portanto, é que a igreja deve estar debaixo da cobertura dos apóstolos senão será atacada e destruída pelos demônios.[26] A outra, é a interpretação do episódio em que o profeta Eliseu multiplica o azeite da viúva (2Re 4.1-7). Segundo Chaves, Eliseu é símbolo do ministério apostólico de cobertura, a viúva representa a igreja e os pastores que estão a ponto de serem escravizados, o azeite é a unção e o poder libertadores para repreender os credores e para mantê-los vivendo.[27] Estes são apenas dois exemplos da maneira altamente alegórica como Chaves e outros defensores do movimento usam as Escrituras para "provar" suas ideias. Indo ao outro extremo, Chaves é capaz de fazer interpretações literalistas igualmente arbitrárias, como por exemplo, interpretar 1Coríntios 9.2, "vós sois o selo do meu apostolado no Senhor." Para ele, o "selo" é um "emblema, símbolo ou letra gravada", que é o selo do apóstolo, que deve ser levado por todos aqueles que estão debaixo da sua cobertura apostólica.[28]

Revelações extrabíblicas

Em seus escritos, Rony Chaves constantemente "revela" o mover de Deus em cada década deste milênio, identificando exatamente o que Deus estava fazendo, com quem e aonde, demonstrando conhecer perfeitamente a mente de Deus e ter acesso aos seus desígnios e à sua providência. Ele descreve detalhadamente como Deus foi levantando di-

---

26 Ibid., 56.
27 Ibid., 57.
28 Ibid., 70. Veja o paralelo com a igreja africana apostólica de John Maranke, em que os apóstolos carregam como selo do apostolado uma túnica, um bordão e o mutambo (roupa de baixo considerada sagrada). Jules-Rousette, *African Apostles*, 248.

versos tipos de oração e de intercessão através dos anos.[29] Chaves é capaz de afirmar aquilo que nem os próprios autores do Novo Testamento foram capazes de afirmar, uma vez que não encontramos em seus escritos absolutamente nada destas coisas. Procuramos, em vão, naquilo que eles escreveram, dando-nos uma visão do que haveria de acontecer na história e nos tempos precedendo a vinda do Senhor Jesus. Buscamos, inutilmente, no sermão escatológico de Jesus, nas seções escatológicas das cartas de Paulo (como 1Corintios 15 e as duas cartas aos Tessalonicenses) e no próprio livro de Apocalipse por alguma referência, por mais velada que fosse, de que Deus haveria de restaurar na igreja, antes da vinda de Cristo, apóstolos como os doze e Paulo. Buscamos, sem sucesso, por uma referência, por menor que seja, ao levantamento, nos últimos dias de igrejas do modelo celular, de redes apostólicas, de guerra de apóstolos e profetas..., tudo em vão.

Fica evidente da análise dos escritos de Rony Chaves que ele se baseia em revelações diretas, supostamente recebidas da parte de Deus, para estabelecer a sua doutrina da restauração apostólica para os últimos dias. A Bíblia raramente é usada, e, na maior parte das vezes, recebe uma interpretação alegórica ou literalista. Basta que se leia o testemunho que ele mesmo dá de como foi chamado para o ministério apostólico e como concebeu suas doutrinas:

> Estando em Guatemala, em fevereiro de 1985, o Senhor se me manifestou sobrenaturalmente no quarto onde eu estava hospedado, nomeando-me com sua voz audível como um Apóstolo de Jesus Cristo.
> O chamado ao ofício apostólico foi confirmado na Igreja Elim, cujo apóstolo era o Dr. Otoniel Rios Paredes. Ele foi o homem usado por Deus para profetizar e confirmar minha vocação apostólica.
> No final de 1989, em 18 de abril, o Senhor me ungiu como profeta e me enviou como tal às nações.

---

29 Ibid., 62-63.

A década dos anos 1990 do século passado, trouxe ao vocabulário do mundo evangélico a nova terminologia de "Guerra Espiritual Estratégica". Para este novo milênio, o Espírito Santo acrescentou a expressão "palavra profética". Isto tem a ver com os desígnios e a revelação direta de Deus.[30]

Por mandato divino, optei por não criar um novo movimento, organização ou denominação moderna.[31]

Depois de ter feito um jejum de cinquenta dias ordenado pelo Senhor, em princípios de 1999, ele me ordenou que reorganizasse nossa Rede de Cobertura Apostólica Nacional e Internacional. Esta seria a nova estratégia revelada pelo Espírito Santo para nosso ministério Apostólico-Profético, o *Avance Misionero Mundial*, para edificar o Reino de Deus nas nações e levarmos uma guerra espiritual estratégica, cheia de poder, unção e inteligência, contra nosso inimigo.[32]

Conclusão

É impossível deixar de perceber as semelhanças entre as experiências e as reivindicações de Rony Chaves e aquelas de Marcião, Maniqueu, os gnósticos, irvingitas e todos os demais grupos sectários que, na história da igreja, se apresentaram como apóstolos de Jesus Cristo para restaurá-la ao seu estado original, alegando visões e revelações do Senhor. E também é impossível deixar de perceber a extraordinária semelhança entre o modelo apostólico proposto por Chaves e as pretensões do apóstolo da maior rede "apostólica" do mundo, o Papa de Roma.

---

30 Ibid., 46.
31 Ibid., 77.
32 http://www.ronychaves.org/ramcu.aspx (acessado em 5/11/2013).

Capítulo 16

A "Nova Reforma Apostólica" no Brasil

Em agosto de 2001, a então pastora Neuza Itioka organizou em São Paulo um evento intitulado "Seminário da Rede de Intercessão Estratégica". O principal palestrante era o apóstolo Rony Chaves. Durante o evento, ele consagrou os primeiros apóstolos brasileiros ligados à Nova Reforma Apostólica: Valnice Milhomens, Arles Marques, Mike Shea e Jesher Cardoso. O evento é considerado por alguns como "o alvorecer do ministério apostólico no Brasil, o início oficial da Nova Reforma Apostólica no Brasil".[1] No ano seguinte, Rony Chaves consagrou também Neuza Itioka como apóstola. Contudo, o "apóstolo" René Terra Nova proclama que a data de início da era apostólica no Brasil é mesmo 2006. "Em Manaus, quando ungimos os primeiros sete Apóstolos, em dezembro de 2006, liberamos a unção sobre o Brasil".[2]

Antes destes, todavia, outros já haviam passado a usar o título de apóstolo em nosso país, de acordo com o pesquisador César Aquino:

---

1 http://www.ministeriocesar.com/2010/03/apostolos-quem-escolhe-apostolos-hoje.html (acessado em 15/11/2013).
2 René Terra Nova, *Geração Apostólica* (Manaus: Semente de Vida, 2007), 64.

- Nelsi José Rorato (JUAD e Ministério Batista Cristo é Vida) e Marcos Antônio Belle - 1989;
- Silas Esteves (Igreja A Palavra Viva) - janeiro de 1991;
- Miguel Ângelo (Igreja Cristo Vive) - setembro de 1991;
- Estevam Hernandes (Igreja Renascer em Cristo) - 1996;
- Paulo Tércio (Igreja Novidade de Vida) - 1997;
- Maurício Cundari Marques (Igreja Consolador de Israel) - 1998;
- Hélio Ribeiro do Lago (Igreja Atos 29) - 22 de dezembro de 1998;
- Edson Arantes Michelucci (Igreja Resgate para Cristo) - 1999;
- Ebenézer Nunes (IABV) - junho de 2000;
- Léo (Igreja Libertador de Israel) - 17 de julho de 2000;
- Luiz Hermínio (MEVAM) - setembro de 2000;
- César Augusto (Igreja Fonte da Vida) - abril de 2001.[3]

Atualmente, existem centenas de apóstolos no Brasil, a maior parte deles conectados a diferentes redes apostólicas e presidindo ou liderando ministérios e igrejas apostólicas.[4] Entre as diferentes redes apostólicas, encontramos a *Rede Apostólica Cristã*, liderada pelo apóstolo Ricardo Wagner,[5] o *Conselho Apostólico Brasileiro*, que conta com Valnice Milhomens e Neuza Itioka,[6] a *Coalizão das Igrejas Apostólicas*,[7] a *Confederação das Igrejas Evangélicas Apostólicas do Brasil* presidida pelo apóstolo Estevam Hernandes,[8] e a *Coalizão Internacional de Apóstolos* (ICA) representada pelo "apóstolo" René Terra Nova.[9] O conhecido "apóstolo" Valdomiro Santiago não deve ser enquadrado dentro da Nova Reforma

---

3 http://www.ministeriocesar.com/2010/04/apostolos-apostolos-no-brasil-1.html (acessado 15/11/2013).

4 Para mais detalhes sobre nomes e ministérios, veja http://www.ministeriocesar.com/ (acessado 15/11/2013).

5 http://www.redeapostolica.com.br/ (acessado em 15/11/2013) – ele justifica a existência de uma rede apostólica com base na passagem onde Jesus disse que o Reino dos Céus é como uma rede que é lançada ao mar...

6 http://www.conselhoapostolico.com.br/conselho.php?conselho= (acessado 15/11/2013)

7 http://coalizaoapostolica.blogspot.com/ (acessado em 15/11/2013)

8 http://www.cieab.com.br/2011/br/index.php (acessado em 15/11/2013).

9 http://www.ministeriocesar.com/2011/11/rene-terra-nova-embaixador-ica.html (acessado 15/11/2013).

Apostólica. Ele não está ligado a nenhuma rede apostólica, é presidente da denominação que fundou e sua carreira é típica dos pastores neopentecostais da teologia da prosperidade.[10]

As pessoas mais influentes para o crescimento da Nova Reforma Apostólica no Brasil parecem ter sido Rony Chaves e C. Peter Wagner. Quando analisamos as doutrinas e práticas dos "apóstolos" brasileiros ligados a estas redes mencionadas acima, percebemos claramente que são as mesmas defendidas por Chaves e Wagner, bem como dos que vieram antes deles. Na verdade, alguns dos "apóstolos" brasileiros parecem superar os pais do movimento da Nova Reforma Apostólica quanto à pretensão de suas reivindicações. O que nos impressiona, acima de tudo, é a falta de conhecimento bíblico, a interpretação abusiva da Escritura, a omissão das passagens e temas mais importantes sobre a liderança da Igreja, as práticas bizarras defendidas e as reivindicações absurdas de alguns deles, beirando a megalomania. Qualquer cristão sério que conheça a sua Bíblia deve ficar envergonhado de que tais "apóstolos" posem como semelhantes aos doze e Paulo.

Revelações e profecias

O movimento apostólico brasileiro baseia suas origens, estrutura, métodos e estratégias em revelações diretas pretensamente recebidas de Deus, por meio de visões, voz audível ou profecia. As Escrituras são raramente citadas, e, quando são, são interpretadas de uma maneira alegórica e fora de seu contexto histórico original. Aqui, mais do que nunca, vemos as consequências do abandono do conceito da *Sola Scriptura* e a abertura para novas revelações à Igreja de Cristo.

Os "apóstolos" brasileiros anualmente "liberam" palavras proféticas sobre a igreja brasileira e sobre a nação. De acordo com a "apóstola" Neuza Itioka,[11] no artigo "O que Estamos Fazendo com as Profecias de

---

10 http://pt.wikipedia.org/wiki/Valdemiro_Santiago (acessado em 15/11/2013).

11 Neuza Itioka (13 de abril de 1942), "apóstola" brasileira, foi fundadora e presidente do *Ministério Ágape Reconciliação*. Foi consagrada ao ministério apostólico em Agosto de 2002. Ela é Bacharel em Teologia (*Facul-*

Deus?," o Brasil, como nação recebeu, desde a década de 1950 "palavras proféticas, levantando o ânimo do povo de Deus e renovando a esperança de que Ele deseja mudar as nossas circunstâncias e o nosso destino".[12] Estas "profecias" são de caráter vago e geral de tal forma a nunca se poder dizer quando, onde e como haverão de se cumprir. E, quando anunciam algo mais específico, que pode ser medido ou constatado, fazem-no já com o aviso de que profecias são condicionais, e que se não se realizarem, será por causa da falta do cumprimento das condições necessárias da parte do povo de Deus.

Por exemplo, a "apóstola" Neuza Itioka, que menciona uma profecia de dezembro de 2011 de que "haveria apostasia e perdição de multidões pela grande decepção provocada pela infidelidade e conduta anticristã dos grandes líderes".[13] Qual o ano em que isto não aconteceu? E quem precisa de uma revelação para antecipar que este tipo de coisa acontece todos os anos no meio evangélico?

A palavra profética do "apóstolo" Mike Shea sobre o Rio de Janeiro (10/09/2013), dita em inglês e depois em português, disponível no site do *Conselho Apostólico Brasileiro*, desperta perplexidade, para dizer o mínimo (reproduzo somente a parte em português):

> Veio a mim a palavra do SENHOR.
> Chamo a igreja do Rio de Janeiro a se regimentar! É agora!
> AGORA AGORA AGORA AGORA AGORA!
> Por favooooooooooooooooooooooooooooooooorrrrrrrrrr!
> OUÇA, IGREJA. A hora é agora! Não espere mais!
> Acorde! Levante! Ponha-se de pé! Fale! Faça isso agora!

---

dade Metodista Livre), formada em Pedagogia pela USP e doutora em Missiologia pelo *Seminário Teológico Fuller*. Desde 1988, vem atuando na área de libertação, cura interior e batalha espiritual. Também coordena o *Projeto Transformação Brasil* e pertence à *Glory of Zion International* (liderada pelo "apóstolo" Chuck Pierce), está debaixo da cobertura (supervisão e direção) do "apóstolo" Rony Chaves. Lidera a *Rede Internacional de Guerra Espiritual* e a *Rede Internacional de Intercessão Estratégica*, ligada ao *Global Harvest Ministries* (C. Peter Wagner). Faz parte do *Conselho Apostólico Brasileiro*, da *Coalizão Apostólica Profética Brasileira* e é uma das diretoras da *Rede Apostólica de Ministérios Cristãos* (http://pt.wikipedia.org/wiki/Neuza_Itioka, acessado 19/11/2013).

12 http://www.transformacao.com.br/artigos-detalhe.php?artigo=51 (acessado em 19/11/2013).

13 http://www.agapereconciliacao.com.br/v3/p_presidente.asp?expandable=0 (acessado 19/11/2013).

Esqueça as suas diferenças! Perdoe seus ferimentos! UNAM-SE!
UNAM-SE! UNAM-SE! FAÇA ISSO! APENAS FAÇA ISSO!
AAAAAAAAAAAAAAAHHHHHHHHHHHHHHH!
OS ANJOS NÃO VÃO FAZER O QUE SÓ VOCÊ PODE FAZER!
RIO DE JANEIRO, BRASIL PRECISA QUE VOCÊ ACORDE!
LEVANTE-SE! FIQUE EM PÉ! FALE!
DESLIGUE AS LUZES! DEIXE A LUZ DO MUNDO BRILHAR!
DESLIGUE A MÁQUINA DE FUMAÇA! DEIXE A NUVEM DE SUA GLÓRIA DESCER!
SAIA DO PALCO! DÊ O LUGAR DE DESTAQUE PARA O REI!
A HORA É AGORA!
ACORDE! LEVANTE! FIQUE EM PÉ! FALE!
PARE DE RECLAMAR! (MANIFESTAÇÕES)
ARREPENDA-SE!
CHEGA DE MURMURAÇÃO! (EU ODEIO MURMURAÇÃO. ISRAEL FICOU NO DESERTO POR 40 ANOS POR MURMURAR)! CLAME POR MISERICÓRDIA! E EU DAREI PRA VOCÊ MISERICÓRDIA![14]

Outro exemplo desta característica das profecias apostólicas é a profecia "Bênção das Doze Tribos de Israel sobre o Brasil", pronunciada pelos apóstolos do *Conselho Apostólico Brasileiro*, que adapta as bênçãos do patriarca Jacó a seus filhos (Gn 49.1-28) ao Brasil, e que termina dizendo,

> Que a Igreja de Cristo no Brasil seja como Efraim e como Manassés, que se torne numa Multidão de nações e que as Bênçãos do Nosso

---

14 http://www.transformacao.com.br/artigos-detalhe.php?artigo=52 (acessado 19/11/2013). Mike Shea é um dos 4 primeiros apóstolos brasileiros ungidos por Rony Chaves em 2001, e membro do Conselho Apostólico Brasileiro.

Deus sobre Ti, Igreja de Cristo no Brasil, toque todas as nações da Terra em Nossa Geração.

Feliz és tu, povo de Deus no Brasil! Quem é semelhante a ti? um povo salvo pelo Eterno, o escudo do teu socorro, e a espada da tua majestade; pelo que os teus inimigos te serão sujeitos, e tu pisarás sobre as suas alturas.[15]

Estas profecias dão origem a atos proféticos e símbolos proféticos que geralmente procuram imitar eventos encontrados nos relatos bíblicos. Na "Conferência Profética" de 2013, na cidade de Curitiba, realizada pelo *Conselho Apostólico Brasileiro*, um dos preletores, pregando em Malaquias 3:16, disse que "havia um *memorial* escrito diante dele para os que temem ao Senhor e para os que se lembram do seu nome", ele, então, disse que recebeu orientação divina acerca do *Conselho*, para que um "memorial" fosse estabelecido diante de Deus, um documento que deveria ser lido e compartilhado por toda a nação. Em seguida, erigiram um altar feito de doze pedras, colhidas pelos pastores da cidade, nos jardins da igreja onde o evento aconteceu, e de lá o memorial-documento "deveria sair e tocar toda a nação".[16] A "apóstola" Valnice Milhomens[17] diz ter recebido uma profecia de que deveria tocar os quatro cantos do Brasil antes das eleições presidenciais de 2002, o que a levou a visitar quatro locais no território nacional, vestida com as cores do Brasil, e enterrando nestes lugares trigo, azeite e vinho.[18] Valnice declara que mediante revelação de

---

15 Cf. o site do CAB, http://www.transformacao.com.br/pronunciamentos.php?pronunciamento=14 (acessado 19/11/2013).

16 Cf. o site do CAB, http://www.transformacao.com.br/pronunciamentos.php?pronunciamento=13 (acessado 19/11/2013).

17 Valnice Milhomens Coelho (1947) – "apóstola" da *Igreja Nacional (Mundial) do Senhor Jesus Cristo*, iniciada em 1994, com sede internacional em Brasília/DF. Discípula de César e Cláudia Castellanos, faz parte da Equipe G12 Nacional. Valnice foi missionária na África: em 1971, a primeira missionária enviada pela *Convenção Batista Brasileira*, trabalhando por 13 anos. De volta ao Brasil, desligou-se da CBB por defender o batismo no Espírito. Em 1987, fundou o *Ministério Palavra de Fé*, que deu origem a INSEJEC. Televangelista pioneira (foi a primeira líder evangélica a apresentar um programa de TV), foi consagrada pastora em 1993 e reconhecida apóstola (a primeira do Brasil), em 5 de agosto de 2001, pelo "apóstolo" Rony Chaves. Ela e Renê Terra Nova são os responsáveis por trazer César e o G12 ao Brasil. É uma dos quinze membros do *Conselho Apostólico Brasileiro*. Escritora, solteira e sem filhos, optou por ser celibatária. Cf. http://www.ministeriocesar.com/2010/04/apostolos-apostolos-no-brasil-1.html (acessado 19/11/2013).

18 Cf. http://www.desmascaradospelaverdade.com/2012/01/valnice-milhomens-profetisa-mentirosa.

Deus, passou a emitir anualmente "decretos apostólicos". Deus lhe teria dito, sobre essas profecias: "Profiram-nas como decreto todos os dias do ano". Assim, em seu site, anualmente ela publica uma passagem da Bíblia como um "decreto apostólico" de Deus para aquele ano, que tem força de declaração profética.[19]

O *Conselho Apostólico Brasileiro* organizou uma "Mobilização de Oração nas Ruas" em 13/06/2013, com base numa revelação dada ao "apóstolo" Dawidh Alves em 01/06/2013, onde Deus teria lhe revelado que o avivamento virá de fora para dentro, e não de dentro para fora. "Por isto, coloquem o meu povo nas ruas, nas praças, nos ginásios, nos estádios. Que a Igreja vá para fora."[20] Passado o evento, percebe-se que o avivamento esperado não veio.

O chamado para serem "apóstolos," bem como a criação de seus ministérios com suas estratégias e focos peculiares, são atribuídos pelos apóstolos brasileiros a revelações diretas de Deus, mediante visões ou profecias. Valnice Milhomens, quando era missionária no exterior, diz que recebeu de Deus, em 1986, uma ordem para voltar ao Brasil e fundar o ministério *Palavra da Fé*: "Tenho um ministério para ti no Brasil. Treina-me um exército!" Outra vez, desta feita em 1993, afirma ter recebido ordem de Deus para fundar a *Igreja Nacional do Senhor Jesus*. Ela diz que Deus lhe falou que Lula seria eleito presidente.[21]

Valnice Milhomens defende a guarda do sábado e a comemoração das festas bíblicas. É uma das principais responsáveis pela introdução, nas igrejas evangélicas, de práticas litúrgicas judaizantes. Durante uma reunião de oração com os obreiros do seu ministério em 1994, em São José dos Campos, ela disse:

---

html (acessado 19/11/2013). De acordo com este site, Valnice já realizou dezenas de outros atos proféticos pela conversão do Brasil, todos em obediência a revelações diretas, como ficar quarenta dias sem comer, raspar a cabeça, andar descalça, se vestir de saco, enterrar exemplares da Bíblia em vários Estados que "Deus revelou". Ela já enterrou estacas em lugares revelados por Deus, "marcando território" e "tomando posse da terra que Deus deu aos crentes por promessa e herança", entre outras coisas.

19   http://www.insejec.com.br/decretos.php (acessado 19/11/2013).

20   Cf. o site do CAB, http://www.transformacao.com.br/artigos-detalhe.php?artigo=49 (acessado 19/11/2013).

21   Entrevista à revista *Eclésia* 93 (2003), 26-27.

> O Espírito do Senhor se apoderou de mim e passei a falar de coisas que jamais haviam sido objeto de estudo ou reflexão. Era uma visão do paralelo que existe entre a ligação do povo judeu com Jerusalém e as raízes espirituais da Igreja Cristã com a de Jerusalém.[22]

Foi também mediante uma visão que ela passou a adotar o modelo de igrejas em células, tipo G-12, como a expressão da vontade de Deus para a nova estrutura de seu povo:

> Em dezembro de 1996, o Espírito do Senhor falou-me claramente, numa certa noite: É preciso romper as velhas estruturas para conter o novo mover. Vocês numa visão na mente. [sic] Na prática cada um está sendo e fazendo igreja de acordo com suas velhas estruturas". Tomamos essa palavra e a levamos ao nosso Presbitério. Por uma semana estivemos juntos, orando e estudando os moveres de Deus através da história. Ficamos absolutamente convencidos de que a igreja em células, ou nas casas, sem deixar as grandes celebrações de todo o corpo no templo, era o caminho de volta, no que concerne à estrutura.[23]

Mike Shea, um dos primeiros "apóstolos" brasileiros, diz que recebeu uma palavra profética da parte de Deus em 1998, de que Deus estava preparando uma noiva para as bodas de seu Filho. "O Espírito falou que a Igreja precisa resgatar a essência de uma noiva para este encontro". O Espírito Santo, ainda segundo Mike Shea, "falou que Deus está levantando uma geração de profetas e nazireus para nossos dias".[24] Assim, Deus mostrou numa revelação a Mike Shea, em 1993, uma "chave" desenhada nas ruas de Londrina, com a ordem para que ele edificasse a "casa de Davi", com base em Atos 15.16: "Cumpridas estas coisas, voltarei e reedificarei o tabernáculo caído de Davi". O fato de que Tiago interpretou esta passagem como sendo

---

22 Cf. http://www.insejec.com.br/quemsomos_info.php?content=jerusalem (acessado 19/11/2013).
23 Cf. http://www.insejec.com.br/quemsomos_info.php?content=necessidade (acessado 19/11/2013).
24 http://www.casadedavi.com.br/ws/index.php/convite/seminarios (acessado 19/11/2013).

a inclusão dos gentios na Igreja, no século I da era cristã, durante o concílio apostólico de Jerusalém, aparentemente não tem a menor importância para Shea.[25] As revelações que Shea alega ter recebido incluem adoração pessoal ao tabernáculo de Davi, mapeamento espiritual e símbolos proféticos, de ministério profético a fundamentos apostólicos para a nação brasileira. Segundo Shea, a chave que Deus lhe mostrou era a chave de Davi. O "segredo" desta chave está exposto no site do "apóstolo":

> O nome "Casa de Davi" foi escolhido para o ministério por causa da chave desenhada nas ruas em Londrina. Essa chave simboliza "as Chaves do Reino dos Céus", mencionadas por Jesus em Mateus 16:19. Uma dessas chaves é a "chave da Casa de Davi", mencionada em Isaías 22:22 e em Apocalipse 3:7. O Rei Davi foi a pessoa que Deus escolheu para introduzir um local de adoração 24 horas quando ele levantou o "Tabernáculo de Davi". Nós cremos que esta adoração tem a ver com a "Chave da Casa de Davi". Em 1996, o Espírito Santo mostrou para o Mike um local para levantar um centro de adoração 24 horas. Este local fica na ponta da chave e forma "o segredo" desta chave desenhada em Londrina. O nome tem um valor profético, pois a chave agora é, literalmente, *A Chave da Casa de Davi*.[26]

O "apóstolo" René Terra Nova porta também o título de "paipóstolo" e "apóstolo patriarca", por se considerar o pai dos novos apóstolos brasileiros, os quais ele considera a "Geração Apostólica" que trará o grande avivamento esperado no Brasil. Ele alega que o próprio Deus lhe ordenou que levantasse estes novos apóstolos, quando lhe falou no dia 16 de novembro de 2005, dizendo: "Eu quero uma geração de Apóstolos... Levante uma geração de Apóstolos".[27] Antes disto, diz Terra Nova, esta vocação celestial para gerar novos apóstolos já lhe havia sido profetizada por Valnice Milhomens e Cindy Jacobs:

---

25 http://www.casadedavi.com.br/ws/index.php/cba (acessado 19/11/2013).

26 http://www.casadedavi.com.br/ws/index.php/cba/historico-mobilizacoes (acessado 19/11/2013).

27 Terra Nova, *Geração Apostólica*, 88.

> E tu, meu servo, eu te dei a unção do apóstolo... Tu és um dos apóstolos que Eu levantei nesta geração quando Eu restauro a autoridade apostólica (31/03/1999).
>
> Eu te faço um reprodutor de filhos hoje quando abraças a visão, porquanto abraçaste a visão para gerares outros, Eu te multiplicarei. Tu te reproduzirás, porque Eu te dou uma unção de transferir unção e tu verás muitos filhos, gerarás muitos filhos que se levantarão nesta geração para implantar o Meu Reino e Eu serei glorificado (31/03/1999).
>
> Por isso, meu filho, Eu te levanto nesta nação, Eu te levanto nesta geração, Eu te levanto com voz profética e apostólica e te revisto com uma nova autoridade (23/04/2000).
>
> Estes são os primeiros frutos, porque tu vais levantar apóstolos que irão a todo mundo... O Senhor te diz: Eu não vou ungir somente a ti, mas filhos e filhas que virão de ti para estabelecer centros de estudo (16/11/2001).[28]

As revelações e profecias não somente servem de justificativa para os ministérios e estratégias dos "apóstolos", como também para trazer informações dos mais profundos segredos de Deus. Neuza Itioka, numa "carta apostólica" enviada de Mato Grosso do Sul aos cristãos do Brasil, em 2010, adverte os crentes brasileiros:

> É bom lembrar das revelações que o Senhor trouxe a 7 jovens da Columbia, USA, em 1996, de que no inferno, no pior lugar de maior tortura, os que ali estão são os que, um dia conheceram a Deus e que pregaram uma coisa, mas viveram outra, se contradizendo.

Na "Palavra da Presidente" do site da missão que dirige, Neuza Itioka declarou, em janeiro de 2012, estar impressionada com relatos de pessoas que dizem ter sido arrebatadas para "dar umas voltas no céu e uma espiada no inferno", e cita as experiências destes 7 jovens mencionados acima,

---

28 Ibid., 89-96.

adicionadas da história de três esquimós que, depois de morrerem, foram levados por Jesus para ver como é o céu e o inferno, e que ressuscitaram depois. A mensagem que todos estes trouxeram é que no inferno estão "os crentes que não viveram a verdade".[29] O que nos impressiona é o contraste com a experiência do apóstolo Paulo, que tendo sido *verdadeiramente* arrebatado até o terceiro céu, guardou esta experiência por 14 anos e nunca revelou o que viu e ouviu por lá (2Co 12.1-4). E a razão para isto, disse Paulo, era "para que ninguém se preocupe comigo mais do que em mim vê ou de mim ouve" (2Co 12.6).

Na mesma carta, Itioka afirma: "Deus nos disse, em *recado pessoal* (minha ênfase) que, para este tempo, a arma mais poderosa é o amor. Devemos receber o amor renovado de Deus, cultivá-lo, para que a força dele nos una, destruindo toda barreira entre os irmãos, para confrontarmos o inimigo".[30]

Mike Shea criou uma "dinâmica de intercessão" em que os intercessores, mediante visões, palavras ou impressões, podem ouvir o Espírito Santo e interceder como Jesus está intercedendo junto ao Pai. "Assim, como instrumentos proféticos, reproduziremos o que está acontecendo no Céu aqui na Terra." Em outras palavras, Shea acredita que é possível escutarmos as intercessões que Jesus está fazendo diante de Deus e nos associarmos a ele nisto.[31]

Poderíamos alinhar inúmeros outros exemplos de doutrinas e práticas totalmente alheias ao Evangelho que são introduzidas na Igreja de Cristo em nome de novas revelações dadas por estes "apóstolos", que seguem na mesma linha dos heréticos gnósticos do século I e II.

Falsas profecias

Há dois testes no livro de Deuteronômio quanto aos profetas de Israel. O primeiro é o teste da *ortodoxia*:

---

29 http://www.agapereconciliacao.com.br/v3/p_presidente.asp?expandable=0 (acessado 19/11/2013).
30 Cf. http://noticias.gospelmais.com.br/apostola-brasileira-afirma-que-jesus-voltara-entre--2017-e-2018-apos-iluminates-e-onu-se-unirem-pelo-anti-cristo.html (acessado 19/11/2013).
31 http://www.casadedavi.com.br/ws/index.php/cba (acessado 19/11/2013).

> Quando profeta ou sonhador se levantar no meio de ti e te anunciar um sinal ou prodígio, *e suceder o tal sinal ou prodígio de que te houver falado*, e disser: *Vamos após outros deuses, que não conheceste, e sirvamo-los*, não ouvirás as palavras desse profeta ou sonhador; porquanto o Senhor, vosso Deus, vos prova, para saber se amais o Senhor, vosso Deus, de todo o vosso coração e de toda a vossa alma (Dt 13.1-3).

De acordo com este teste, um profeta cujas predições se cumprissem, mas que levasse o povo a se desviar de Deus, era um falso profeta – ainda que suas profecias se realizassem exatamente como ele disse. O segundo teste era o teste do *cumprimento*:

> Se disseres no teu coração: Como conhecerei a palavra que o Senhor não falou? Sabe que, quando esse profeta falar em nome do Senhor, *e a palavra dele se não cumprir, nem suceder, como profetizou*, esta é palavra que o Senhor não disse; com soberba, a falou o tal profeta; não tenhas temor dele (Dt 18.21-22).

O profeta era considerado falso quando, mesmo sendo ortodoxo, sua profecia não se cumprisse como ele falou. Portanto, o critério era duplo: cumprimento exato e aderência à sã doutrina. Não vemos razão para descartar estes dois critérios em nossos dias, especialmente depois de Paulo ter orientado as igrejas a testarem os profetas (1Co 14.29; cf. 1Jo 4.1). O que dizer, então do cumprimento e da ortodoxia dos "apóstolos" brasileiros?

Uma das falsas profecias mais conhecidas é a de Valnice Milhomens, feita em 1991, num programa de televisão, de que Jesus Cristo retornaria em um sábado de 2007. O argumento dela era que o sábado era o verdadeiro dia do Senhor, e que, portanto, Jesus voltaria num sábado. E, como Satanás já teve dois mil anos, Israel também teve dois mil anos, então a igreja cristã não teria mais do que dois mil anos. Cristo, portanto, voltaria em 2007.[32] Pode ser que a desculpa seja que ela, à época, ainda não havia sido ungida como "apóstola".

---

32 O programa de televisão com a "profecia" está em vídeo no YouTube: http://www.youtube.com/watch?v=PMRNQAkVeBQ (acessado 19/11/2013).

O "apóstolo" René Terra Nova profetizou "doze decretos" sobre os crentes no início do ano 2011, dizendo que aquele era o "ano aceitável do Senhor", mencionado em Isaias 61.1-3.

1. Todos seus parentes, e aqueles em sua geografia (exatamente isso!), serão salvos;
2. Todos serão libertos;
3. Deus irá fazer vingança contra todos os nossos inimigos;
4. Você "liberará" consolo, você será o consolador;
5. Remover lutos - você ressuscitará pessoas;
6. Receber coroa de glória, Deus lhe dará honra dupla;
7. Ser ungido com óleo de alegria, virá uma unção sobrenatural sobre você (Hb 1.8-9);
8. Todos serão curados;
9. Você pregará a todos;
10. Será a maior colheita de todos os tempos;
11. Será possuído com o espírito de alegria;
12. Deus lhe chamará de carvalho de justiça - nada lhe destruirá.

O vídeo com a profecia foi convenientemente removido do site na internet YouTube, mas o episódio ficou registrado por blogueiros.[33]

A "apóstola" Neuza Itioka, num artigo de 2013 intitulado "O que Estamos Fazendo com as Profecias de Deus", lamenta o não cumprimento de diversas palavras proféticas pronunciadas sobre a nação brasileira por apóstolos e profetas nacionais e estrangeiros.[34]

> Profetas internacionalmente reconhecidas, como Cindy Jacobs disse que o Brasil seria conhecida como primeira nação evangélica.
> Outros trouxeram o recado de Deus, que o Brasil iria sustentar o mundo com a comida produzida neste lugar.

---

33 Por exemplo, Wilson Porte, "Apóstolo René Terra Nova e seus doze Decretos contra Cristo", http://www.pulpitocristao.com/2011/04/apostolo-rene-terra-nova-e-seus-12-decretos-contra-cristo/ (acessado 20/11/2013).

34 Veja na íntegra: http://www.transformacao.com.br/artigos-detalhe.php?artigo=51 (acessado 19/11/2013).

Ainda Cindy Jacobs, no início do ano 2002, trouxe o recado de que Deus estava para curar a economia do Brasil, com a condição de que a Igreja brasileira fosse convocada para um jejum e intercessão de 40 dias.

Cindy Jacobs continuou em seu recado, dizendo que Deus iria começar revelar as riquezas escondidas no nosso subsolo: minerais, pedras, ouro e petróleo. E ela, como americana, se atreveu a dizer, inspirada por Deus, de que ele estaria colocando o Brasil como objeto de ciúmes para a América, fazendo com que o nosso PIB aumentasse 14 vezes mais do que o dos USA.

Muitos profetas disseram que as nações do mundo estariam esperando o avivamento que começaria desta terra, pois seria algo que alcançaria todo o resto do planeta.

Don Linch, profeta de Deus, também tem adotado o Brasil, já por alguns anos, por que recebeu a visita pessoal do Senhor, o qual lhe falou que traria um avivamento nunca dantes visto, nesta terra, e de que o Brasil era bola da vez.

Pois, Deus também trouxe palavras e visões proféticas de julgamento. Recebemos o recado de que ele visitaria a nossa terra, com juízo, e isto viria através de grandes águas. Que a terra brasileira seria partida de cima a baixo, que as grandes chuvas seriam os sinais de juízo. Que as cidades seriam inundadas... os mares iriam avançar. Que muitas cidades ficariam debaixo das águas.

O que fazer diante do evidente não cumprimento destas profecias e a caracterização de Cindy Jacobs, Don Linch e a própria Itioka como falsos profetas? A saída de Itioka é simples:

> Temos que entender que *as profecias são condicionais*. Diante destas promessas, temos que tomar uma posição para trabalhar nelas. Se não trabalharmos e levarmos a sério, vamos perder esta nação.[35]

---

35 Ibid.

O que Itioka está dizendo é que, por serem condicionais, as profecias dadas pelos "apóstolos", para que sejam cumpridas, precisam contar com ação do povo de Deus. "Uma das coisas que devemos fazer, é lembrar ao Senhor sobre suas promessas, e de que vivemos por elas, estamos crendo, e naquilo e começar a gerar o prometido, através de oração e intercessão".[36] Ou seja, Deus não cumpriu o que havia sido profetizado pelos "apóstolos", porque a igreja não fez a sua parte. Esta aberração teológica vem de uma confusão entre promessas e profecia e a omissão deliberada de que as profecias bíblicas *sempre* se cumpriram, apesar da incredulidade de Israel. Entre elas, a maior de todas, foi a vinda do Messias, cujo nascimento e detalhes relacionados foram minuciosamente descritos pelos profetas de Israel. Nenhuma das profecias falhou, mesmo que o povo de Israel, em sua incredulidade e dureza de coração, nunca as tenha entendido e nem trabalhado para elas. O profeta Isaías, ao anunciar que Deus haveria de levantar Ciro para ser o libertador de Israel, disse:

> Lembrai-vos das coisas passadas da antiguidade: que eu sou Deus, e não há outro, eu sou Deus, e não há outro semelhante a mim; *que desde o princípio anuncio o que há de acontecer e desde a antiguidade, as coisas que ainda não sucederam; que digo: o meu conselho permanecerá de pé, farei toda a minha vontade*; que chamo a ave de rapina desde o Oriente e de uma terra longínqua, o homem do meu conselho [Ciro]. *Eu o disse, eu também o cumprirei; tomei este propósito, também o executarei* (Is 46.9-11 – ênfases minhas).

Qual é a condição? O que Israel tinha de fazer para que esta profecia se cumprisse? Na verdade, os judeus sempre desprezaram os profetas e foram tardios em crer nas palavras de Deus. Se Deus fosse esperar pelas reações humanas para cumprir suas profecias, estaríamos perdidos. Ficaríamos esperando eternidade afora para ele cumprir a profecia referente ao retorno de seu Filho a este mundo.

---

36 Ibid.

Para complicar ainda mais as coisas, Itioka avisa que Deus vai dar "outra chance" aos brasileiros para que as profecias de prosperidade no Brasil se cumpram.

> A Palavra da Cindy Jacobs, através da Conferência de Diante do Trono, em março deste ano (2013), Deus está dizendo que estaria dando uma segunda chance (sic). Pois falhamos na primeira? Ele vai derrubar o principado da corrupção e da miséria. Mas, ele também estabeleceu a condição: de clamar dia e noite. É uma convocação de Deus, interceder, chorar, jejuar e clamar.[37]

Chegamos ao final de 2013 e não nos parece que o principado da corrupção e da miséria foi derrubado no Brasil. Nosso país terminou 2013 com comoção em todo lugar e um povo clamando por melhorias e mudanças e protestando contra a corrupção. E agora? Quantas profecias falsas serão necessárias para que os seguidores dos "apóstolos" despertem para a fraude e o engodo no qual foram envolvidos?

No início de 2012, Neuza Itioka profetizou, cautelosamente, que Cristo poderia vir naquele ano, que seria marcado por manifestações grandiosas e ilimitadas do poder de Deus:

> Há os que discernem, que este é o ano, em que Apolion, um dos principados poderosos das trevas, vai dominar, apressando a vinda de anticristo. E, de acordo com o Calendário do povo Maya, o fim do mundo é anunciado, de modo que, em Dezembro deste ano, o mundo acaba. Em meio a tudo isto, os profetas de Deus dizem que o ano 5772, ano hebraico, que se iniciou, em Setembro... Lembrando o número dois, o último número do ano,.... Dois, significa casa e que nós devemos estabelecer a nossa casa, a casa do povo de Deus, a casa de Deus para que Deus venha governar cada unidade. *Neste ano, devemos esperar a manifestação de muitos milagres. Este será ano*

---
37 Ibid.

de manifestação ilimitada do poder de Deus. Será o ano da revelação da sabedoria de Deus, em todas as dimensões (sic).[38]

2012 é o ano do governo, pois 12 é o ano onde o governo e o domínio de Deus deve prevalecer".[39]

Obviamente, tal não ocorreu – nem a vinda do Senhor e nem manifestações ilimitadas do seu poder. Mas, outra vez, Itioka já estava preparada para isso: "Como tudo o que é profético é condicional, dependendo com que atitude o seu povo aceita e coopera com a Palavra de Deus falada e decretada, irá depender com que atitude iremos enfrentar o ano".[40]

Outras profecias proferidas por estes "apóstolos" deveriam ficar registradas e ser submetidas a análise, para ver se de fato se cumprirão. Como por exemplo:

> Uma onda de salvação que percorre a terra e sua família é contemplada. *Nos próximos anos, não haverá uma família na nação na qual alguém não se converterá.* Sua família não veio ao mundo para povoar o inferno, mas para engrossar as fileiras dos filhos do Deus vivo. Sua casa será alcançada pela Redenção. É seu direito de aliança. Você e sua família pertencem a Jesus Cristo por direito de criação e direito de Redenção (Neuza Itioka, 04/02/2013).[41]
> Churck Pierce disse neste Congresso de Batalha Espiritual, em julho de 2013, *que teremos dois anos, de tempo de estreito, para chegar ao outro lado da benção.* Isto significa que dois anos serão tempo de provação, de dificuldade. Por isto, temos que convocar o povo para orar, para que o povo tome consciência em que momento da história estamos vivendo. E, a mudança virá por nós, a igreja (Neuza Itioka, julho de 2013).

---

38 http://www.agapereconciliacao.com.br/v3/p_presidente.asp?expandable=0 (acessado em 19/11/2013).
39 Ibid.
40 Ibid.
41 http://www.transformacao.com.br/artigos-detalhe.php?artigo=29 (acessado em 19/11/2013).

O ano 2013 será o ano da recompensa de Yahweh. Em 2013, Deus recompensará seus filhos por todas as feridas sofridas no campo da batalha. *2013 será um ano de grandes recompensas do Senhor. Por esta causa, inevitável e milagrosamente a muitos virão*:

1. Terrenos, casas, posses e novas oportunidades de edificar o que sonharam sob a direção do Espírito Santo.
2. Escolas, Colégios e Universidades para implementar sua visão de afirmar a Cultura do Reino.
3. A ativação do Evangelismo Profético em suas congregações e nações.
4. Uma "Explosão" de crescimento em seus negócios e nos empresários que apoiam suas visões e ministérios.
5. O Ano de posicionamento em lugares chave para muitos profissionais que estão sob suas Coberturas (Rony Chaves, profetizando sobre 2013).[42]

De acordo com alguns estudiosos e profetas e incluindo o rabino Ben Samuel que profetizou que, provavelmente, *em 2017 ou 18, o Messias Jesus estaria inaugurando o seu reinado do milênio*. Sim, de acordo com os acontecimentos, a figueira que representa Israel floresceu em 1947 e o Senhor disse que a geração que assistiu o florescimento não passaria, até que todas estas coisas acontecessem. Uma geração dura 70 anos. *De 1947 mais 70 anos corresponde a 2017* (Neuza Itioka, marcando a data da vinda de Cristo em Janeiro de 2011, numa carta enviada de Mato Grosso do Sul aos cristãos brasileiros).[43]

As palavras dos apóstolos de Jesus Cristo se cumpriram plenamente. Seus escritos, inspirados por Deus e, portanto, infalíveis, servem a todas as gerações da Igreja, em todo lugar. Eles se constituem na Escritura, a Palavra de Deus, que juntamente com os escritos dos profetas e homens de Deus no Antigo Testamento, formam a revelação final e última de

---

[42] http://www.transformacao.com.br/noticia-detalhe.php?noticia=15 (acessado 20/11/2013)
[43] http://noticias.gospelmais.com.br/apostola-brasileira-afirma-que-jesus-voltara-entre-2017-e-2018-apos-iluminates-e-onu-se-unirem-pelo-anti-cristo.html (acessado 19/11/2013).

Deus para seu povo. As "profecias" destes falsos apóstolos e profetas modernos são uma zombaria do ofício de apóstolo estabelecido por Deus em sua igreja.

Manipulação da Bíblia

Não é que o movimento apostólico brasileiro rejeite a Bíblia. O que ocorre é que ela ocupa um lugar secundário nas ministrações dos "apóstolos", as quais se baseiam em afirmações, profecias e promessas oriundas do entendimento de que eles têm autoridade para trazer coisas novas para o povo de Deus. Com raras exceções, a Bíblia é lida e interpretada de maneira alegórica, fora de contexto, com vistas a justificar ou provar uma nova revelação ou profecia, ou justificar uma nova estratégia.

A falta de preparo bíblico e exegético dos "apóstolos" brasileiros, fica evidente quando tentam apelar para as línguas originais. Terra Nova, ao explicar o que a palavra "apóstolo" significa, diz que "a palavra Apóstolo vem do grego *apostoleo*, que significa mensageiro e enviado", sem se dar conta que *apostoleo* é o verbo "enviar" e não o adjetivo, que seria *apostolos*. E, na página seguinte, repete o erro, desta feita grafando *apostoléu*.[44] E dispara: "A palavra vem do grego, o que faz com que seja empobrecida".[45] E aí tenta procurar no hebraico, que ele deve considerar superior ao grego, o significado da palavra "apóstolo" e – surpresa! encontra o que exegetas e intérpretes em dois mil anos de pesquisa nunca tinham atentado: os conceitos de *tefillin* e *tefillah* do rabinismo do século IV, registrados no Talmude, são a base do significado do apostolado, coisa que o termo grego, usado por Jesus e os apóstolos dele, não conseguiu transmitir. Embora *tefillin* sejam apenas os filactérios – pequenas caixinhas de couro preto com trechos da Lei de Moisés, que os judeus ortodoxos amarram durante as orações na testa, braço e mãos, Terra Nova consegue encontrar ali base para coisas como "o que recebe a unção apostólica está proibido de cair", "os céus de bronze cairão para dar lugar à unção apostólica", "a unção de

---

44 Terra Nova, *Geração Apostólica*, 50-51.
45 Ibid., 51.

transformação territorial está no manto apostólico" e outras conclusões absurdas.[46] Terra Nova revela desconhecimento das pesquisas dos estudiosos sobre a procedência judaica do termo "apóstolo" na instituição do *shaliah* e as conclusões gerais de que Jesus, que primeiro usou o termo, não foi buscá-lo no judaísmo da sua época, mas nas instituições do Antigo Testamento.[47]

Em muitos casos, a "interpretação" dos "apóstolos" nada mais é que uma transferência indevida da aplicação para o contexto atual, considerado como escatológico. Por se julgarem a geração final da Igreja, o plano último de Deus para a história antecedendo a vinda de Cristo, os "apóstolos" costumam aplicar para si, seus ministérios e seus dias, trechos da Escritura, particularmente do Antigo Testamento, para justificar uma determinada prática. Alguns exemplos disto estão nos parágrafos seguintes.

O "memorial" mencionado em Malaquias 3.16, que é uma referência tipológica do profeta a um registro que Deus teria diante de si daqueles que lhe são fiéis, e que corresponde ao "livro da vida" em outras passagens (cf. Fp 4.3; Ap 3.5; etc.) foi usado como base para se erigir um altar com 12 pedras em Curitiba, na Conferência Profética 2013 do *Conselho Apostólico Brasileiro*.[48]

Num artigo no site do *Conselho Apostólico Brasileiro*, Neuza Itioka apela para a palavra do rei Josafá ao povo: "Ouvi-me, ó Judá e vós, moradores de Jerusalém! Crede no SENHOR, vosso Deus, e estareis seguros; *crede nos seus profetas e prosperareis*" (2Cr 20.20), para exigir obediência e fé nas profecias modernas, ignorando, assim, que não temos mais profetas como aqueles de Israel (Isaías, Jeremias, Ezequiel, etc.), que são considerados por Jesus como um grupo fechado e definido (cf. Mt 11.13), e que os profetas neotestamentários devem ser testados quanto ao que dizem (1Co 14.29).[49]

---

46 Ibid. 51-58.
47 Cf. nossa pesquisa no Capítulo 1 da Parte 1.
48 Cf. o site do CAB, http://www.transformacao.com.br/pronunciamentos.php?pronunciamento=13 (acessado 19/11/2013).
49 http://www.transformacao.com.br/artigos-detalhe.php?artigo=51 (acessado 19/11/2013).

O texto de Efésios 2.6, "juntamente com ele, nos ressuscitou, e *nos fez assentar nos lugares celestiais em Cristo Jesus*" é usado por Neuza Itioka para provar que,

> Vivemos as dimensões do céu, pois estamos assentados nos lugares celestiais, juntamente com Cristo Jesus ... A igreja foi feita para viver o aspecto sobrenatural da manifestação da Glória de Deus. E esta dimensão é a da presença sobrenatural de Deus, com a característica de coisas ilimitadas. Deus está trazendo sobre a face da terra a sua sobrenaturalidade: graça ilimitada, poder ilimitado, amor ilimitado, recurso ilimitado...[50]

Itioka, porém, omite o versículo seguinte, onde Paulo diz que o propósito de Deus em nos fazer assentar com Cristo nos céus é "para mostrar, *nos séculos vindouros* (minha ênfase), a suprema riqueza da sua graça, em bondade para conosco, em Cristo Jesus". Ou seja, é somente no mundo porvir, na era eterna que será trazida pela vinda do Senhor, que experimentaremos a plenitude do que representa estar assentado com Cristo na glória. A interpretação de Itioka revela um desconhecimento fundamental daquilo que os teólogos de todas as linhas chamam de escatologia inaugurada e escatologia realizada.

A promessa de Jesus feita aos apóstolos, representados por Pedro, de que lhes daria "as chaves do reino dos céus; o que ligares na terra terá sido ligado nos céus; e o que desligares na terra terá sido desligado nos céus" (Mt 16.19) é interpretada num comentário da *Bíblia Apostólica* de Estevam Hernandes como parte do ministério dos apóstolos atuais: "Ser apostólico: Deus deu à Igreja o poder de ligar e desligar desígnios espirituais que confrontam e destroem as obras do diabo".[51] Na mesma *Bíblia Apostólica*, Mateus 18.20, "onde estiverem dois ou três reunidos em meu nome, ali estou no meio deles," é interpretado como "Ser Apostólico é:

---

50 http://www.agapereconciliacao.com.br/v3/p_presidente.asp?expandable=0 (acessado 19/11/2013).
51 http://www.cieab.com.br/2011/br/noticiav.php?n=*88F16BADEE29AC5EB6DD6D30407849BA0AE40D02 (acessado 19/11/2013).

ligar na terra para ligar nos céus. Na comunhão de dois, na aliança entre os discípulos, Jesus esta presente e opera o poder de Deus. Homens apostólicos exercem o poder da concordância".[52]

Mike Shea interpreta Amós 9:11-12, "Naquele dia, *levantarei o tabernáculo caído de Davi, repararei as suas brechas*; e, levantando-o das suas ruínas, restaurá-lo-ei como fora nos dias da antiguidade", como sendo uma profecia acerca do seu ministério, "A Chave da Casa de Davi", mediante revelação de Deus recebida em 1998. O que ele ignora é que Tiago disse que essa profecia já se cumpriu com a entrada dos gentios na Igreja (At 15.13-20).[53]

Ele ainda usa Amós 2.11, "Dentre os vossos filhos, *suscitei profetas e, dentre os vossos jovens, nazireus. Não é isto assim, filhos de Israel?* — diz o Senhor", como base para uma profecia de que Deus, ainda hoje, está levantando profetas e nazireus em meio ao seu povo, que ele chama de "uma companhia de João Batista para todas as nações". Contudo, o que o profeta Amós estava dizendo não era uma profecia, mas apenas uma declaração, de que o povo de Israel sistematicamente rejeitava os enviados de Deus.[54]

Uma das passagens prediletas dos "apóstolos" para se referir à restauração que haverá de acontecer sob o "manto apostólico" na última geração da igreja, é Romanos 8.19: "A ardente expectativa da criação aguarda *a revelação dos filhos de Deus*". Paulo estava se referindo, obviamente, à ressurreição dos mortos na vinda de Cristo. Contudo, Mike Shea e muitos outros "apóstolos" interpretam esta passagem como uma referência à santidade, poder e glória da igreja apostólica, antes da ressurreição.[55]

A promessa messiânica: "Porei sobre o seu ombro *a chave da casa de Davi*; ele abrirá, e ninguém fechará, fechará, e ninguém abrirá" (Is 22.22), e que se cumpriu na pessoa de Cristo, "Estas coisas diz o santo, o verda-

---

52 http://www.cieab.com.br/2011/br/noticiav.php?n=*21EC3FC8C4376AD-6585859701646F522714B8029 (acessado 19/11/2013).

53 http://www.casadedavi.com.br/ws/index.php/cba (acessado 19/11/2013).

54 http://www.casadedavi.com.br/ws/index.php/home/fusion (acessado 19/11/2013).

55 http://www.casadedavi.com.br/ws/index.php/convite/seminarios (acessado 19/11/2013). Essa interpretação foi levada ao extremo pelo movimento "manifestação dos filhos de Deus", ligado às ideias do "Later Rain", em que alguns defendiam inclusive que os crentes se tornariam imortais ainda na terra.

deiro, *aquele que tem a chave de Davi, que abre, e ninguém fechará, e que fecha, e ninguém abrirá*" (Ap 3.7) é usada por Mike Shea como uma revelação particular que Deus lhe deu, para construir um centro de adoração em Curitiba.[56]

Outra passagem bastante usada é Ageu 2.9, "*A glória desta última casa será maior do que a da primeira, diz o SENHOR dos Exércitos*". Ageu está se referindo, primeiramente, ao segundo templo, e, como cumprimento final, à igreja de Cristo, o templo de Deus no Espírito, desde Pentecostes. Os "apóstolos" gostam de aplicar esta passagem aos seus ministérios e à geração apostólica que antecederá a vinda de Cristo, como o "apóstolo" Jesher Cardoso, um dos quatro primeiros "apóstolos" brasileiros ungidos por Rony Chaves em 2001: "Havia um significado profético pela escolha de Zorobabel como construtor deste templo, pois ele aparece em Lucas 3.27 na genealogia de Jesus (aleluia!) Desta forma, profeticamente esta palavra estava atravessando os séculos e chegando até nós nos dias de hoje".[57]

De todas as interpretações equivocadas, uma das mais graves é a que serve de base para o conceito dos "Cinco Dons Ministeriais", sustentáculo de todo o sistema apostólico. Trata-se da maneira como os "apóstolos" interpretam Efésios 4.11 e 1Coríntios 12.28, as duas passagens principais do movimento da Nova Reforma Apostólica. Valnice Milhomens, ao definir a "missão" de sua organização, diz que "Cristo estabeleceu os Dons Ministeriais da Igreja (Efésios 4.11-16) para possibilitar o cumprimento da missão".[58]

Terra Nova considera que a interpretação destas passagens como base para o apostolado moderno é um novo paradigma hermenêutico, "que sai do casulo teológico, que rompe a hermenêutica comum, as exegeses mais simplórias e complicadas e ousa pensar e agir, e faz nascer um novo discurso".[59] Em apenas dois parágrafos, e sem qualquer exegese crítica dos textos, e muito menos sem tratar das dificuldades interpreta-

---

56 http://www.casadedavi.com.br/ws/index.php/cba/historico-mobilizacoes (acessado em 19/11/2013).
57 http://www.transformacao.com.br/artigos-detalhe.php?artigo=19 (acessado em 19/11/2013).
58 http://www.insejec.com.br/quemsomos.php (acessado 20/11/2013).
59 Terra Nova, *Geração Apostólica*, 24.

tivas relacionadas com estas duas passagens, dificuldades estas notadas e enfrentadas por renomados exegetas e comentaristas de todas as tradições teológicas (as quais já foram tratadas no Capítulo 5 da Parte I desta obra), o iluminado "apóstolo" conclui:

> A Bíblia é clara ao se referir que Deus chamou primeiramente os Apóstolos. Então, temos os cinco ministérios definidos. Devemos compreender o que Deus quer: Apóstolos, Profetas, Evangelistas, Pastores e Mestres, para comporem o Corpo de Cristo e para edificarem a Igreja de forma mais eficaz.[60]

Em seguida ele afirma que estes cinco ministérios estão sendo ressuscitados agora, na nova "geração apostólica", para trazer à igreja "uma nova dimensão administrativa dos dons e ministérios."[61] Estes ministérios precisam ser comandados por um apóstolo, prossegue Terra Nova, interpretando o fato de que os apóstolos aparecem primeiro nas duas listas. Ele prossegue dizendo que somente debaixo da liderança apostólica os demais dons poderão ser exercidos plenamente:

> A Geração Apostólica [os novos apóstolos] deverá ter sobre ela um Apóstolo ou pelo menos um ministério de ação apostólica que creia nos milagres, sinais, prodígios, maravilhas, dons espirituais, e que opere os ministérios com maturidade.[62]
> O Senhor, primeiramente, constitui o Apóstolo para depois entregar-lhe os dons... Esses dons espirituais que os ministérios operam estão debaixo do cajado apostólico.[63]

Ou seja, Terra Nova se vê como este Apóstolo que comanda uma geração de novos apóstolos no Brasil, e debaixo de quem os demais mi-

---

60 Ibid., 25.
61 Ibid.
62 Ibid., 27.
63 Ibid., 82-83.

nistérios e dons espirituais – profetas, evangelistas, pastores e mestres – poderão operar de maneira eficaz.

Indago: e os presbíteros, que aparecem desde cedo, ao lado dos apóstolos em Jerusalém, e que gradativamente assumiram as funções de liderança e administração junto dos diáconos? É impressionante o silêncio nos pronunciamentos, profecias, declarações, decretos e escritos dos "apóstolos" quanto ao papel dos presbíteros e diáconos que é claramente delineado no Novo Testamento. E a razão é óbvia: é aos presbíteros que os apóstolos de Cristo entregaram o governo espiritual e administrativo das igrejas, e não a outros apóstolos.

Com base nestas interpretações de Efésios 4.11 e 1Coríntios 12.28, são feitas afirmações bastante ousadas acerca do apostolado moderno. No site da *Confederação das Igrejas Evangélicas Apostólicas do Brasil*, o "apóstolo" Estevam Hernandes declara que a igreja de Cristo, em seus dois mil anos de história, "viveu parcialmente o mover reservado pelo Senhor para a sua vida".[64] Tendo recebido de Cristo o poder do Espírito para fazer as mesmas coisas que ele fez, esta Igreja se tornou "limitada em seu campo de ação e em sua ousadia e poder realizador". A causa para esta situação desastrosa que perdurou por dois mil anos, foi o que Estevam Hernandes e outros chamam de "religião", um sistema humano usado pelo diabo para alterar o projeto original de Deus. A "religião" é caracterizada pela negação da "imutabilidade de Deus e a continuidade de seus propósitos". Em particular, a "religião" estabeleceu que

> O ministério apostólico foi encerrado nos doze apóstolos, negando a escolha de Matias e reconhecendo Paulo. Desprezando Barnabé e admitindo sem explicações a Tiago, irmão do Senhor. Esta foi uma das tentativas da religião de interromper uma sucessão que prepararia a Igreja com as credenciais de apostolado para a sua tarefa no mundo nos últimos dias.[65]

---

64 http://www.cieab.com.br/2011/br/historia.php (acessado 20/12/2013).
65 Ibid.

Sem explicar por que os apóstolos substituíram Judas por Matias, mas não substituíram Tiago quando este morreu, e sem explicar que a palavra "apóstolo" no Novo Testamento é usada em pelo menos quatro sentidos diferentes, sem ao menos dar uma palavra sobre a possibilidade de que Barnabé foi chamado de "apóstolo" num sentido diferente do apostolado dos doze, e muito sem se dar ao trabalho de fazer uma exegese cautelosa para ver que Tiago não é chamado de apóstolo no Novo Testamento, Estevam Hernandes condena os próprios apóstolos de Cristo e os pais apostólicos do século I por não terem previsto, feito, anunciado ou realizado a chamada sucessão apostólica. Seguindo-se esta linha de pensamento, certa, então, deve estar Igreja Católica Romana.

O "apóstolo" Terra Nova segue o mesmo tipo de raciocínio, afirmando que "a nomenclatura [apóstolos] foi usurpada dos verdadeiros apóstolos de Jesus" e que, por causa disto, "a revelação ficou guardada devido ao trauma histórico religioso, pois muitos já não podiam usar o nome apostólico, já que era ligado a Roma".[66] Mas, agora, prossegue ele, os dons espirituais estão sendo restaurados. "Estamos vivendo o tempo da restituição, e você, como Geração Apostólica, terá o melhor de Deus, pois o caminho está aberto para essa colheita extraordinária".[67]

Assim, prossegue o "apóstolo" Hernandes, Deus tem mesmo trazido de volta os apóstolos à sua Igreja, pois sem eles, na verdade, não existe igreja:

> Apóstolo" não é um título de liderança, não há apóstolo sem uma Igreja apostólica e não há Igreja apostólica sem o fundamento e as credenciais do apostolado. Este é o mover dos sinceros, sem a total compreensão dos valores espirituais envolvidos neste chamado.[68]

Assim, diz Hernandes, precisamos dos apóstolos hoje para lançar o fundamento da igreja brasileira, pois sem isto ela não existe ou, no míni-

---

66 Terra Nova, *Geração Apostólica*, 20-21. Curiosamente, Terra Nova elogia e reconhece a Igreja Católica por ter usado a estrutura apostólica para espalhar a sua influência e domínio no mundo, p. 18-20. Ele diz que o sucesso da Igreja Romana se deveu ao fato de "se tornar uma Igreja Apostólica". (p. 19).

67 Ibid. 28.

68 Ibid.

mo, não é apostólica. Continuando, o "apóstolo" da *Renascer* afirma que, hoje, Deus,

> Tem levantado homens de Deus, Apóstolos destes dias, *na mesma linha sucessória que se desenvolveu nos primórdios da Igreja*, para que, debaixo desta revelação, resgatassem para a Igreja a sua verdadeira vocação e unção. Temos visto Ministérios habilitados e que manifestam este mover inigualável do Espírito de Deus (minha ênfase).[69]

O que vemos aqui é a mesma reivindicação dos fundadores da Nova Reforma Apostólica que, à semelhança de C. Peter Wagner, afirma que hoje temos apóstolos iguais aos doze e a Paulo. A prova é que eles têm "ministérios habilitados e que manifestam este mover inigualável do Espírito". Hernandes considera que a marca do apostolado original era a realização de sinais e prodígios, omitindo as exigências neotestamentárias de serem testemunhas oculares da ressurreição de Cristo e de terem um chamado feito diretamente por ele. Sinais e prodígios, segundo Paulo, são feitos inclusive por apóstolos fraudulentos: "Porque os tais são falsos apóstolos, obreiros fraudulentos, transformando-se em apóstolos de Cristo. E não é de admirar, porque o próprio Satanás se transforma em anjo de luz" (2Co 11.13-14).

As pretensões do "apóstolo" Terra Nova são ainda maiores. Ele vê o seu ministério de levantar uma geração de novos apóstolos no Brasil como o ponto final da linha de sucessão direta do papel dos patriarcas das doze tribos de Israel:

> Entendemos que o Senhor permitiu que cada um, no seu tempo, cumprisse sua missão. A tribo cumpriu sua missão. Os 12 Apóstolos cumpriram a sua missão. Mas há uma pergunta para hoje: quem dará continuidade a essa missão que foi conquistada? Você, Geração Apostólica. A missão da Igreja é ouvir a voz do Apóstolo, porque

---

69 Ibid.

Igreja sem Apóstolo não responde. *Somos a continuidade deste ministério* (minha ênfase).[70]

Nada mais natural, portanto, que René Terra Nova almejasse o título de "patriarca". Para ele, é pouco ser apenas igual aos apóstolos de Cristo. Depois de ser intitulado "paipóstolo", por ter recebido a missão de Deus para gerar novos apóstolos e dar à luz no Brasil a uma nova geração apostólica,[71] ele foi consagrado como "patriarca", numa cerimônia onde seus aliados reconheceram que ele tinha recebido a unção para tal ofício, sendo assim semelhante a Abraão, Isaque e Jacó. Na cerimônia, deram entrada aos estandartes representativos das doze tribos de Israel e às bandeiras dos estados brasileiros e foi colocado sobre Terra Nova e sua esposa um "manto sacerdotal" púrpura, para efetivar a consagração.[72] Esta sandice segue a mesma linha dos outros do movimento apostólico mundial, que declararam ser Elias, João Batista, ou outra figura da Bíblia.

Com este tipo de manipulação das Escrituras, combinada com visões e revelações, não é de se admirar que estas aberrações, doutrinas e práticas estranhas e bizarras sejam proclamadas e aceitas no movimento apostólico brasileiro.

Doutrinas e práticas estranhas

Entre as doutrinas e práticas estranhas promovidas pelo movimento apostólico está a introdução de práticas litúrgicas relacionadas com o Antigo Testamento e o judaísmo moderno. Os "apóstolos" brasileiros – e de resto, acredito, todos os demais congêneres no mundo – são dispensacionalistas, uma corrente escatológica que, conquanto multifacetada, de modo geral considera que a nação de Israel ainda é o povo especial, eleito e exclusivo de Deus, e que a história presente de

---

70 Ibid., 120.
71 Cf. seu livro, *Geração Apostólica*, que é uma apologia para esta "visão".
72 O video se encontra no YouTube: http://www.youtube.com/watch?v=ywQJ4k-G3AM (acessado 20/11/2013).

Israel é o cumprimento continuado de profecias do Antigo e do Novo Testamentos, e que a história e o destino da Igreja cristã correm atrelados aos eventos do Oriente Médio.[73]

Assim, os "apóstolos" do *Conselho Apostólico Brasileiro* profetizaram as "Bênçãos das Doze Tribos de Israel sobre o Brasil",[74] e a "apóstola" Valnice Milhomens defende a guarda do sábado e a celebração das festas de Israel nos cultos de sua igreja. René Terra Nova comemora o Purim, a Festa dos Tabernáculos, o ano-novo judaico, o Chanucá. Nos cultos destas igrejas apostólicas, toca-se o *shophar* e estão presentes o candelabro e, por vezes, a própria arca da aliança. Caravanas e mais caravanas são organizadas pelos "apóstolos" brasileiros para Israel, oferecendo batismo nas águas do rio Jordão, unção com o óleo do Monte das Oliveiras, orações no Monte Sinai e Ceia com vinho de Israel. Na elaboração de seus argumentos, os "apóstolos" se valem de conceitos rabínicos, como Neuza Itioka, que cita uma profecia do rabino Ben Samuel de que o Messias vai inaugurar o seu reinado na terra entre 2017 e 1018,[75] e se vale do método rabínico de numerologia para interpretar o significado do ano hebraico de 5572.[76] No site do *Conselho Apostólico Brasileiro*, está o "Guia Profético do Ano 2013", elaborado pelo "apóstolo" Rony Chaves, que consiste numa série de profecias de prosperidade e vitória usando um artifício de interpretação rabínico chamado de *numerikon*, onde as letras hebraicas, que correspondem a números, são interpretadas como tendo um sentido oculto e profético:

> O Ano 5773 (2013), está totalmente relacionado ao número 73, cujas letras hebraicas que correspondem a esses números, são *ayin gimel*, cujo significado profético está diretamente relacionado com o camelo

---

73 Sobre dispensacionalismo, veja B. Hankins, "Scofield, Cyrus Ingerson", ed. Timothy Larsen et al., *Biographical Dictionary of Evangelicals* (Leicester, England; Downers Grove, IL: InterVarsity Press, 2003), 589–591. "Millenarian Movements", em Reid, *Dictionary of Christianity in America*.

74 http://www.transformacao.com.br/pronunciamentos.php?pronunciamento=14 (acessado 19/11/2013).

75 http://noticias.gospelmais.com.br/apostola-brasileira-afirma-que-jesus-voltara-entre--2017-e-2018-apos-iluminates-e-onu-se-unirem-pelo-anti-cristo.html (acessado 19/11/2013).

76 http://www.agapereconciliacao.com.br/v3/p_presidente.asp?expandable=0 (acessado 19/11/2013).

e o triângulo. Esta relação profética declara para o Povo de Deus o que receberá do Eterno profética e apostolicamente no ano 2013.

A verdade revelada em números e letras indica que, no ano 2013, o Reino se afirmará em: Transporte, Comunicações e em Comércio. Indica também que virá Desenvolvimento, Bem-estar e Progresso para as Famílias que se apegam às Palavras do Altíssimo.[77]

Custa-me imaginar o Senhor Jesus, os doze e Paulo profetizando sobre a vida dos crentes por meio da interpretação dos números do calendário hebraico em seus dias. Este tipo de interpretação era típica dos escribas e fariseus, que deram origem aos rabinos do Talmude, Mishna e Midrashim nos séculos seguintes. Já na sua época, o Senhor Jesus repudiou veementemente o sistema interpretativo dos escribas (Mt 15.1-9), no que foi seguido por Paulo (2Co 3.14; Rm 10.1-3).[78]

Apesar disto, Mike Shea espera mobilizar, no *Centro Brasileiro de Adoração*, "300 sacerdotes da ordem de Melquisedeque" para turnos constantes de intercessão e adoração.[79]

Nada disto é resultado de estudo sério da Bíblia. Na verdade, trata-se de um abandono dela, particularmente da mensagem neotestamentária de que as leis, as práticas e a liturgia cerimoniais de Israel eram figuras, sombras e tipos, já realizados, cumpridos, superados e deixados para trás com a vinda do Senhor Jesus e o estabelecimento da Igreja Cristã. A impressão que se tem, diante das reiteradas propagandas de viagens a Israel, é que existe um forte aspecto comercial e uma sanha por lucro financeiro, que alimentam a ideia da "terra santa".

O movimento G12 entre os apóstolos brasileiros

Outra doutrina estranha, e que é defendida pela maioria dos "apóstolos" brasileiros, é o que ficou conhecido como o movimento G-12, desenvolvido

---

[77] http://www.transformacao.com.br/noticia-detalhe.php?noticia=15 (acessado 20/11/2013).
[78] Para uma análise crítica dos métodos rabínicos de interpretação veja meu livro *A Bíblia e Seus Intérpretes*, 49-64.
[79] http://www.casadedavi.com.br/ws/index.php/home/fusion (acessado 19/11/2013).

inicialmente por César Castellanos a partir de uma visão que Deus lhe teria dado sobre o formato correto para as igrejas. Ele alega que, em 1991, ouviu Cristo lhe dizer "vais reproduzir a visão que tenho te dado em doze homens, e estes devem fazê-lo em outros doze, e estes, por sua vez, em outros!".[80] Castellanos implementou o sistema de discipulado com base no número doze e experimentou um grande crescimento na *Missão Carismática Internacional*, por ele fundada e dirigida, atraindo a atenção de líderes de todo o mundo, particularmente do Brasil. Aqui, os "apóstolos" Valnice Milhomens e René Terra Nova, que se consideram discípulos de Castellanos, são os que mais têm trabalhado para difundir este modelo de igreja. Contudo, o movimento G-12 está eivado de erros teológicos oriundos das visões e revelações que servem de autoridade dentro do movimento. O "apóstolo" Terra Nova aproveitou o conceito como base de seu projeto de gerar novos apóstolos. Na sua visão, ele faz o papel de Jesus Cristo que gerou doze apóstolos. Assim, ele gera doze que irão gerar outros doze apóstolos, e assim por diante, dando origem à "geração apostólica" que irá comandar a igreja brasileira quando chegar a glória que lhe foi profetizada.[81]

O "apóstolo" Terra Nova também reivindica ter recebido o modelo dos doze mediante revelação. Só que, no caso dele, a revelação era para que ele usasse o sistema dos doze para levantar uma geração de novos apóstolos no Brasil:

> E para mim, Deus começou a dar sinais. Ele mostrou-me como deveria correr, como deveria agir dentro do novo processo apostólico, porque Ele queria agir por mim, em mim e através de mim. Disse que eu levantaria uma geração em contribuição com outros líderes, outros Apóstolos, e que cada um faria sua parte. A ordem precípua era: "Eu quero uma geração de Apóstolos". Pensei: "Então, o Brasil entregará a Deus uma geração de Apóstolos.[82]

---

80 César Castellanos Domínguez, *Sonha e Ganharás o Mundo* (São Paulo: Palavra da Fé, 1999), 59-60.

81 Cf. o seu livro com este mesmo título: *Geração Apostólica* (Manaus: Semente de Vida, 2007). Veja especialmente 87-103. Seu outro livro, *A inteligência da visão* (São Paulo: Semente da Vida Brasil, 2011), se propõe a ser uma defesa da inteligência da visão do modelo dos doze não passa de uma coletânea de devocionais desconexas sem qualquer interação com o texto bíblico.

82 Terra Nova, *Geração Apostólica*, 96.

Entre as distorções graves que encontramos neste movimento, destaco a possibilidade de visões, revelações e experiências subjetivas, além da obediência absoluta a ser prestada nas células àqueles que as lideram.[83]

Dominionismo

Embora numa escala menor e num tom diferente daquele dos dominionistas norte-americanos, como C. Peter Wagner e Cindy Jacobs, os "apóstolos" brasileiros também profetizam uma era gloriosa da Igreja no Brasil, em que grandes sinais e prodígios iriam sacudir a nação e a Igreja dominará nossa pátria.

Um bom exemplo disto são as "Bênçãos das doze Tribos de Israel sobre o Brasil," proferidas sobre a igreja brasileira e sobre a nação brasileira pelos "apóstolos" do *Conselho Apostólico Brasileiro*. Encontramos declarações como estas:

> Que a Igreja de Cristo no Brasil seja como Efraim e como Manassés, que se torne numa Multidão de nações e que as Bênçãos do Nosso Deus sobre Ti, Igreja de Cristo no Brasil, toque todas as nações da Terra em Nossa Geração.
> Feliz és tu, povo de Deus no Brasil! Quem é semelhante a ti? um povo salvo pelo Eterno, o escudo do teu socorro, e a espada da tua majestade; pelo que os teus inimigos te serão sujeitos, e tu pisarás sobre as suas alturas.

Assim, há orações para que Deus levante a Igreja e literalmente destrua os seus inimigos no Brasil, como se vê nos salmos imprecatórios do Antigo Testamento. Na chamada "bênção de Levi", há a seguinte oração: "Abençoa, pois, o nosso poder, ó Eterno, aceita a obra das nossas mãos; e fere os lombos dos que se levantam contra nós e que nos odeiam, para que nunca mais se levantem".[84]

---

83 Para uma crítica contundente ao sistema G-12 veja Joer Corrêa Batista, "Movimento G-12: Uma Nova Reforma ou uma Nova Heresia?" em *Fides Reformata* 5/1 (2000).

84 http://www.transformacao.com.br/pronunciamentos.php?pronunciamento=14 (acessado 20/11/2013).

De acordo com o "apóstolo" Estevam Hernandes, numa declaração no site da *Confederação das Igrejas Evangélicas Apostólicas do Brasil*, da qual é presidente,[85] "Jesus não vem buscar uma Igreja dividida, corrompida, ineficaz, acomodada, nem tão pouco voltada para seus estatutos e memórias... mas uma Igreja que continua atormentando o mundo com a loucura da pregação, confundindo sábios com o seu poder e espantando os poderosos com os seus feitos".[86]

Mike Shea declara:

> À medida que nos aproximamos da volta de Jesus, o Espírito Santo está fazendo a Igreja parecer cada vez mais com nosso «irmão mais velho (primogênito) Jesus»! O Pai quer produzir o mesmo caráter de Jesus para nos conceder o mesmo poder. Jesus quer que façamos as mesmas obras que Ele fazia. O Espírito Santo quer nos assegurar da nossa adoção como «filhos legítimos». O mundo espera e até geme para ver em nós esta filiação.[87]

Os "apóstolos" brasileiros e internacionais profetizam coisas grandiosas sobre o Brasil, nesta geração que é considerada a última antes da vinda de Cristo. Afirmam que o Brasil experimentará, como vimos, tempos de grande prosperidade econômica e muitas conversões. Nesta visão, os apóstolos têm um papel crucial. Para o "apóstolo" Estevam Hernandes, a "religião", através dos séculos procurou impedir que os apóstolos ocupassem seu devido lugar na estrutura da Igreja, com a ideia de que o ministério apostólico se encerrou com os doze. Ele declara: "Esta foi uma

---

85 É o presidente da CIEAB (*Confederação das Igrejas Evangélicas Apostólicas do Brasil*), entidade que congrega as igrejas que aceitam essa doutrina e tem por objetivo promover a unidade entre as denominações evangélicas do país. Estevam Hernandes é responsável por dar suporte às igrejas filiadas que aceitam e seguem a doutrina neopentecostal. É o criador da *Fundação Renascer* órgão responsável pelas frentes assistenciais da *Igreja Renascer em Cristo*. Também foi um dos responsáveis pela explosão da música gospel no Brasil no final dos anos 80. É autor de diversos livros voltados ao público evangélico e compositor de várias músicas de sucesso no segmento gospel. É tristemente famoso pelo episódio em 2007 em que foi preso, com a esposa, ao tentar entrar nos Estados Unidos com dólares não declarados, episódio que marca o início da decadência da denominação *Renascer*. Cf. http://pt.wikipedia.org/wiki/Estevam_hernandes (acessado 20/11/2013).

86 http://www.cieab.com.br/2011/br/historia.php (acessado 20/11/2013).

87 http://www.casadedavi.com.br/ws/index.php/convite/seminarios (acessado 20/11/2013).

das tentativas da religião de interromper uma sucessão que prepararia a Igreja com as credenciais de apostolado *para a sua tarefa no mundo nos últimos dias*" (minha ênfase).[88]

O "apóstolo" René Terra Nova declara abertamente que somente mediante o surgimento de uma nova geração apostólica é que a Igreja de Cristo poderá experimentar a plenitude prometida por Deus nos últimos tempos:

> A consciência apostólica faz-nos ver mais amplamente e traz de volta as promessas outorgadas no passado... as marcas apostólicas precisam ser impressas em alguém que crê no princípio de restauração, no tempo de mudança, no tempo de ser restituído de tudo o que o inimigo roubou... Quando o nosso entendimento for iluminado com relação à Geração Apostólica, a Igreja de Jesus conquistará em dias o que não fez em décadas... Agora, sim, nasce a Geração Apostólica para tomar posse da herança que nos foi proposta.[89]

Esperam um grande avivamento espiritual, comandado pelos apóstolos, que haverá de acabar com todos os problemas financeiros do Brasil e estabelecerá a Igreja como a instituição mais importante e dominadora da nação. Diante do grande divisionismo que existe entre os evangélicos no Brasil, os "apóstolos" se vêm como aqueles encarregados de promover a unidade entre todos, para que os tempos de "restituição" cheguem. O "apóstolo" Estevam Hernandes, em 2011, depois de declarar que "não há Igreja apostólica sem o fundamento e as credenciais do apostolado" apresenta a instituição que fundou, e da qual é presidente, como sendo a solução:

> É dentro deste panorama que surge a Cieab - *Confederação das Igrejas Evangélicas Apostólicas do Brasil*. Um órgão nacional e representativo que oferece, a partir de homens habilitados por Deus e com temor diante de Deus, ferramentas e mecanismos para estruturação e ensi-

---

[88] http://www.cieab.com.br/2011/br/historia.php (acessado 20/11/2013).
[89] Terra Nova, *Geração Apostólica*, 17, 22.

no das Igrejas Apostólicas... Visa dar às Igrejas o suporte para o seu desenvolvimento dentro deste mover de Deus... Está baseada no fundamento apostólico da Igreja de Cristo e vai agregar, em comunhão e edificação, Igrejas de diferentes denominações, porém com o mesmo chamado de Deus.[90]

O "apóstolo" Jesher Cardoso, no jargão típico dos seus pares, usa a palavra de Ageu sobre a glória maior do segundo templo para anunciar que no Brasil "2013 será o ano da recompensa do Senhor, todo o ferimento na batalha dos anos anteriores, todos os golpes desferidos pelo inimigo contra sua vida, serão recompensados diretamente pelo El Shaday".[91]

Conclusão

Não posso deixar de ver o paralelo entre estas profecias de vitória, restituição e glória dos "apóstolos" brasileiros sobre o Brasil e as profecias dos falsos profetas de Israel, que sempre profetizavam vitórias para os reis a quem queriam agradar:

> Disse mais Josafá ao rei de Israel: Consulta primeiro a palavra do SENHOR. Então, o rei de Israel ajuntou os profetas, cerca de quatrocentos homens, e lhes disse: Irei à peleja contra Ramote-Gileade ou deixarei de ir? Eles disseram: Sobe, porque o Senhor a entregará nas mãos do rei... Todos os profetas profetizaram assim, dizendo: Sobe a Ramote-Gileade e triunfarás, porque o SENHOR a entregará nas mãos do rei (1Re 22.5-12).

Prefiro as profecias dos verdadeiros profetas de Israel e dos apóstolos de Jesus Cristo, gravadas infalivelmente nas Escrituras, como o Paulo recomendou a Timóteo:

> Desde a infância, sabes as sagradas letras, que podem tornar-te sábio

---

90 http://www.cieab.com.br/2011/br/historia.php (acessado 20/11/2013).
91 http://www.transformacao.com.br/artigos-detalhe.php?artigo=19 (acessado 20/11/2013).

para a salvação pela fé em Cristo Jesus. Toda a Escritura é inspirada por Deus e útil para o ensino, para a repreensão, para a correção, para a educação na justiça, a fim de que o homem de Deus seja perfeito e perfeitamente habilitado para toda boa obra (2Tm 3.15-17).

Não posso deixar de notar, entretanto, a ironia da situação quando Neuza Itioka reclama dos abusos que ela mesma percebe nos meios "apostólicos". No artigo "Motivos de Arrependimento pela Igreja Brasileira", ela conclama os crentes a pedirem perdão a Deus pelo endeusamento de líderes cristãos, banalização do ministério profético, pela constante prática de motivar as pessoas a darem mais dinheiro, pela prática da mentira, constatada através de testemunhos superestimados, pela onda de judaísmo rabínico (travestido de "messiânico"), pela idolatria e sincretismo religioso em nosso país.[92] A questão é: quem são os maiores responsáveis por isto, senão os "apóstolos" que promovem sua própria pessoa ao usurpar este título, que inventaram teorias de paternidade e cobertura apostólica, que contam experiências exageradas e divulgam o judaísmo no meio evangélico?

---

92 http://www.transformacao.com.br/pronunciamentos.php?pronunciamento=10 (acessado 20/11/2013).

Capítulo 17

Análise Crítica da Nova Reforma Apostólica

Neste capítulo procuraremos oferecer aos nossos leitores uma análise crítica do movimento de restauração do apostolado para os nossos dias, no Brasil e no mundo, à luz do que vimos até o presente.

Algumas precauções são necessárias, antes de começarmos. Primeiramente, devemos sempre lembrar que não é nossa tarefa analisar a relação das pessoas com Deus, mas as ideias, conceitos e declarações que elas publicaram. Creio que há verdadeiros crentes em Cristo dentro deste movimento apostólico, muito embora estejam profundamente enganados nesta área e outras. Em segundo lugar, é necessário registrar que as generalizações são inevitáveis num movimento tão eclético e diverso. Contudo, reconhecemos que existem casos de pessoas que se consideram apóstolos e que não deveriam ser classificadas como a maioria dos que portam o título hoje. A exceção está relacionada com os motivos e a teologia por detrás da ostentação do título. Mas, em nosso entender, são poucas.

Também é preciso deixar claro, como já mencionamos acima, que este movimento é multifacetado. Nele, há diversas linhas, unidas pelo uso do título e ofício de apóstolo, mas divergindo quanto a questões estratégicas e práticas. Por outro lado, quase todos os diferentes grupos defendem a restauração do ministério quíntuplo com base em Efésios 4.11, a primazia dos apóstolos sobre as demais funções da igreja, o uso do modelo G-12 ou do Modelo de Discipulado Apostólico (MDA) e a teologia da prosperidade. Todavia, existem diferentes compreensões quanto ao papel do apóstolo no mundo de hoje, especialmente diante da perspectiva da vinda do Senhor Jesus.

Ditas estas coisas, reafirmamos nossa convicção de que este movimento representa um dos maiores perigos para a igreja de Jesus Cristo em nossos dias, não somente por causa do título "apóstolo," mas pela autoridade que reclamam, do abuso de poder, das revelações extrabíblicas e sérios erros doutrinários.

Nova Reforma Apostólica?

Peter Wagner, depois de batizar o movimento "apostólico" de movimento "Pós-denominacional" teve a seguinte ideia:

> Em 1994, eu testei [o nome] "Nova Reforma Apostólica". "Reforma", porque o movimento é igual à Reforma Protestante em termos de impacto mundial. "Apostólica", porque a mudança mais radical de todas era o governo apostólico... E "Nova" porque diversas igrejas já usavam o nome "apostólica", mas não se enquadravam no padrão Nova Reforma Apostólica.[1]

Em seu livro *Strange Fire* ["Fogo Estranho", 2013], John MacArthur resume sua análise da Nova Reforma Apostólica desta forma: "Não é nova, não é uma Reforma e muito menos apostólica". Ele prossegue dizendo que

---

1 http://www.charismanews.com/opinion/31851-the-new-apostolic-reformation-is-not-a-cult (acessado 22/11/2013).

a Nova Reforma Apostólica não é "nova" porque "esta não é a primeira vez na história da igreja que falsos mestres sedentos de poder se autonomeiam de apóstolos para obter maior influência espiritual sobre os outros".² E, em seguida, menciona os falsos apóstolos da época do apóstolo Paulo (2Co 11.13-14), a Igreja Católica Apostólica Romana, que reivindica autoridade apostólica por meio de uma sucessão direta que remonta a Pedro, e grupos pentecostais do século XX, como a igreja apostólica no País de Gales (1916) e o movimento "Later Rain" ("Chuva Serôdia"), que já vimos anteriormente.³ Na verdade, cremos que os antecessores dos novos apóstolos modernos são os grupos gnósticos e heréticos do século I, como Marcião e Maniqueu, tendo em vista as semelhanças gritantes entre as suas reivindicações megalomaníacas, o apelo à novas revelações e a pretensão de serem maiores do que os apóstolos de Cristo.⁴

Em segundo lugar, ainda conforme MacArthur, a Nova Reforma Apostólica também não é uma "reforma" similar à Protestante do século XVI, pois a Nova Reforma Apostólica defende exatamente aquilo contra o que a Reforma Protestante se levantou, a saber, a autoridade apostólica usurpada pelo Papa. Ainda mais, os Reformadores defenderam o princípio do *Sola Scriptura*, que é abertamente rejeitado por Wagner e demais "apóstolos", a ponto de Wagner declarar que o espírito demoníaco de religião é que leva os líderes religiosos a se concentrar no que o Espírito Santo *disse* (Escrituras) em não no que o Espírito *diz* (mediante os novos "apóstolos").⁵ Além destes dois pontos levantados por MacArthur, acrescentamos que qualquer comparação entre o impacto da Reforma Protestante na sociedade, cultura, ciências, artes, música, economia e política do mundo e o impacto da Nova Reforma Apostólica mostrará o ridículo da tentativa de equiparação.⁶

---

2 MacArthur, *Strange Fire*, 90.

3 Ibid. Veja ainda Peter Hocken, *The Challenges of the Pentecostal, Charismatic, and Messianic Jewish Movements* (Cornwall, UK: MPG, 2009), 43-44.

4 Veja a descrição destes falsos apóstolos no Capítulo 5 da Parte II.

5 MacArthur, *Strange Fire*, 90-91. A declaração de Wagner está no seu livro *The Changing Church* (Ventura, CA: Gospel Light, 2004), 21.

6 Sobre o impacto da Reforma no mundo, veja André Biéler, *A Força Oculta dos Protestantes* (São Paulo, Editora Cultura Cristã, 1999) e Abraham Kuyper, *Calvinismo* (São Paulo: Cultura Cristã, 2002).

Terceiro, MacArthur objeta que a Nova Reforma Apostólica seja "apostólica". Se fizermos uma averiguação das condições bíblicas para o apostolado de Cristo e uma análise das características dos doze e de Paulo, diz MacArthur, e em seguida compararmos com os apóstolos da Nova Reforma Apostólica, "imediatamente eles serão expostos como falsos pretendentes".[7]

Consideradas estas críticas iniciais, passemos agora às razões pelas quais percebemos o movimento de restauração apostólica, representado pela Nova Reforma Apostólica, como sendo um movimento eivado de erros, falsas pretensões e com potencial para desviar muitos dos caminhos bíblicos.

Não existem mais apóstolos hoje como os doze

Esta é a conclusão de nossa pesquisa, após havermos analisado os argumentos a favor e contra o ministério apostólico contemporâneo, nas Partes I e II deste livro. Bastaria para nós o fato de que o livro de Apocalipse menciona que os doze fundamentos da cidade celestial, que é a Igreja, trazem os nomes dos doze apóstolos de Cristo (Ap 21.14). Não consigo ver onde tem lugar para o nome de Peter Wagner, Rony Chaves, Estevam Hernandes, René Terra Nova, Valnice Milhomens e Neuza Itioka. Esta honra foi concedida aos doze, como apóstolos de Jesus Cristo. Nem o apóstolo Paulo foi incluído neste rol, visto que foi um "nascido fora do tempo", mesmo sendo apóstolo como os doze.

Não é possível que haja apóstolos em nossos dias porque ninguém, depois da aparição de Jesus Cristo em pessoa ao apóstolo Paulo no caminho de Damasco, tem condições de cumprir as exigências do ofício. Estas exigências eram, conforme já vimos, ser testemunha ocular da ressurreição de Cristo, ter sido chamado pessoalmente por ele e realizar sinais e prodígios que comprovem a genuinidade do ofício. Paulo foi o último que se enquadrou nestes critérios. Os "apóstolos" modernos reivindicam terem sido chamados por Cristo por meio de visões e palavras proféticas; todavia, nenhum deles viu o Cristo ressurreto em pessoa e nenhum foi chamado por ele nesta condição. É estranha a forma como Peter Wagner

---

[7] MacArthur, *Strange Fire*, 91.

descarta a exigência bíblica do testemunho ocular do Cristo ressurreto. Depois de mencionar a necessidade de sinais e prodígios, ter visto Jesus pessoalmente e plantar igrejas, ele diz simplesmente que "eu não considero estas três qualidade como inegociáveis... se faltar a certo indivíduo a unção para uma ou mais delas, em minha opinião, isto não excluiria este individuo de ser um apóstolo legítimo".[8]

Quanto aos alegados sinais e prodígios realizados pelos "apóstolos", mesmo que reconheçamos que Deus realize curas, sinais e milagres hoje, a grande quantidade de curas falsas, engodos e manipulações que ocorrem nos ministérios de curas destes "apóstolos" tornam este critério inverificável.[9]

Além de não cumprirem os critérios pessoais do apostolado de Cristo, falta aos "apóstolos" modernos mais duas características dos doze e de Paulo, que não podem mais ser repetidas. A primeira é o lançamento do fundamento da Igreja cristã de uma vez por todas. Esta é a única explicação possível para esta palavra de Paulo aos crentes efésios:

> Assim, já não sois estrangeiros e peregrinos, mas concidadãos dos santos, e sois da família de Deus, *edificados sobre o fundamento dos apóstolos e profetas*, sendo ele mesmo, Cristo Jesus, a pedra angular; no qual todo o edifício, bem ajustado, cresce para santuário dedicado ao Senhor, no qual também vós juntamente estais sendo edificados para habitação de Deus no Espírito (Ef 2.19-22).

Paulo não estava falando da igreja sita na cidade de Éfeso, mas da igreja universal de Cristo. Não precisamos de apóstolos modernos para "lançar os fundamentos" de igrejas locais, pois o fundamento da igreja local é o mesmo da universal, que é a doutrina apostólica sobre a pedra, Cristo, sobre a qual todo o edifício espiritual se ergue e se edifica. Um fundamento é lançado no início de uma obra. Portanto, isto "decisivamente limita o apostolado aos estágios iniciais da história da igreja".[10]

---

8   Citado em Ernest L. Vermont, *Tactics of Truth* (Maitland, FL: Xulon, 2006), 94 nota 19.
9   Veja a análise de MacArthur, *Strange Fire*, 92-93.
10 MacArthur, *Strange Fire*, 96.

A segunda característica dos doze e Paulo, que depois deles não mais poderia ser concedida a alguém, é a inspiração divina, pelo Espírito, para escrever a Escritura, a palavra de Deus escrita, infalível e inerrante. Os livros do Novo Testamento foram escritos pelos apóstolos ou por pessoas do círculo apostólico, como Lucas, Marcos, Tiago e Judas, além do desconhecido autor do livro de Hebreus. Os apóstolos foram designados pelo Senhor Jesus como seus representantes, conforme já vimos. Seus escritos, e daqueles que deles receberam o testemunho, foram unicamente inspirados por Deus e vieram a se constituir na palavra de Deus, ao lado das Escrituras hebraicas. As outras pessoas que são chamadas de "apóstolos" no Novo Testamento, não receberam este dom da inspiração que estava intrinsecamente ligado ao fato de que os apóstolos deveriam lançar os fundamentos da Igreja de Cristo — os quais estão registrados para sempre nas sagradas letras.

É evidente a incrível arrogância de alguns dos modernos "apóstolos", como Peter Wagner, que sugere que as suas profecias e novas revelações poderiam ser acrescentadas às palavras de Paulo, Pedro, João e Mateus: "A regra principal que governa qualquer nova revelação é que não pode contradizer o que já foi escrito na Bíblia. Mas, pode suplementá-la, entretanto".[11] Wayne Grudem declara sobre isto:

> Este fato sugere, por si mesmo, que havia algo único acerca do ofício de apóstolo, e que não deveríamos esperar que ele continuasse em nossos dias, pois ninguém hoje pode adicionar palavras à Bíblia e tê-las consideradas como as próprias palavras de Deus ou como parte das Escrituras.[12]

Se considerarmos que o cânon das Escrituras está fechado, a conclusão inevitável é que não temos mais apóstolos como Paulo e os doze hoje. Como nos diz MacArthur:

---

11 C. Peter Wagner, "The New Apostolic Reformation is not a Cult", http://www.charismanews.com/opinion/31851-the-new-apostolic-reformation-is-not-a-cult, acessado em 25/11/2013.
12 Grudem, *Systematic Theology*, 905-906.

O ofício apostólico não continuou além do século primeiro da história da igreja. O que permaneceu como nossa única autoridade hoje é o testemunho escrito dos apóstolos – um registro inspirado do ensino autoritativo deles contido na Bíblia. Portanto, os escritos do Novo Testamento constituem *a única verdadeira autoridade apostólica na igreja hoje* (ênfase no original).[13]

O caso de Paulo

Apelar para o apostolado de Paulo como base para a continuidade do ofício em nossos dias também é fugir diante dos fatos bíblicos. Certamente Paulo não fez parte dos doze, mas seu chamado como apóstolo da mesma envergadura deles não significa que ele inaugurou uma nova geração após os apóstolos originais de Jesus Cristo. O apostolado de Paulo, conforme vimos no Capítulo 3 da Parte 1, foi excepcional, e, como tal, não forma a regra e sim, a exceção – na verdade, a única. Paulo declarou sem rodeios que ele foi o último a quem Jesus apareceu após a ressurreição: "E, afinal, depois de todos, foi visto também por mim, como por um nascido fora de tempo. Porque eu sou o menor dos apóstolos, que mesmo não sou digno de ser chamado apóstolo, pois persegui a igreja de Deus" (1Co 15.8-9). Mesmo sendo uma exceção, ainda assim Paulo cumpria os mesmos requisitos dos doze: ele viu o Senhor ressurreto pessoalmente e foi por ele chamado para o apostolado, não numa visão, mas numa aparição física real, tornando o chamado de Paulo equivalente ao dos doze – e, portanto, irrepetível.

Como já dissemos reiteradas vezes, o único sentido em que o termo "apóstolo" pode ser usado hoje é aquele de enviado de uma igreja para a realização de uma tarefa específica, destacadamente a obra missionária. Arrogar-se o ofício de apóstolo de Cristo como os doze e Paulo é uma pretensão biblicamente descabida.

---

13 MacArthur, *Strange Fire*, 96.

Os textos bíblicos usados

As passagens principais usadas para provar que temos hoje todos os dons e ofícios mencionados no Novo Testamento, são Efésios 4.11 e 1Coríntios 12.28. Apesar dos defensores do apostolado moderno sempre se referirem aos "cinco ministérios", é transparente que o foco é mesmo os ministérios apostólico e profético, como diz Peter Hocken:

> É uma crença característica das novas igrejas [apostólicas] que o Espírito Santo está restaurando hoje os cinco ministérios de Efésios 4.11: apóstolos, profetas, evangelistas, pastores e mestres. Mas, o foco é no ministério do apóstolo e do profeta, porque o mundo evangélico já estava acostumado com o ministério do evangelista, pastor e mestre.[14]

Já vimos anteriormente que a declaração de Paulo em Efésios 4.11 é interpretada pelos proponentes da restauração apostólica como sendo o governo que Deus determinou para sua igreja, o qual seria composto de cinco ministérios encabeçados pelo ofício de apóstolo. A passagem de 1Coríntios 12.28 é acrescentada porque nela Paulo diz "primeiramente, apóstolos", estabelecendo, assim, segundo esta interpretação, a primazia do apostolado na igreja, como o ofício de maior autoridade e honra.

Já examinamos estas duas passagens no Capítulo 5 da Parte I. Com relação a Efésios 4.11, o que vimos foi que (1) a Igreja aqui não é a igreja local, mas a Igreja de Cristo, seu corpo místico, universal, santo e uno; (2) a passagem não parece se referir a ministérios, mas a pessoas que foram dadas à Igreja para servi-la em diferentes funções; (3) que não há nada na passagem que exija que algumas das funções ali descritas sejam permanentes e outras provisórias, pois elas podem atender a diferentes fases da vida da Igreja de Cristo; (4) que os apóstolos mencionados na lista, de acordo com o contexto (Ef 1.1; 2.20; 3.5) são os doze apóstolos de Cristo, entre os quais Paulo se inclui; (5) a concessão destas pessoas com suas funções à Igreja de Cristo

---

14 Peter Hocken, *The Challenges of the Pentecostal, Charismatic, and Messianic Jewish Movements*, 43.

aconteceu, mais corretamente, na ressurreição de Cristo, da qual a ascensão é apenas a coroação. Em outras palavras, Efésios 4.11 não ensina a validade do ofício de apóstolo e profeta para todas as épocas da Igreja, muito embora evangelistas, pastores e mestres estejam em atividade até os dias de hoje.

A estas observações podemos acrescentar mais duas, feitas por MacArthur: (1) a maturidade e unidade mencionadas na passagem (Ef 4.11-13) não se referem à vinda de Cristo, mas ao crescimento e maturidade da Igreja aqui neste mundo; (2) as funções listadas por Paulo foram dadas à Igreja para equipar os santos, para que estes, por sua vez, promovam o crescimento da Igreja. "O que continua até que as condições mencionadas no verso 13 sejam cumpridas é *a edificação do corpo de Cristo*. Nada no texto indica que apóstolos e profetas estarão presentes através de toda a era da Igreja, mas somente que o trabalho que eles começaram (equipar os santos para edificar o corpo de Cristo) continuará."[15]

Uma vez que Efésios 4.11 seja corretamente interpretado, ele nos levará ao ministério apostólico contido em seus escritos, para ali sermos equipados e preparados, para, em seguida, contribuirmos na edificação do corpo de Cristo. Cristo deu os apóstolos e profetas para preparar os livros-textos que seriam usados pelos evangelistas, pastores e mestres durante toda a era da Igreja cristã, no serviço de edificação do corpo de Cristo. Não precisamos de novos apóstolos e profetas.

Quanto a 1Coríntios 12.8, basta que destaquemos duas das nossas conclusões da análise já feita da passagem. (1) "apóstolo" não é um dom espiritual, mas a designação de um ofício e uma função; (2) a lista de 1Coríntios 12.8 não é de poder eclesiástico na igreja, dando aos apóstolos a primazia sobre todos os demais, mas é uma lista de utilidade dos dons. Apóstolos, profetas e mestres são ministérios da Palavra e, portanto, "o ministério cristão primordial". Eles figuram aqui em "ordem de eminência", pois, como ministérios da Palavra, são de importância vital para a existência e manutenção das igrejas. Não há nada nesta passagem que dê aos "apóstolos" modernos o direito de se arrogarem a ocupar a cadeira mais elevada na estrutura das igrejas.

---

15 MacArthur, *Strange Fire*, 100-101.

Omissão dos presbíteros e diáconos

Outro ponto que salta aos olhos do leitor das obras dos "apóstolos" brasileiros e internacionais é a omissão quase que absoluta de qualquer referência aos abundantes registros bíblicos de que os apóstolos estabeleceram bispos/presbíteros/pastores e diáconos em todas as igrejas que fundaram. No livro de Atos, encontramos o registro da nomeação dos sete diáconos que ficaram encarregados, pelos apóstolos, de administrar a obra social da igreja (Atos 6.1-7). Em seguida, encontramos presbíteros ao lado dos apóstolos em Jerusalém, participando das decisões administrativas e doutrinárias das igrejas (At 11.30; 15.2,4,6,22; 16.4). Lemos ainda como Paulo e Barnabé instituíam presbíteros nas igrejas por eles fundadas (At 14.23) e a exortação que Paulo fez aos presbíteros de Éfeso, a quem chamou de bispos e pastores (At 20.17-35). Perto do final do livro de Atos, lemos que Paulo, em visita a Jerusalém, encontra apenas os presbíteros na liderança da Igreja. Tiago, que parecia ser o líder maior, mesmo sendo um homem apostólico, não era chamado de "apóstolo" (At 21.18). Paulo menciona os bispos e diáconos na carta aos filipenses (Fp 1.1) e na primeira carta a Timóteo (1Tim 3.1-13). Pedro se refere aos presbíteros das igrejas a quem destina sua primeira carta e determina-lhes que pastoreiem o rebanho de Deus (1Pe 5.1-4). O quadro geral é muito eloquente: os apóstolos constituíram bispos/presbíteros/pastores e diáconos para pastorear e administrar as igrejas. Não fizeram provisão alguma para novos apóstolos lhes sucederem, mas deixaram claras as condições e regras para os que aspirassem ocupar o presbiterato e o diaconato.

Portanto, é uma usurpação intolerável que os "apóstolos" modernos assumam para si a posição e a função dos presbíteros e diáconos e os dispensem completamente, assentando-se no topo de uma hierarquia por eles concebida e que não tem qualquer fundamentação nas Escrituras. Trata-se, na verdade, de uma rejeição do sistema de governo eclesiástico revelado por Deus em sua palavra, que é o governo exercido por um colegiado de presbíteros e diáconos.

O testemunho dos pais apostólicos

Nem sempre podemos confiar naquilo que os pais da Igreja escreveram. Todavia, quando o testemunho deles é praticamente unânime, pouca dúvida pode restar quanto ao que afirmam. Os discípulos dos apóstolos, que viveram nos séculos I e II, são chamados de "Pais Apostólicos" e nos deixaram diversos escritos nos quais encontramos o entendimento de que o período apostólico, que foi o período de lançamento dos fundamentos da Igreja, cessou com a morte dos doze e de Paulo.

Irineu de Lião (130-202), em sua obra *Contra Heresias*, declara que, da mesma forma que as doze tribos constituíam a tribo de Israel, "Cristo, também, estava numa terra estranha, para gerar o fundamento de doze colunas da Igreja", uma referência a Apocalipse 21.14: "A muralha da cidade tinha doze fundamentos, e estavam sobre estes os doze nomes dos doze apóstolos do Cordeiro".[16]

Tertuliano (155-230) declara, em sua obra *Contra Marcião*, que os apóstolos foram os únicos a quem o Filho de Deus se revelou,[17] e que a verdade se encontrava na pregação deles preservadas nas igrejas por eles fundadas, as igrejas apostólicas.[18]

Inácio (35-115), numa carta aos cristãos da Magnésia, diz que a profecia do Antigo Testamento de que o povo de Deus seria chamado por um novo nome, se cumpriu em Antioquia, quando os discípulos foram chamados de cristãos pela primeira vez, "quando Paulo e Pedro estavam lançando os fundamentos da Igreja".[19] E, numa carta aos cristãos de Antioquia, ele declara que não é um apóstolo, mas apenas um colaborador servo.[20]

Clemente de Roma (30-101) escreveu uma carta à igreja de Corinto (cerca de 90 d.C.) para defender os direitos dos presbíteros que haviam sido depostos por agitadores dentro da igreja. A carta pressupõe, do começo ao fim, que os presbíteros, que também são chamados de bispos,

---

16 Irineu, *Contra Heresias*, 4.21.3.
17 Tertuliano, *Contra Marcião*, 21.
18 Ibid.
19 Inácio, *Epístola aos Magnésios*, 9-11.
20 Inácio, *Epístola aos Antioquianos*, 11.

têm seu ofício derivado diretamente dos apóstolos. Após dizer que os apóstolos nos pregaram o Evangelho da parte do Senhor Jesus Cristo, que os enviou, declara que eles "pregando de cidade em cidade designaram os primeiros frutos de seus trabalhos, depois de tê-los provado pelo Espírito, para serem bispos e diáconos daqueles que haveriam de crer depois deles".[21] Os apóstolos são vistos como já mortos e seu período, encerrado, não tendo deixado sucessores senão os bispos/presbíteros.

Eusébio de Cesaréia (c. 235-339) iniciou o livro oitavo de sua *História Eclesiástica* com estas palavras: "Descrevi nos sete livros anteriores os eventos *desde os tempos dos apóstolos*. Acho próprio neste oitavo livro registrar, para a informação da posteridade, um pouco dos mais importantes acontecimentos em nosso próprio tempo".[22] Evidentemente, ele via que sua época era diferente da era apostólica, a qual já havia cessado.

A tentativa dos "apóstolos" modernos de explicar a cessação do ofício de apóstolo na igreja cristã ainda no primeiro século é apelar para a operação maligna de um espírito demoníaco, o "espírito de religião", que levou a igreja inteira à cegueira espiritual. Em nosso entender, se havia alguma atuação maligna, a mesma era nos falsos mestres gnósticos e heréticos como Marcião e Maniqueu, que reivindicavam ser apóstolos de Jesus Cristo, e dos quais os "apóstolos" modernos são os verdadeiros discípulos.

Podemos concluir esta seção com as palavras de Wayne Grudem:

> É digno de nota que nenhum grande líder na história da Igreja – nem Atanásio ou Agostinho, nem Lutero ou Calvino, nem Wesley ou Whitefield – tomou para si o título de "apóstolo" ou permitiu que os chamassem de apóstolos. Se alguns nos tempos modernos desejam tomar o título "apóstolos" para si mesmo, imediatamente levantam a suspeita de que estão sendo motivados por um orgulho inapropriado e desejo de autoexaltação, além de excessiva ambição e desejo por mais autoridade na igreja do que alguém deveria legalmente ter.[23]

---

21 Clemente, *Primeira Epístola aos Coríntios*, 42.
22 Eusébio, *História Eclesiástica*, 8.
23 Grudem, *Systematic Theology*, 911.

Conclusão

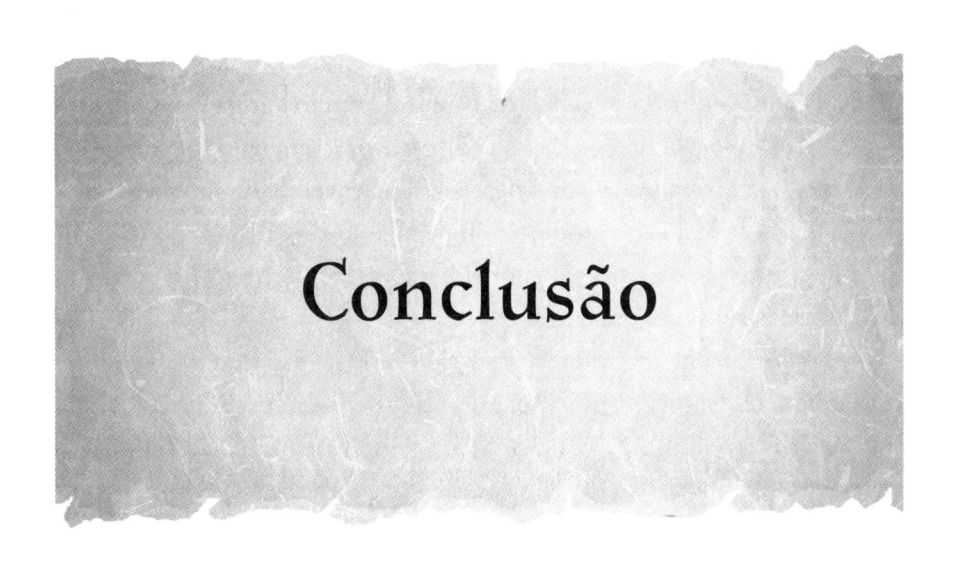

A grande questão que este livro procurou responder foi a possibilidade da existência, em nossos dias, de apóstolos como os doze apóstolos de Jesus Cristo e o apóstolo Paulo, cujas vidas e obras encontramos nas páginas do Novo Testamento. Esta questão é da maior urgência, especialmente em nossos dias, quando vemos o grande crescimento do número de líderes no meio protestante evangélico, particularmente no campo neopentecostal, que se apresentam como apóstolos de Jesus Cristo, reivindicando autoridade e poder similares. Considerando que muitos destes modernos apóstolos têm introduzido, em nome de revelações e visões do Senhor, doutrinas e práticas contrárias ao Cristianismo histórico, e considerando que a sua influência parece crescer, especialmente nas igrejas do chamado Sul Global, responder a esta questão nos parece crucial para esclarecimento das igrejas evangélicas brasileiras e para orientação de seus membros.

É nossa firme convicção de que não existem mais apóstolos como os doze apóstolos de Jesus Cristo e o apóstolo Paulo.

O termo "apóstolo" para designar aqueles doze discípulos escolhidos por Jesus Cristo como seus enviados e representantes foi primeiramente usado por ele mesmo. O conceito de representação autorizada já era conhecido dos judeus, encontrando vários exemplos no Antigo Testamento, dos quais os profetas, como enviados autorizados de Deus, seja talvez o melhor deles. A consciência de ter sido, ele mesmo, enviado pelo Pai ao mundo com a missão de salvá-lo, contribuiu para que Jesus desse os contornos definitivos ao conceito do apóstolo cristão e das suas características.

Estas incluíam ter andado com ele desde o início de seu ministério terreno, o chamado pessoal pelo próprio Jesus, o testemunho da sua ressurreição e poder para realizar sinais e prodígios. Estas qualificações restringiram o número dos apóstolos aos doze e Paulo, como um nascido fora do tempo, para dedicar-se à evangelização dos gentios. O número doze é fixo porque equivale ao número das doze tribos de Israel, preservando assim o paralelo e a continuação da igreja de Cristo como o novo Israel.

Aos doze apóstolos e a Paulo, Cristo entregou a tarefa de dirigir a transição da antiga aliança para a nova, liderar a igreja cristã nascente, invocar o Espírito Santo aos grupos representativos dos samaritanos, gentios e discípulos de João Batista e lançar o fundamento da sua igreja. Esta tarefa foi feita pela pregação e escritos deles, os quais vieram a compor as Escrituras do Novo Testamento, inspiradas e autoritativas, servindo como o fundamento apostólico para as gerações seguintes. Aos apóstolos e pessoas a eles associadas, o Espírito Santo concedeu revelação e inspiração para interpretarem as Escrituras do Antigo Testamento e registrar infalivelmente os fatos que aconteceram nos dias da encarnação de Cristo e a interpretação deles, bem como as etapas seguintes da história da redenção.

O número dos apóstolos de Cristo, portanto, foi restrito aos doze e a Paulo, e, com a morte deles, encerrou-se o chamado período apostólico de uma vez para sempre. Deus, todavia, continuou a levantar homens para conduzir sua igreja no mundo. A igreja, assim, continua sendo apostólica porque está firmada sobre o fundamento colocado pelos apóstolos, que é Cristo, conforme se encontra registrado nos escritos apostólicos do Novo Testamento. Sua apostolicidade não se baseia na pessoa dos apóstolos, mas nos seus ensinos.

Os apóstolos promoveram a eleição de presbíteros (bispos/pastores) e diáconos desde os primórdios da igreja cristã, em Jerusalém e no mundo gentílico. A eles foi confiada a tarefa de dar continuidade ao trabalho pioneiro e fundacional dos apóstolos, governando as igrejas, pregando a Palavra, dirigindo a evangelização do mundo, ministrando às necessidades de seus membros e dos pobres em geral e, especialmente, preservando o legado apostólico contido em seus escritos. Os apóstolos não tomaram nenhuma providência para que fossem substituídos por outros apóstolos na medida em que iam morrendo. Também não encontramos em seus escritos que os bispos estavam acima dos presbíteros e que deveriam manter uma cadeia sucessória com origem na ordenação apostólica.

Em suas cartas, o apóstolo Paulo menciona os apóstolos juntamente com profetas, evangelistas, pastores e mestres (Ef 4.11), além de outras funções, ministérios e dons concedidos por Deus para a edificação de seu povo aqui neste mundo (1Co 12.28). Estas menções não implicam na perpetuação do ofício de apóstolo para todas as épocas da igreja, mas no reconhecimento de que eles, os apóstolos de Cristo, estavam nos inícios da igreja cristã, lançando o seu fundamento, e que todos os demais ministérios devem basear-se neste fundamento. É nesse sentido que eles têm a primazia sobre as demais funções.

Também, em suas cartas, o apóstolo Paulo faz menção de outras pessoas, além dos doze, a quem se refere como "apóstolos". Podemos ter certeza quanto a Silas, Timóteo e Epafrodito. Ele também se refere a irmãos que eram "apóstolos das igrejas". Além destes casos claros, alguns defendem a possibilidade de que ele tenha também se referido a Tiago, Apolo, Barnabé, Andrônico e Júnias como apóstolos. Estes casos, todavia, devem permanecer inconclusivos, como a enorme controvérsia em torno deles demonstra. Contudo, ainda que venha a ficar claro que Paulo os tenha chamado de apóstolos, cremos que os requerimentos do apóstolo de Cristo já acima mencionados só permitiria uma única interpretação do termo quando aplicado a eles, a saber, de enviados de igrejas locais, missionários, embaixadores ou delegados.

Apesar das precauções tomadas pelos apóstolos para que, após a sua morte, o governo das igrejas fosse levado avante por um colegiado de presbíteros (bispos) auxiliados por diáconos, não tardou a aparecer homens dentro das igrejas cristãs reivindicando serem sucessores dos apóstolos ou mesmo de portarem um *status* superior ao deles, como Maniqueu, que se chamava de "o paracletos" e "o apóstolo de Jesus Cristo". A maioria destes "apóstolos" eram gnósticos, que foram enfrentados e, posteriormente, vencidos pelos Pais da Igreja nos concílios. O embate, todavia, ocasionou o surgimento da ideia da sucessão apostólica através de bispos, culminando posteriormente no papado da Igreja Católica Romana, nos bispos da Igreja Oriental e, após a Reforma, nos bispos anglicanos e luteranos. Com o surgimento do movimento pentecostal e neopentecostal no século XX, apareceram os apóstolos modernos e o movimento de restauração do governo apostólico da igreja cristã, vista por eles como etapa crucial de preparação da igreja para a vinda de Cristo. No Brasil e no mundo, proliferam os novos "apóstolos", igrejas apostólicas, redes, coalizões e ministérios apostólicos. À luz dos resultados da nossa pesquisa quanto à natureza e escopo do ofício de apóstolo, não podemos concluir outra coisa a não ser que se trata de uma apropriação ilegítima do ofício bíblico de apóstolo, por parte de homens e mulheres cujos motivos Deus haverá de julgar.

A igreja de Cristo haverá de sobreviver a mais este terrível erro teológico e suas consequências. Todavia, não serão poucos os que cairão feridos pelo caminho, desiludidos e enganados, e enganando a outros, por sua vez.

Queira Deus dar-nos a graça de honrar o testemunho apostólico, deixado pelos doze e por Paulo nas Escrituras como fundamento da Igreja de Jesus Cristo. Queira Deus, em sua misericórdia, nos livrar dos falsos mestres e levantar líderes legítimos para conduzir sua Igreja nestes tempos difíceis.

Índice Completo

Introdução 9

Parte I – O Conceito de Apóstolo no Novo Testamento

Capítulo 1 –   O Significado e a Origem do Termo "Apóstolo" 23
    O termo "apóstolo" no mundo grego 24
    Jesus como originador do termo 25
    O conceito de representação autorizada no Antigo Testamento 27
    O conceito rabínico de *Shaliah* 28
    Os profetas como enviados de Deus 29
    Os apóstolos como sucessores dos profetas do Antigo Testamento 31
    A autoconsciência "Apostólica" de Jesus 35
    Conclusão 37

Capítulo 2 –   Os Doze 39
    A escolha dos doze 40
    Por que doze? 41
    Os nomes dos doze Apóstolos 44
    A missão dos doze antes da ressurreição 46
    Os setenta 48

A missão dos doze após a ressurreição 49

    Testemunhas da ressurreição 50

    Os fundamentos da Igreja 52

    Os escritos apostólicos 53

    Sinais e prodígios 53

    Concessão do Espírito Santo 55

    A liderança da igreja de Jerusalém 56

Pedro 58

Conclusão 60

Capítulo 3 – **Paulo** 61

As marcas de seu apostolado 62

    Testemunha da ressurreição de Cristo 63

    Comissionado diretamente pelo Senhor 66

    Sofrimentos pelo Evangelho 69

Paulo e os doze 72

    Apóstolo aos gentios 72

    Como os doze viam Paulo 80

    Como Paulo via os doze 81

    O menor dos apóstolos 83

"Apóstolos de Jesus Cristo" 84

Características exclusivas de Paulo 85

    Paulo e os profetas do Antigo Testamento 85

    O caráter apostólico da hermenêutica de Paulo 88

Conclusão 95

Capítulo 4 – **Outros Apóstolos** 97

Tiago 101

Apolo 107

Barnabé 109

Silas e Timóteo 112

Andrônico e Junias 114

Epafrodito 117

"Apóstolos das igrejas" 119

Conclusão 120

Capítulo 5 - "Apóstolo" era um dom espiritual? 123

1Coríntios 12:28 126

O sentido geral de "apóstolo" no Novo Testamento *126*

A divisão da lista entre pessoas e dons *127*

As razões para a divisão da lista *129*

Ofícios *130*

Quem são os "apóstolos" desta lista *130*

Efésios 4.11 134

Pessoas com dons *134*

A liderança na igreja apostólica *135*

A temporariedade de funções *137*

Quem são os "apóstolos" desta lista? *139*

Quando os "apóstolos" foram dados à Igreja? *141*

Conclusão 142

Capítulo 6 – Falsos Apóstolos e Superapóstolos 143

Conclusões gerais 147

Parte II – Os Continuadores da Obra Apostólica

Capítulo 7 – Judas Iscariotes, Tiago e os Presbíteros da Judeia 155

Judas Iscariotes 156

O apóstolo Tiago, irmão de João 157

Os Presbíteros da Judeia e de Jerusalém 158

Os Presbíteros de Jerusalém e Paulo 161

Conclusão 162

Capítulo 8 – Paulo e os Presbíteros das igrejas gentílicas 165

    O modo da escolha e nomeação 165

    A tarefa dos presbíteros 166

    As qualificações dos presbíteros 167

    Conclusão 170

Capítulo 9 – Timóteo e Tito: Bispos? 173

    As missões de Timóteo e Tito 175

    Iminência da morte de Paulo 176

    A ordenação de Timóteo 178

    Poderes para ordenar presbíteros 181

    Distinção entre bispos e presbíteros 182

    Treinamento de sucessores 184

    Conclusão 187

Capítulo 10 – Os Escritos Apostólicos 189

    As cartas como substitutos da presença apostólica 190

    O cânon do Novo Testamento 193

    Conclusão 195

Capítulo 11 – Movimentos Precursores de Restauração Apostólica 197

    Os apóstolos gnósticos 200

    Marcião 203

    Mani 205

    Edward Irving 208

    Irvingitas: a Igreja Católica Apostólica 210

    Igreja Nova Apostólica 212

    Restaurando a igreja sem novos apóstolos 213

    Quais as reais motivações? 218

    Conclusão 219

Parte III – Uma Análise do Movimento de Restauração Apostólica

Introdução 225

Capítulo 12 – Os Pioneiros do Movimento de Restauração Apostólica......229
    As "Novas Igrejas"..232

Capítulo 13 – C. Peter Wagner...237
    Metamorfose ambulante 240
    Messianismo escatológico 242
    A segunda era apóstolica – maior que a primeira............................244
    Reinvenção do cristianismo 246
    Assunto ignorado no passado..250
    Satanás e o espírito religioso...251
    Conclusão...253

Capítulo 14 – Os Conceitos Centrais da Nova Reforma Apostólica...........255
    Governo Apostólico...256
    O ofício de profeta..257
    Dominionismo 258
    Teocracia 262
    Revelações extrabíblicas...262
    Sinais e prodígios 264
    Conclusão..265

Capítulo 15 – Rony Chaves e Sua Influência no Brasil.....................269
    Os novos apóstolos 270
    Restituição escatológica sob os novos apóstolos..........................273
    As Redes Apostólicas 276
    Os novos apóstolos e a guerra espiritual.................................278
    Cobertura espiritual apostólica..280

Revelações extrabíblicas..281

Conclusão...283

Capítulo 16 – A "Nova Reforma Apostólica" no Brasil.............................285

Revelações e profecias...287

Falsas profecias..295

Manipulação da Bíblia..303

Doutrinas e práticas estranhas 312

O movimento G12 entre os apóstolos brasileiros 314

Dominionismo 316

Conclusão...319

Capítulo 17 – Análise Crítica da Nova Reforma Apostólica.......................321

Nova Reforma Apostólica? 322

Não existem mais apóstolos hoje como os doze 324

O caso de Paulo..327

Os textos bíblicos usados 328

Omissão dos presbíteros e diáconos 330

O testemunho dos pais apostólicos..331

Conclusão 333

Índice Completo 337

Bibliografia..343

Bibliografia

A lista é dos livros e artigos citados na obra. Os artigos acessados na internet têm seu endereço citados nas notas de rodapé onde foram mencionados.

ACHTEMEIER, Paul J., *1 Peter: A Commentary on First Peter* (Minneapolis: Fortress, c1996).

ACHTEMEIER, Paul J., *Harper's Bible dictionary* (San Francisco: Harper & Row, 1985).

AGNEW, Francis H., "The Origin of the NT Apostle-Concept: A Review of the Research," em *Journal of Biblical Literature*, 105/1 (1986).

AUNE, David, *Prophecy in Early Christianity and the Ancient Mediterranean World* (Grand Rapids: Eerdmans, 1983).

BARRETT, C. K., "*Shaliah* and Apostle", em *Donum Gentilicum: New Testament Studies in Honor of David Daube*, ed. E. Bammel, *et alli*, (Oxford: Clarendom Press, 1978).

BARRETT, C. K., *A Commentary on the First Epistle to the Corinthians* em *Black's New Testament Commentaries* (London: Adam & Charles Black, 1968).

BARRETT, David B. e Todd M. Johnson, *World Christian Trends AD 30 – AD 2200* (Pasadena, CA: William Carey Library, 2001).

BARRETT, David B., George T. Kurian, Todd M. Johnson, *World Christian Encyclopedia: a comparative survey of churches and religions AD 30-AD 2200* (New York: Oxford University Press, 2001).

BATISTA, Joer Corrêa, "Movimento G-12: Uma Nova Reforma ou uma Nova Heresia?" em *Fides Reformata* 5/1 (2000).

BEALE, Gregory K., *A New Testament Biblical Theology: the unfolding of the Old Testament in the New* (Grand Rapids: Baker, 2011).

BEALE, Gregory K., e D. A. Carson, eds. *Commentary on the New Testament Use of the Old Testament* (Grand Rapids: Baker, 2007).

BEKER, Christiaan J., *Paul the Apostle: The Triumph of God in Life and Thought* (Philadelphia: Fortress Press, 1980).

BERKHOF, Louis, *Systematic Theology* (Grand Rapids: Eerdmans, 1938).

BEST, Ernest, *Essays on Ephesians* (Edinburgh: T & T Clark, 1997).

BIÉLER, André, *A Força Oculta dos Protestantes* (São Paulo, Editora Cultura Cristã, 1999).

BIGGS, Charles, *1 & 2 Peter, Jude*, em International Critical Commentary (Edinburgh: T & T Clark, 1901).

BILEZIKIAN, G., *Beyond Sex Roles* (Grand Rapids: Baker, 1985).

BLOMBERG, Craig, *Matthew*, vol. 22, *The New American Commentary* (Nashville: Broadman & Holman Publishers, 1992).

BROCKHAUS, Ulrich, *Charisma und Amt: Die paulinische Charismenlehre auf dem Hintergrund der frühchristlichen Gemeindenfunktionen* (Wuppertal: Theologischer Verlag Rolf Brockhaus, 1972).

BROWN, Raymond, *The Semitic Background of the Term "Mystery" in the New Testament*. FBBS, 21, ed. J. Reumann (Philadelphia: Fortress Press, 1968).

BROWN, Schuyler, "Apostleship in the New Testament as an historical and theological problem," em *New Testament Studies* 30/3 (1984), 474-480.

BRUCE, Alexander B., *Ferdinand Christian Baur and his theory of the origin of Christianity and of the New Testament writings* (Michigan: University of Michigan Library, 1885).

BRUCE, F. F, *1 & 2 Thessalonians,* em *Word Biblical Commentary,* vol. 45, eds. D. Hubbard, et al. (Dallas, TX: Word Books, 1982).

BRUCE, F. F., *1 and 2 Corinthians* em New Century Bible Commentary, eds. Ronald E. Clements and Matthew Black (London: Butler & Tanner Ltd., 1971).

BRUNER, Frederick Dale, *A Theology of the Holy Spirit* (Grand Rapids: Eerdmans, 1970).

CALDWELL, Larry, *Sent Out! Reclaiming the Spiritual Gift of Apostleship for Missionaries and Churches Today* (Pasadena, William Carey Library, 1992).

CALVIN, John and Henry Beveridge, *Commentary Upon the Acts of the Apostles*, vol. 1 (Bellingham, WA: Logos Bible Software, 2010).

CALVIN, John and William Pringle, *Commentaries on the Epistles of Paul to the Galatians and Ephesians* (Bellingham, WA: Logos Bible Software, 2010).

CALVIN, John and William Pringle, *Commentaries on the Epistles of Paul the Apostle to the Philippians, Colossians, and Thessalonians* (Bellingham, WA: Logos Bible Software, 2010).

CALVIN, John and William Pringle, *Commentaries on the Epistles to Timothy, Titus, and Philemon* (Bellingham, WA: Logos Bible Software, 2010).

CALVINO, João, *1 Coríntios* (São Paulo: Edições Parácletos, 1996).

CAMPOS, Heber Carlos de, "Profecia Ontem e Hoje" em *Misticismo e Fé Cristã* (São Paulo: Editora Cultura Cristã, 2013), 63-126.

CARSON, D. A., Douglas Moo e Leon Morris, *Introdução ao Novo Testamento* (São Paulo: Vida Nova, 1997).

CARSON, D. A., R. T. France, J. A. Motyer, e G. J. Wenham, orgs. *New Bible Commentary: 21st century edition*. 4th ed. (Leicester, England; Downers Grove, IL: Inter-Varsity Press, 1994).

CARSON, D. A., *Showing the Spirit* (Grand Rapids: Baker, 1987).

CHAVES, Rony, *Apuntes sobre el Ministerio Apostólico* (Avance Misionero Munadial Producciones, 2003).

CLARK, Andrew C., "Apostleship: Evidence from the New Testament and Early Christian Literature" em *Evangelical Review of Theology*, 13/4 (1989), 344-378.

CLARK, Gordon, *First Corinthians: a contemporary commentary* (Jefferson, Md: Trinity Foundation, 1991).

CONZELMANN, Hans, *1 Corinthians* (Philadelphia: Fortress Press, 1975).

COOPER, Karl T., "Paul and Rabbinic Soteriology" em *Westminster Theological Journal* 44 (1982), 123-139.

CRANFIELD, C. E. B., *A Critical and Exegetical Commentary on the Epistle to the Romans*, 2 vols, em *International Critical Commentary* (Edinburgh: T. & T. Clark, 1979).

CROSS, F. L. e Elizabeth A. Livingstone, *The Oxford dictionary of the Christian Church* (Oxford; New York: Oxford University Press, 2005).

CULLMANN, Oscar, *Formação do Novo Testamento* (São Leopoldo, RS: Editora Sinodal, 11a. edição, 2001).

CULLMANN, Oscar, *Early Christian Worship* (Westminster Press: Philadelphia, 1953).

CULLMANN, Oscar, *The Early Church* (Philadelphia: Westminster Press, 1956).

DALLIMORE, Arnold, *Forerunner of the Charismatic Movement: The Life of Edward Irving* (Chicago: Moody, 1983).

DEL PINO, Carlos "O Apostolado de Cristo e a Missão da Igreja", tese de mestrado apresentada ao Centro Evangélico de Missões (CEM); Viçosa, MG: 1992.

DENT ,Donald, *The Ongoing Role of Apostles in Missions* (CrossBooks, 2009).

DOMÍNGUEZ, César Castellanos, *Sonha e Ganharás o Mundo* (São Paulo: Palavra da Fé, 1999).

DUNN, James D. G., *1 Corinthians* (Sheffield: Sheffield Academic Press, 1995).

EHRHARDT, Arnold, *The* Apostolic Succession in the First Two Centuries of the Church (London: Lutterworth Press, 1953).

ELLIOTT, J. H., "Ministry and Church Order in the NT: A Traditio-Historical Analysis (1 Pt 5, 1–5 & plls.)," *CBQ* 32 (1970), 371.

ELLIS, E. Earle, *Pauline Theology: Ministry and Society* (Grand Rapids: Eerdmans; Exeter: Paternoster Press, 1989).

ELLIS, E. Earle, *The Old Testament in Early Christianity* em WUNT, 54 (Tübingen: Mohr [Siebeck], 1991).

ELWELL, Walter A. e Philip Wesley Comfort, *Tyndale Bible Dictionary*. Tyndale reference library (Wheaton, IL: Tyndale House Publishers, 2001).

ELWELL, Walter A., *Baker Encyclopedia of the Bible* (Grand Rapids: Baker, 1988).

EUSEBIUS of Caesaria, "The Church History of Eusebius," em *A Select Library of the Nicene and Post-Nicene Fathers of the Christian Church, Second Series: Eusebius: Church History, Life of Constantine the Great, and Oration in Praise of Constantine*, ed. Philip Schaff and Henry Wace, trans. Arthur Cushman McGiffert, vol. 1 (New York: Christian Literature Company, 1890).

EVANS, C. "Paul and the Hermeneutics of 'True Prophecy,'" *Biblica* 65 (1984) 560-70.

FARNELL, F. David, "When Will the Gift of Prophecy Cease?", em *Bibliotheca Sacra*, 150 (April-June 1993).

FEE, Gordon D., *The First Epistle to the Corinthians*. NICNT, ed. F. F. Bruce (Grand Rapids: Eerdmans, 1987).

FOULKES, Francis, *The Epistle of Paul to the Ephesians* em Tyndale New Testament Commentaries (Grand Rapids: Eerdmans, s/d).

FUNK, Robert W., "The Apostolic Parousia: Form and Significance" em *Christian History and Interpretation: Studies Presented to John Knox*, ed. William Farmer (Cambridge: Cambridge University Press, 1967).

GAFFIN, Richard B., Jr. *Perspectives on Pentecost: New Testament Teaching on the Gifts of the Holy Spirit* (Grand Rapids: Baker, 1979).

GEORGE, Timothy, *Galatians*, vol. 30, The New American Commentary (Nashville: Broadman & Holman Publishers, 1994).

GILES, Kevin, "Apostles before and after Paul," em *Churchman* 99/3 (1985), 241-256.

GODET, F., *Commentary on St. Paul's First Epistle to the Corinthians* (Edinburgh: T & T Clark, 1890).

GOPPELT, Leonhard, Ferdinand Hahn, et al., *A Commentary on 1 Peter* (Grand Rapids: Eerdmans, 1993).

GORE, Charles, *The Church and the Ministry*, 4th ed. (London, New York: Longmans, Green, and Co., 1900).

GRASS, T. G., "Irving, Edward," ed. Timothy Larsen et al., *Biographical Dictionary of Evangelicals* (Leicester, England; Downers Grove, IL: InterVarsity Press, 2003), 326–328.

GRUDEM, Wayne, *Systematic Theology* (Grand Rapids: Zondervan, 1994), 911.

GRUDEM, Wayne, *The Gift of Prophecy in 1 Corinthians* (Washington: University Press of America, 1982).

GUNDRY, R. H., "Grace, Works and Staying Saved in Paul" em *Biblica* 66, 1-38.

GUNDRY, Robert H., "The language milieu of first century palestine" em *Journal of Biblical Literature*, 83/4 (1964), 404ss.

HADDAN, Arthur W., *Apostolical* succession in the Church of England (London; Rivingtons; New York: Pott and Amery, 1870).

HALL, III, Winfield Scott, "Paul as a Christian Prophet in his Interpretation of the Old Testament in Romans 9-11". Th.D. Dissertation; Chicago: Lutheran School of Theology, 1982.

HAMON, Bill, *Apostles, Prophets and the Coming Moves of God* (Destiny Imagine: Shippensburg, PA, 1997).

HANKINS, B., "Scofield, Cyrus Ingerson," ed. Timothy Larsen et al., *Biographical Dictionary of Evangelicals* (Leicester, England; Downers Grove, IL: InterVarsity Press, 2003), 589–591.

HARNACK, Adolf von, *The Mission and Expansion of the Christianity in the First Three Centuries*. Vol. 1 (New York: Harper, reimpressão 1962).

HARNACK ,Adolf von, *Marcion: Das Evangelium vom fremden Gott* (TU 45; 1921; 2nd edn., 1924; Eng. tr., Durham, NC, 1990).

HENNECKE, E., *New Testament Apocrypha*, vol. 2, ed. W. Schneemelcher (Philadelphia: Westminster, 1965).

HENRY, Matthew, *Matthew Henry's Commentary on the Whole Bible: Complete and Unabridged in One Volume* (Peabody: Hendrickson, 1994).

HOEHNER, Harold W., *Ephesians* em ed. Phillip W. Confort, *Cornerstone Biblical Commentary* (Carol Stream, IL: Tyndale House Publishers, 2008).

HURLEY, James B., *Man and Woman in Biblical Perspective* (Grand Rapids: Academie, 1981).

JAMIESON, Robert, A. R. Fausset, e David Brown, *Commentary Critical and Explanatory on the Whole Bible* (Oak Harbor, WA: Logos Research Systems, Inc., 1997).

JONES, Hywel R., "Are There Apostles Today?" em *Evangelical Review of Theology* 9/2 (1985), 107-116.

JOYNER, Rick, *The Harvest Morning Star*, set/1990, pp. 128/129

JULES-ROSETTE, Benetta, *African Apostles: Ritual and Conversion in the Church of John Maranke* (Ithaca and London: Cornell University Press, 1975).

KÄSEMANN, Ernest, *Commentary on Romans* (Grand Rapids: Eerdmans, 1994).

KELLY, J. N. D., *A Commentary on the Epistles of Peter and of Jude* (New York: Harper & Row, c1969).

KIRK, Kenneth E., *The Apostolic Ministry* (London: Hodder & Stoughton Limited, 1946).

KIRK, John Andrew. "Apostleship since Rengstorf: towards a synthesis," em *New Testament Studies* 21/2 (1975), 249-264.

KISTEMAKER, Simon, *Exposition of the First Epistle to the Corinthians*. New Testament Commentary (Grand Rapids: Baker, 1993).

KITTEL, Gerhard, Geoffrey W. Bromiley, and Gerhard Friedrich, eds., *Theological Dictionary of the New Testament* (Grand Rapids: Eerdmans, 1964–).

KOLB, Robert, *Martin Luther as Prophet, Teacher, and Hero: Images of the Reformer 1520-1560* (Michigan: Baker Books, 1999).

KORTWEGE, Theodore, "Origin and Early History of the Apostolic Office", em A. Hilhorst, ed., *The Apostolic Age in Patristic Thought* (Boston: Brill, 2004), 1-10.

KUYPER, Abraham, *A Obra do Espírito Santo* (São Paulo: Cultura Cristã, 2010).

KUYPER, Abraham, *Calvinismo* (São Paulo: Cultura Cristã, 2002).

KUYPER, Abraham, *The Work of the Holy Spirit* (New York: Funk & Wagnalls, 1900).

LANGE, John Peter, Philip Schaff, et al., *A Commentary on the Holy Scriptures: Galatians* (Bellingham, WA: Logos Bible Software, 2008).

LANGE, John Peter, Philip Schaff, et al., *A Commentary on the Holy Scriptures: Acts* (Bellingham, WA: Logos Bible Software, 2008).

LANGE, John Peter, Philip Schaff, et al., *A Commentary on the Holy Scriptures: Phillipians* (Bellingham, WA: Logos Bible Software, 2008).

LANGE, John Peter, Philip Schaff, et al., *A Commentary on the Holy Scriptures: 1&2 Timothy* (Bellingham, WA: Logos Bible Software, 2008).

LEA, Thomas D. and Hayne P. Griffin, *1, 2 Timothy, Titus*, vol. 34, The New American Commentary (Nashville: Broadman & Holman Publishers, 1992).

LIGHTFOOT, Joseph Barber, *Epistle of St. Paul to the Galatians: with Introductions, Notes, and Dissertations* (Grand Rapids: 1957).

LIGHTFOOT, Joseph Barber, *Saint Paul's Epistle to the Philippians* (London: Macmillan and Co., Limited, 1913).

LINCOLN, Andrew T., *Ephesians* em *Word Biblical Commentary*, vol. 42, eds. D. Hubbard, et al. (Dallas, TX: Word Books, 1990).

LINNEMANN, Eta, *A Crítica Bíblica em Julgamento* (São Paulo: Cultura Cristã, 2011).

LLOYD-JONES, David Martyn, *The Church and the Last Things* (Wheaton, IL: Crossway Books, 1998).

LOCKWOOD, Gregory J., *1 Corinthians* (Saint Louis: Concordia, 2000).

LONGENECKER, Richard, *Galatians* em *Word Biblical Commentary*, vol. 41, eds. D. Hubbard, et al. (Dallas, TX: Word Books, 1990).

LOPES, Augustus Nicodemus, "O Dilema do Método Histórico Crítico" em *Fides Reformata* 10/1 (2005), 115-138.

LOPES, Augustus Nicodemus, "A Nova Perspectiva sobre Paulo: um estudo sobre 'as obras da lei' em Gálatas," em *Fides Reformata*, 11/1 (2006), pp. 83-94.

LOPES, Augustus Nicodemus, "Ordenação Feminina: o que o Novo Testamento tem a dizer?" em *Fides Reformata*, 2/1 (1997).

LOPES, Augustus Nicodemus, "Os espirituais de Corinto", em *Fides Reformata*, 3/1 (1998).

LOPES, Augustus Nicodemus, "Paul as a Charismatic interpreter of Scripture: Revelation and Interpretation in 1 Corinthians 2:6-16", UMI Dissertations Services, 1998.

LOPES, Augustus Nicodemus, *A Bíblia e Seus Intérpretes* (São Paulo: Editora Cultura Cristã, 2004)

LOPES, Augustus Nicodemus, *Comentário em 1 João* (São Paulo: Cultura Cristã, 2005).

LOPES, Augustus Nicodemus, *O Culto Espiritual* (São Paulo: Cultura Cristã, 1999).

LOPES, Augustus Nicodemus, *O que você precisa saber sobre batalha espiritual* (São Paulo: Cultura Cristã, 4ª ed. 2006).

LOPES, Augustus Nicodemus, *Tiago*, em Interpretando o Novo Testamento (São Paulo: Cultura Cristã, 2006).

LOPES, Augustus Nicodemus, *Uma Igreja Complicada* (São Paulo: Cultura Cristã, 2011).

LOPES, Augustus Nicodemus, II e III de João e Judas (**São Paulo, SP: Editora Cultura Cristã, 2009**).

LOUW, Johannes P., Eugene A. Nida, eds., *Greek-English lexicon of the New Testament: based on semantic domains* (New York: United Bible Societies, 1988).

LOVEJOY, Grant I., *Biblical Hermeneutics: A Comprehensive Introduction to Interpreting Scripture* (B&H Publishing Group, 2002).

LUTTIKHUIZEN, Gerard P., "Witnesses and Mediators of Christ's Gnostic Teachings," em A. Hilhorst, ed., *The Apostolic Age in Patristic Thought* (Boston: Brill, 2004).

MACARTHUR, John, *1Corinthians*, em *The MacArthur New Testament Commentary* (Chicago: Moody Press, 1984), 322-323.

MACARTHUR, John, *Strange Fire: The Danger of Offending the Holy Spirit with Counterfeit Worship* (Nashville, Tennessee: Thomas Nelson Books, 2013).

MARSHALL, I. H., *Luke: Historian and Theologian* (London: Exeter, 1970).

MARTIN, Ralph P., *2 Corinthians*, em Word Biblical Commentary, vol. 40 (Waco, TX: Word, 1986).

MARTIN, Ralph, *Ephesians, Colossians, and Philemon* em *Interpretation* (Atlanta: John Knox Press, 1991).

MATOS, Alderi Souza de, "Edward Irving: Precursor do Movimento Carismático na Igreja Reformada" em *Fides Reformata* 1/2 (1996).

MELICK, Richard R., *Philippians, Colossians, Philemon*, vol. 32, *The New American Commentary* (Nashville: Broadman & Holman Publishers, 1991).

MEYERS, Jacob M. and Edwin D. Freed, "Is Paul Also Among the Prophets?" *Interpretation* 20 (1966) 40-53.

MICKELSEN, Berkeley e Alvera Mickelsen, "Does Male Dominance Tarnish Our Translation?" em *Christianity Today* (1979), 23-29.

MILLER, Donald, *Reinventing American Protestantismo: Christianity in the New Millenium* (California: University of California Press, 1997).

MORRIS, Leon, *The First Epistle of Paul to the Corinthians: An Introduction and Commentary*. The Tyndale New Testament Commentaries, ed. R. V. G. Tasker (London: Tyndale Press, 1958; reprint 1969).

MUSSNER, F., *Christus, das All und die Kirche: Studien zur Theologie der Epheserbriefes* (Trierer: Paulinus, 1955).

MYERS, Allen C., *The Eerdmans Bible dictionary* (Grand Rapids: Eerdmans, 1987).

MYLAND, David Wesley, *The Later Rain Covenant* (Temple Press, 1910).

NASUTI, Harry P., "The Woes of the Prophets and the Rights of the Apostle: The Internal Dynamics of 1 Corinthians 9," *CBQ* 50 [1988] 246-64.

NEANDER, Augustus, *History of the Planting and Training of the Christian Church by the Apostles* (London: George Bell & Sons, 1880).

NEWMAN, Albert H., "Introductory Essay on the Manichæan Heresy," in *A Select Library of the Nicene and Post-Nicene Fathers of the Christian Church, First Series: St. Augustin: The Writings Against the Manichaeans and Against the Donatists*, ed. Philip Schaff, vol. 4 (Buffalo, NY: Christian Literature Company, 1887).

NOBLE, John, *The Ministry of the Apostle* (Dallas, TX: Lighthouse Library International, 1975).

PATTERSON, R. D., שֶׁקֶרo, ed. R. Laird Harris, Gleason L. Archer Jr., and Bruce K. Waltke, *Theological Wordbook of the Old Testament* (Chicago: Moody Press, 1999), 918–919.

PATZIA, Arthur, *Ephesians, Colossians, Philemon* em *New International Biblical Commentary* (Peabody, MS: Hendrickson Publishers Inc., 1984).

PIERCE, Chuck, *The Future War of the Church: How We can Defeat Lawlessness and Bring God's Order to Earth* (Ventura, CA: Regal Books, 2001).

PIPER, John e Wayne Grudem, "An overview of Central Concerns: Questions and Answers," em *Recovering Biblical Manhood & Womanhood: A Response to Evangelical Feminism*, eds. John Piper e Wayne Grudem (Wheaton, IL: Crossway Books, 1991) 79-80.

PLISCH, U-.K., "Die Apostelin Junia: das Exegetische Problem im Röm 16,7 im Licht von Nestle-Aland27 und der Sahidischen Überlieferung," em *New Testament Studies* 42 (1996) 477-78.

POLHILL, John B., *Acts*, vol. 26, *The New American Commentary* (Nashville: Broadman & Holman Publishers, 1995).

POYTHRESS, Vern, "What Are Spiritual Gifts?" em *Basic of the Faith Series* (New Jersey: P&R Publishing, 2010).

REID, Daniel G. et al., *Dictionary of Christianity in America* (Downers Grove, IL: InterVarsity Press, 1990).

RENGSTORF, K. H., ἀπόστολος, em *Theological Dictionary of the New Testament* (TDNT) (Grand Rapids: Eerdmans, 1964) vol. 1, p. 407ss.

RIDDERBOS, Herman N., *Redemptive History and the New Testament Scriptures* (Philadelphia: Presbyterian and Reformed, 1963).

RIDDERBOS, Herman, *Paul: An Outline of His Theology* (Grand Rapids: Eerdmans, 1975).

RIDDERBOS, Herman, *The Authority of the New Testament Scriptures* (Grand Rapids: Baker, 1963).

ROBERT, Dana L. e M. L. Daneel, "Worship among Apostles and Zionists in Southern Africa" em Charles E. Farhadian, ed. *Christian Worship Worldwide: Expanding Horizons, Deepening Practices* (Grand Rapids: Eerdmans, 2007), 43-70.

ROBERTSON, A. e A. Plummer, *A Critical and Exegetical Commentary on the First Epistle of Saint Paul to the Corinthians*. ICC, eds. S. R. Driver, et al (Edinburgh: T. & T. Clark, 1914).

ROBERTSON, A. T., *Grammar of the Greek New Testament* (New York: Hodder and Stoughton, 1914).

ROBERTSON, A. T., *Word Pictures in the New Testament* (Nashville, TN: Broadman Press, 1933).

ROBINSON, Donald W. B., "Apostleship and apostolic succession" em *Reformed Theological Review*, 13/2 (1954), 33-42.

ROUKEMA, Riemer, "La tradition apostolique et le canon du Nouveau Testament," em A. Hilhorst, ed., *The Apostolic Age in Patristic Thought* (Boston: Brill, 2004), 86-103.

RUTZ, James H., *Megashift: Igniting Spiritual Power* (World Wide Publications, 2006).

SAFRAI, S. e M. Stern, eds. *The Jewish People in the First Century: Historical Geography, Political History, Social and Religious Life and Institutions*, CRINT, 1; 2 vols (Assen: Van Gorcum; Philadelphia: Fortress, 1974-76).

SANDNES, Karl Olav, *Paul - One of the Prophets? A Contribution to the Apostle's Self-Understanding*. WUNT, 2/43 (Tübingen: Mohr--Siebeck, 1991).

SCHAFF, Philip and David Schley Schaff, *History of the Christian Church*, vols. 1-8 (New York: Charles Scribner's Sons, 1882-1910).

SCHMITHALS, Walter, *The Office of Apostle in the Early Church* (New York: Abingdon Press, 1969).

SCHREINER, Thomas R., "Paul and Perfect Obedience of the Law: An Evaluation of the View of E. P. Sanders" em *Westminster Theological Journal* 47, 245-78.

SCHREINER, Thomas R., *1, 2 Peter, Jude*, vol. 37, *The New American Commentary* (Nashville: Broadman & Holman Publishers, 2003).

SELWYN, Edward Gordon, *The first epistle of st. Peter* (New York: Saint Martin Press, 1969).

SILVA, Moisés, "The Law and Christianity: Dunn's New Synthesis", em *Westminster Theological Journal* 53, 339-53.

SNODGRASS, Klyne, *Ephesians* em *The NIV Application Commentary* (Grand Rapids: Zondervan, 1996).

SPENCE-JONES, H. D. M., ed., *Galatians*, The Pulpit Commentary (London; New York: Funk & Wagnalls Company, 1909).

SPY, John M., "'Paul's Robust Conscience Re-examined" em *New Testament Studies* 31, 161-188.

STENDHAL, Krister, *Paul among Jews and Gentiles* (Augsburg: Fortress Press, 1976).

STOTT, John, *The Message of Ephesians* em The Bible Speaks Today (Downers Grove: Intervarsity, 1991).

STOTT, John, *The Message of Galatians* em The Bible Speaks Today Series (Downers Grove: Intervarsity, 1968).

SWETE, Henry Barclay, *Essays on the Early History of the Church and the Ministry, by Various Writers* (London: Macmillan and Co., Limited, 1918).

SYNAN, Vinson, *An Eyewitness Remembers the Century of the Spirit* (Grand Rapids: Chosen Books, 2011).

TALBERT, Charles H., *Ephesians and Colossians* (Grand Rapids: Baker, 2007).

TELFER, William, *The Office of a Bishop* (London: Darton, Longman & Todd, 1962).

TERRA NOVA, René, *A inteligência da visão* (São Paulo: Semente da Vida Brasil, 2011).

TERRA NOVA, René, *Geração Apostólica* (Manaus: Semente de Vida, 2007).

TERTULIANO, "The Prescription Against Heretics," in *The Ante-Nicene Fathers: Latin Christianity: Its Founder, Tertullian*, ed. Alexander Roberts, James Donaldson, and A. Cleveland Coxe, trans. Peter Holmes, vol. 3 (Buffalo, NY: Christian Literature Company, 1885).

VAN OORT, Johannes, "The paraclete Mani as the Apostle of Jesus Crist and the Origins of a new Church," em A. Hilhorst, ed., *The Apostolic Age in Patristic Thought* (Boston: Brill, 2004), 139-157.

VERMONT, Ernest L., *Tactics of Truth* (Maitland, FL: Xulon, 2006).

WAGNER, C. Peter, *Apostles and Prophets – The Foundation of the Church* (Regal: Ventura, 2000).

WAGNER, C. Peter, *Churchquake; How the New Apostolic Reformation is Shaking the Church as We Know It* (Ventura, CA: Regal Books, 1999).

WAGNER, C. Peter, *Confronting the Powers: How the New Testament Church Experienced the Power of Strategic-Level Spiritual Warfare* (Ventura, CA: Regal Books, 2006).

WAGNER, C. Peter, *Dominion! How Kingdom Action Can Change the Word* (Michigan: Chosen Books, 2008).

WAGNER, C. Peter, ed. *Freedom from the Religious Spirit: Understanding How Deceptive Religious Forces Try To Destroy God's Plan and Purpose for His Church* (Ventura, CA: Regal Books, 2005).

WAGNER, C. Peter, ed. *The New Apostolic Churches* (California: Regal, 1998).

WAGNER, C. Peter, *Engaging the Enemy: How to Fight and Defeat Territorial Spirits* (Ventura, CA: Regal Books, 1995).

WAGNER, C. Peter, *This Changes Everything: How God Can Transform Your Mind and Change Your Life* (Ventura, CA: Regal Books, 2013).

WAGNER, C. Peter, *Wrestling with Aligators, Prophets and Theologians: lessons from a lifetime in the church – a memoir* (Ventura, CA: Regal Books, 2011).

WAGNER, C. Peter, *Your Church Can Grow* (Wipf & Stockers Publishers, 2001; 1a. ed., 1976).

WALDRON, Samuel, *To Be Continued?* (Amityville, NY: Calvary, 2007).

WARREN, Ann K., "Apostlic Sucession," in *Dictionary of Middle Ages*. Ed. Joseph R. Strayer, vol. 1 (New York: Charles Scribner, 1982).

WEBBER, R. E., "Marcion," ed. J.D. Douglas and Philip W. Comfort, *Who's Who in Christian History* (Wheaton, IL: Tyndale House, 1992).

WHITE, R. Fowler, "Gaffin and Grudem on Eph 2:20: In Defense of Gaffin's Cessationist Exegesis," em *Westminster Theological Seminary*, 54 (1992), 303-20.

WILSON, Andrew, "Apostle Apollos?" em *Journal of Evangelical Theological Society*, 56/2 (2013), 325-336.

WOOD, D. R. W., I. H. Marshall, A. R. Millard, J. I. Packer, e D. J. Wiseman, *New Bible Dictionary* (Leicester, England; Downers Grove, IL: InterVarsity Press, 1996).

WUEST, Kenneth S., *Wuest's Word Studies from the Greek New Testament: For the English Reader* (Grand Rapids: Eerdmans, 1997).

ZUCK, Roy B., *A Biblical Theology of the New Testament*, electronic ed. (Chicago: Moody Press, 1994).

FIEL
Editora

A Editora Fiel tem como propósito servir a Deus através do serviço ao povo de Deus, a Igreja.

Em nosso site, na internet, disponibilizamos centenas de recursos gratuitos, como vídeos de pregações e conferências, artigos, e-books, livros em áudio, blog e muito mais.

Oferecemos ao nosso leitor materiais que, cremos, serão de grande proveito para sua edificação, instrução e crescimento espiritual.

Assine também nosso informativo e faça parte da comunidade Fiel. Através do informativo, você terá acesso a vários materiais gratuitos e promoções especiais exclusivos para quem faz parte de nossa comunidade.

Visite nosso website
www.ministeriofiel.com.br
e faça parte da comunidade Fiel

Offset 75g/m²
Impresso pela Gráfica Viena
Novembro de 2020